19.95

D1004758

LE BURNOUT

Couverture
- Conception graphique:
  Violette Vaillancourt
- Illustration:
  Daniel Jalbert

DISTRIBUTEURS EXCLUSIFS:

- Pour le Canada et les États-Unis:
  LES MESSAGERIES ADP*
  955, rue Amherst, Montréal H2L 3K4
  Tél.: (514) 523-1182
  Télécopieur: (514) 521-4434
  * Filiale de Sogides Ltée

- Pour la Belgique et le Luxembourg:
  PRESSES DE BELGIQUE
  96, rue Gray, 1040 Bruxelles
  Tél.: (32-2) 640-5881
  Télécopieur: (32-2) 647-0237
  Télex: PREBEL 23087

- Pour la Suisse:
  TRANSAT S.A.
  Route du Grand-Lancy, 2, C.P. 125, 1211 Genève 26
  Tél.: (41-22) 42-77-40
  Télécopieur: (41-22) 43-46-46

- Pour la France et les autres pays:
  INTER FORUM
  13, rue de la Glacière, 75624 Paris Cédex 13
  Tél.: (33.1) 43.37.11.80
  Télécopieur: (33.1) 43.31.88.15
  Télex: 250055 Forum Paris

Ayala M. Pines • Elliot Aronson • Ditsa Kafry

LE BURNOUT

COMMENT NE PAS SE VIDER DANS LA VIE ET AU TRAVAIL

Traduit de l'américain
par Pan Bouyoucas

actualisation
le jour,
éditeur

Données de catalogage avant publication (Canada)

Pines, Ayala M.

Le burnout: comment ne pas se vider dans la
vie et au travail

(Actualisation).
Traduction de: Burnout.
Comprend des références bibliographiques.

ISBN 2-89044-408-2

1. Dépression d'épuisement.   2. Travail — Aspect psychologique.
I. Aronson, Elliott.   II. Kafry, Ditsa.   III. Collection.

BF481.P6314   1990   158.7   C90-096261-5

*Pour vous familiariser avec l'approche décrite dans cet ouvrage,
vous pouvez participer à une formation ou obtenir une consultation
en communiquant avec les organismes suivants:*

Canada: **Actualisation,** Place du Parc, C.P. 1142
300, Léo-Pariseau, bureau 705, Montréal, H2W 2P4
Tél.: (514) 284-2622   Télécopieur: (514) 284-2625

France: **Formation Gordon France**
22, rue Royale, 75008 Paris
Tél.: (1) 42.60.16.30   Télécopieur: 40.15.09.38

Belgique: **École des parents et des éducateurs**
14 Place des Acacias, B-1040 Bruxelles
Tél.: (02) 733.95.50

Suisse: **Bruno Savoyat Ressources humaines**
C.P. 23, CH 122A Genève
Tél.: (22) 49.79.63   Télécopieur: 49.24.23

© 1981, Ayala Pines et Elliot Aronson avec Ditsa Kafry

© 1982, Actualisation idh inc. et le Jour, éditeur,
une division du groupe Sogides, sous le titre:
«Burnout». Se vider dans la vie et au travail.

L'ouvrage original américain a été publié par
The Free Press sous le titre Burnout: From Tedium to Personal Growth.

Tous droits réservés

Dépôt légal: 1er trimestre 1990
Bibliothèque nationale du Québec

ISBN 2-89044-408-2

Remerciements

Un grand nombre de personnes a contribué directement et indirectement à la préparation de cet ouvrage. D'abord, nous tenons à remercier notre amie et collègue Christina Maslach, dont l'oeuvre éveilla notre intérêt pour l'épuisement. D'ailleurs, l'un de nous — A.P. — avait déjà collaboré avec le Dr Maslach lors de ses premières recherches. Nous sommes également reconnaissants à notre collègue israélien, le Dr Dalia Etzion, de sa contribution à nos recherches interculturelles et de sa précieuse évaluation critique de notre première version; à Isamu Saito, de l'université Rissho de Tokyo, et à Dale Stanley de la *Community Health Clinic* de Saskatoon, merci de leurs contributions à nos recherches interculturelles sur la lassitude; à Jacob Golan et Edna Eldar, qui étudièrent l'épuisement en Israël; et à Dov Elden, de l'université de Tel-Aviv, de sa précieuse aide à la conceptualisation des techniques thérapeutiques.

Plusieurs étudiants de l'université de Berkeley, en Californie, ont participé activement à nos recherches sur la lassitude: Alan Kanner, instigateur et coauteur de deux études différentes, Liz Lopez, Teresa Ramirez et Susan Rauss. Steve Weinberg et l'équipe du Programme de formation administrative de l'université de l'Alabama ont collaboré à notre étude sur les facteurs institutionnels de l'épuisement. Nous sommes redevables à chacun d'eux. Nous remercions également tous ceux qui nous ont fait part de leurs observations, entretiens et connaissances personnelles sur le processus de l'épuisement, particulièrement Sue Gershenson, David Woods, Harriet Herman, Diane Crawford, Sylvia Guendelman, Irene Melnick, Moshe Kafry et les éducateurs du *Smyth Fernwald Child Care Center*.

Nous tenons aussi à remercier Linda Steck qui a travaillé sur la première version de ce manuscrit, et Carol Hecker qui l'a dactylographié. Enfin, nous voudrions surtout remercier les milliers de participants à nos recherches et ateliers, tous victimes de l'épuisement, et dont les expériences sont à la base même de cet ouvrage.

Première partie

Qu'est-ce que l'épuisement et la lassitude morale?

Chapitre 1

Une vue générale de l'épuisement

Nous étudions le phénomène de l'épuisement moral et de la lassitude depuis plusieurs années. Nous avons mené des recherches formelles et des ateliers analytiques et expérimentaux, auxquels ont participé des milliers de personnes, pour découvrir les origines de l'épuisement, son influence sur le comportement et les meilleures façons de le combattre. L'épuisement peut être un état particulièrement douloureux et angoissant; nous avons toutefois constaté que, comme toute autre affliction, il est possible, si l'on s'y prend correctement, non seulement de le circonscrire, mais aussi de s'en servir comme tremplin pour atteindre à une conscience de soi et à une compréhension de la vie plus grandes. L'épuisement sert alors de signal d'alarme, d'invitation à changer en profondeur son mode de vie, à évoluer, à s'épanouir. Il n'est donc pas surprenant que ceux qui, accablés d'épuisement, réussissent à le vaincre, finissent presque tous par mener une vie meilleure, plus pleine et plus stimulante que s'ils n'en avaient jamais été infligés.

Nous définirons l'épuisement de façon plus précise et plus élaborée au chapitre suivant. Pour le moment, disons tout simplement que l'épuisement moral est un état d'esprit qui afflige ceux qui travaillent avec d'autres gens ou avec le public — particulièrement mais non exclusivement les professionnels des services sociaux et de la santé; bref, quiconque donne beaucoup plus de lui-même qu'il ne reçoit en retour de ses clients, supérieurs ou collègues. L'épuisement est accompagné de divers symptômes qui traduisent un profond malaise: une fatigue au niveau émotif, physique et psychique, un sentiment d'impuissance et de désespoir allié à une perte d'intérêt pour son travail et même pour la vie en général. L'affliction est insidieuse parce qu'elle n'est pas provoquée par un ou quelques événements traumatisants précis; c'est plutôt une démoralisation générale qui évolue lentement, sournoisement. Fait tragique, l'épuisement frappe surtout les personnes les plus idéalistes et les plus dévouées. Autrement dit, y est quasiment prédestiné quiconque s'embarque dans une carrière, comme celle d'infirmière par exemple, avec un certain cynisme. Inversement, la personne qui s'y engagerait avec un esprit de sacrifice, mue durant ses premières années de service par son désir d'aider, son enthousiasme et son idéalisme, serait aussi la plus vulnérable à un épuisement aigu. En effet, nous avons maintes fois constaté que, pour succomber à l'épuisement, une personne doit être à un moment ou l'autre de sa carrière entièrement dévouée à son travail. Conséquemment, une des rançons que nous devons à l'épuisement est la détérioration du rendement des membres les plus dévoués d'une profession ou d'une autre. Un phénomène qui a une répercussion indirecte sur chacun d'entre nous.

Quelques exemples d'épuisement

La meilleure façon de décrire l'évolution de l'épuisement serait probablement de l'illustrer par quelques exemples.

Les cas d'épuisement les plus frappants que nous connaissions sont ceux constatés chez le personnel infirmier chargé de cancéreux en phase terminale. Il est facile de comprendre pourquoi un tel environnement est propice à l'épuisement. Au départ, l'infirmière qui accepte volontairement d'y être assignée est, en général, incroyablement idéaliste. Elle souhaite sincèrement aider les autres et elle s'attache profondément à ses patients. Cependant, elle s'épuisera relativement vite. Pourquoi? En partie à cause de cette grande sollicitude à l'égard de patients qui finissent quand même par mourir. Très attentionnée, l'infirmière n'hésite pas à s'impliquer, et ses patients disparaissent. C'est là une situation excessivement stressante. De plus, un malade qui se meurt de cancer traverse généralement d'affreuses agonies physiques et psychiques, et, naturellement, est peu disposé à reconnaître la sollicitude et le tourment

12

d'autrui. Certes cela se comprend, mais ajoute au stress de l'infirmière qui, donnant tant d'elle-même, reçoit en retour si peu de gratification tangible.

Pour ne pas se laisser abattre, la plupart des infirmières recourent, sans s'en rendre compte, à divers moyens de défense: beaucoup d'entre elles coupent toute émotivité face à leurs patients; d'autres se retranchent occasionnellement derrière une sorte d'humour noir par lequel elles peuvent rabaisser ou railler leurs patients, soit en pensée, soit ouvertement auprès de leurs meilleurs amis. Ainsi, en se détachant pour se protéger de leurs patients si exigeants mais si avares de gratitude, beaucoup d'infirmières finissent par éprouver du ressentiment pour les gens mêmes qu'elles sont supposées aider. À mesure que croîtra son ressentiment, l'infirmière typique commencera à ressentir l'aiguillon de la culpabilité et de la honte pour son attitude et son état d'esprit. Il s'amorcera alors en elle un cercle vicieux où sa dépense physique, son ressentiment, ses sentiments d'impuissance, de désespoir, d'étouffement céderont le pas à la culpabilité et à la honte, qui entraîneront, à leur tour, une impression d'abattement insurmontable qui aiguisera son ressentiment, et ainsi de suite.

En outre, ces sentiments de honte et de culpabilité seront d'autant plus profonds que l'infirmière était idéaliste. Combien de fois ne les avons-nous pas entendues dire: "Je ne suis pas supposée, moi, me sentir comme ça." Conséquemment, nombre d'entre elles essaient de masquer ces symptômes qu'éprouvent leurs consoeurs. Plusieurs infirmières nous ont avoué que même si elles se sentaient extrêmement malheureuses, elles essayaient toujours de paraître alertes, efficaces et parfois même enthousiastes. D'où l'ironie suprême de leur condition: essayez d'imaginer une infirmière aux prises avec tous les symptômes de l'épuisement. Elle regarde autour d'elle et que voit-elle? Par contre, ce qu'elle *ne voit pas*, c'est la souffrance, le tourment et la culpabilité qui rongent ses consoeurs. Certaines manifestent peut-être leur ressentiment ou font de l'humour noir, mais la majorité d'entre elles continuent à être alertes, efficaces, enthousiastes. Elles sont presque toutes profondément troublées, mais elles essaient désespérément de le cacher, soit en se retranchant derrière leur cynisme, soit en faisant montre d'une fausse bravoure. Alors qu'en vérité celles qui semblent si braves, alertes et

13

efficaces envient secrètement leurs collègues qui ont l'air si braves, alertes et efficaces.

Quelle conclusion tirer d'une telle situation? Voici ce qu'en pensent les infirmières: "Presque tout le monde ici semble bien dans sa peau. C'est donc moi qui suis de travers. Peut-être suis-je trop délicate ou hypersensible. Peut-être suis-je en train de perdre la boule. Je ne suis probablement pas faite pour être infirmière." Bref, réduite au silence par sa honte, ne pouvant faire part de ses sentiments les plus intimes, chaque infirmière se croit l'exception à la règle, ce qui augmente son stress car elle se considère, à tort, particulièrement incompétente. Elle s'en veut de son épuisement plutôt que d'essayer de voir ce dernier pour ce qu'il est vraiment: une réaction à une situation tellement stressante qu'elle affecte presque tout le monde de la même façon.

Le *lieu causal* — la source à laquelle l'individu attribue l'origine et le blâme de son affliction — influence énormément ses stratégies ultérieures. S'il conclut, par exemple, à une *attribution d'aptitude* (attribuer son épuisement à une défaillance ou à une insuffisance de sa personnalité), il entreprendra des démarches bien précises: il changera de métier, recourra à la psychothérapie, etc. Si, toutefois, il conclut à une *attribution de situation* (attribuer en grande partie son affliction à sa situation), il tâchera de modifier cette dernière pour la rendre plus tolérable: sa stratégie de récupération sera alors tout autre. Dans certains cas, la cause majeure se trouve chez l'individu. Il aurait alors raison de changer d'emploi ou de recourir à la psychothérapie. Toutefois, nos recherches démontrent que, dans la majorité des cas, l'épuisement est dû primordialement à une cause de *situation*. De toute évidence, dans le cas du personnel infirmier d'un pavillon de cancéreux en phase terminale, il est quasiment impossible d'enrayer de quelque façon que ce soit la source de stress inhérente au milieu: toutes les infirmières verront la majorité de leurs patients mourir. Mais il existe d'innombrables façons de réduire l'épuisement en circonscrivant la situation. Ces stratégies thérapeutiques se sont avérées fort salutaires; nous en discuterons au cours des chapitres suivants.

Qu'il suffise de dire pour le moment que la première et la plus importante étape consiste à passer du "Qu'est-ce que j'ai de travers?" au "Que puis-je faire pour changer la situation?" En effet, une des étapes les plus excitantes de nos ateliers fut celle, au tout début, où nous demandions tout simplement à nos participants de faire la liste des sources majeures de stress dans leur milieu de travail, puis de se réunir en groupes de cinq ou six pour en discuter. Lorsque nous demandâmes cela à un groupe d'infirmières responsables de patients cancéreux, quelles ne furent leur excitation et leur joie en découvrant pour la première fois qu'elles n'étaient pas chacune une "exception à la règle": après avoir subi en silence, pendant des années, leurs sentiments déchirants de culpabilité et d'incompétence, elles découvraient soudainement que ces mêmes sentiments couvaient derrière le masque souriant de leurs consoeurs. À partir de ce moment, elles pouvaient enfin commencer à percevoir leur problème pour ce qu'il était: provenant de la *situation* plutôt que d'une déficience de la personnalité. Évidemment, le cas des infirmières est un exemple extrême. Mais il serait faux de conclure que l'épuisement ne frappe que ceux qui travaillent avec des mourants au sein d'une structure bureaucratique rigide, comme c'est le cas dans un hôpital. L'épuisement frappe même ces professions dont les membres semblent, en apparence, avoir très bien réussi dans la vie. Prenons par exemple les dentistes. Qui n'a pas eu affaire à un moment ou l'autre à un dentiste? Pourtant, la plupart des gens sont étonnés d'apprendre que ces professionnels souffrent aussi d'épuisement: la médecine dentaire semble un métier relativement facile, lucratif et peu stressant. Après tout, personne ne meurt dans le fauteuil du dentiste, et ce dernier est le maître à bord de son propre bateau, non quelque pion d'une vaste bureaucratie: voici donc une profession qui offre autonomie, contrôle et pouvoir. Comment se fait-il alors que dans tous les ateliers où participèrent ces quatre dernières années des centaines de dentistes, nous ayons constaté un taux d'épuisement extrêmement élevé parmi ces professionnels? Pourquoi? Et quelle peut bien être l'origine de cet épuisement?

Les facteurs étant nombreux, nous nous tiendrons au plus frappant: un dentiste est un professionnel hautement instruit et spécialisé, réduit à bien exécuter les mêmes tâches routinières dans un milieu où généralement personne d'autre n'a les connaissances nécessaires ni le désir d'apprécier son travail. Autrement dit, ni ses patients ni ses assistants ne sont en mesure de l'apprécier à sa juste valeur. Regardons d'abord le personnel d'un bureau de dentiste: il se compose habituellement d'un(e) réceptionniste, d'un(e) hygiéniste et d'un(e) assistant(e). Rares sont les dentistes qui collaborent entre eux. Donc, même si ces employés remplissent des fonctions vitales, aucun d'eux ne s'y connaît suffisamment en médecine dentaire pour pouvoir dire, par exemple: "Oh, mais quel joli travail que le plombage de cette molaire!"

Quant aux patients — ils lui sont sûrement très reconnaissants. Ah oui? Regardons cela de plus près. Lorsqu'ils mettent les pieds chez le dentiste, la plupart des gens se trouvent déjà dans un état d'angoisse aiguë. Comme patients, ils ne pensent qu'à une chose: en sortir au plus vite avec le moins de souffrances possible. Au départ donc, ils n'ont pour la plupart aucune envie de voir le dentiste, et leur désarroi se communique de diverses façons subtiles. Quant au dentiste, même s'il comprend et accepte cet état d'esprit, il lui est néanmoins désagréable de n'inspirer que crainte et déplaisir. De plus, l'état d'esprit de la majorité de ses clients ne les dispose guère à reconnaître son besoin de voir son travail apprécié, respecté et approuvé. Pis, le dentiste travaille toujours dans la bouche: il s'y crée donc une situation où le patient est non seulement en proie à un grand malaise physique et psychique, mais aussi réduit au silence — la communication se limitant à quelques râles, gémissements ou exclamations émis occasionnellement à travers des lèvres enflées par la novocaïne. Sans oublier que la position du patient l'empêche de bien observer le travail du dentiste; conséquemment, il ne pourrait lui exprimer son approbation même s'il était en mesure ou dans un état d'esprit pour le faire.

Enfin, combien de patients téléphonent à leur dentiste le lendemain d'une visite pour lui dire qu'ils sont satisfaits d'un plombage ou qu'ils peuvent enfin bien mâcher? En fait, la majorité des dentistes participants nous ont dit que les rares fois où leurs patients les rappellent, c'est pour se plaindre. Une telle situation, où le dentiste donne heure après heure, jour après jour, semaine après semaine, tant de lui-même en retour de si peu de reconnaissance est particulièrement stressante et finit par éroder lentement l'esprit: voilà l'épuisement moral.

Lors de nos entretiens avec les dentistes, nombre d'entre eux avouèrent qu'ils ripostaient à cette absence de reconnaissance d'une façon qui se trouvait diamétralement opposée à celle que nous leur aurions recommandée: ils prenaient de plus en plus de patients! Se prévalant de leur autonomie, ils prenaient une décision qui leur semblait logique: "Ce travail est ennuyeux, se

16

disaient-ils. Et on ne m'apprécie pas à ma juste valeur: aussi bien m'enrichir." Aussi finissent-ils par vivre dans des maisons luxueuses, par conduire des voitures de luxe, et par appréhender chaque matin la journée en perspective, anticipant incessamment le jour où leurs investissements immobiliers pourront enfin leur offrir la liberté financière qui leur permettra d'abandonner définitivement la pratique.

C'est là, certes, un résumé fort simplifié, mais la situation est trop réelle pour que nous puissions passer outre. En travaillant avec les dentistes (et autres professionnels), nous avons constaté que même si l'argent s'avère souvent fort commode (il pourrait même vous acheter un minimum de bonheur!), il est loin d'être l'antidote idéal contre l'épuisement. Dans le cas des dentistes, nous avons constaté que la meilleure façon de lutter contre l'épuisement consiste à réduire leur clientèle: ainsi il est possible de consacrer plus de temps à chaque patient pour le mettre à l'aise, atténuer son anxiété et permettre aux deux partis de mieux se connaître. Expliquons-nous: lorsque, au cours de nos ateliers, nous avons demandé aux dentistes de décrire le prototype du patient désagréable, ils employèrent des adjectifs comme "maussade", "peu coopératif", "peu communicatif", "froid", "peu intéressant", "indifférent", etc. "Ma foi, répliqua aussitôt l'un de nous, c'est en plein moi que vous décrivez là! Non pas cette personnalité chaleureuse, ravissante, intéressante et exubérante, si familière et chère à mes amis, mais ce moi qui ressort dans un fauteuil de dentiste lorsque je suis paralysé par la peur et la novocaïne et que ma bouche est bourrée d'ouate!"

Si les dentistes avaient consacré plus de temps à leurs patients, et calmé leur anxiété, ils en auraient récolté d'immenses bénéfices. Ils auraient commencé à découvrir chez leurs clients ces facettes que leurs amis connaissent et chérissent, et rendu plus stimulante chacune de leurs journées routinières. Plutôt que de ne voir en Mme Jones qu'une patiente peu intéressante et maussade dont il faut plomber la molaire, ou en M. Smith qu'un patient peu coopératif et froid dont l'incisive a une cavité et qui grogne chaque fois qu'on le radiographie, le dentiste serait en mesure de percevoir chacun d'eux comme un individu unique et intéressant à sa façon. À son tour, à mesure que son anxiété est allégée, le patient commence à percevoir le dentiste comme un individu compétent et prévenant; il prête plus d'attention à

17

son travail, car il se retrouve plus à même de l'apprécier sincèrement, chose dont le dentiste a tant besoin.

Et c'est justement ce que nous avons recommandé aux dentistes. De plus, nous leur avons fortement conseillé de rencontrer leurs collègues une fois par mois afin d'échanger leurs opinions, de discuter des problèmes intéressants survenus et du travail accompli au cours du mois. Cela devait leur procurer le genre d'appui et d'appréciation professionnels que beaucoup d'autres gens, oeuvrant dans des professions moins solitaires, peuvent obtenir plus aisément de leurs confrères.

Évidemment, ces recommandations ne sont pas toujours faciles à mettre en vigueur; mais elles peuvent, si nous les appliquons convenablement, offrir une stratégie thérapeutique fort efficace.

Les stratégies thérapeutiques

Passons maintenant du domaine des exemples concrets à celui des recommandations générales, et nous pourrons, du même coup, tracer les grandes lignes du présent ouvrage.

Les principales stratégies dans la lutte contre l'épuisement consistent à 1) prendre conscience du problème; 2) se décider à agir; 3) atteindre un certain niveau de clarté cognitive et 4) développer de nouveaux moyens de récupération, tout en améliorant la portée et l'efficacité des anciens.

Comme nous l'avons déjà mentionné, un des principaux accélérateurs de l'épuisement est ce sentiment double d'impuissance et de désespoir où on a l'impression "qu'il existe beaucoup trop de choses dans ma vie que je n'aime pas et qui sont indépendantes de ma volonté. Je m'y sens impuissant et je n'espère plus pouvoir les changer." Ici deux choses entrent en jeu: la réalité actuelle de la situation d'une part, et, d'autre part, la façon dont l'individu perçoit la situation. En travaillant avec des personnes moralement épuisées, nous avons découvert que tout individu dispose généralement de beaucoup plus de contrôle, du moins dans certains aspects de sa vie et de sa situation professionnelle, qu'il ne le réalise. Par ailleurs, il lui suffit de s'en rendre compte pour que ses sentiments d'impuissance et de désespoir commencent à diminuer avant même qu'il n'ait commencé à se prévaloir de ce contrôle. Prenons l'exemple de deux individus vaquant aux mêmes fonctions dans le même bureau: l'un se sent absolument impuissant et désespéré, alors que l'autre se sent maître de la situation et plein d'espoir. Le premier souffre d'un épuisement aigu, alors que l'autre semble immunisé. Un dentiste convaincu qu'il ne peut consacrer plus de temps à ses patients parce qu'il lui faut un revenu annuel de 150 000$ se sentira comme pris au piège dans une cage dorée et plus impuissant et désespéré que la situation ne le commande en réalité. Car il lui suffit, pour échapper à sa cage, de se décider à gagner moins d'argent. Certes, toutes les professions n'offrent pas autant d'autonomie; il n'en demeure pas moins que nous disposons presque tous de plus de pouvoir que nous le réalisons.

Certaines personnes ont appris seules à se développer de bonnes stratégies thérapeutiques qui leur permettent d'éviter ou de réduire leur épuisement. D'autres ont besoin d'aide, de cette même aide que nous avons offerte au fil de nos ateliers à des milliers de personnes et que ce livre, nous l'espérons bien, sera maintenant en mesure de vous procurer.

La prise de conscience

Pour pouvoir résoudre un problème, il faut d'abord prendre conscience de son existence. Il y a des gens qui s'y dérobent ou qui essaient de ne pas y penser; ils croient que les choses ne peuvent être autrement ou que les conditions dans lesquelles ils travaillent sont les mêmes partout ailleurs. "C'est la vie", se disent-ils, et si ce vieil adage leur permet d'atténuer un peu leur déplaisir, il les empêche par contre de lui trouver une issue. Ce type de cynisme généralisé qu'ils tiennent pour une vérité métaphysique empêche bien des gens de prendre vraiment conscience de leur condition.

D'autres sont plus ou moins conscients de leur problème mais ont tendance à se blâmer pour tous leurs malheurs. C'est là une sorte de conscience partielle et presque toujours déviée, donc dysfonctionnelle. Revenons un moment à nos infirmières. Lorsqu'une infirmière vaquant à des tâches extrêmement pénibles et exigeantes commence à s'épuiser, elle a tendance soit à adopter une attitude cynique, soit à se sentir coupable et honteuse pour les sentiments que lui inspirent ses patients et pour la façon dont elle les traite, à cause de son épuisement. Enfin, elle essaiera de cacher tous ces sentiments aux autres. Son épuisement ne cessera plus alors d'empirer, accéléré d'une part par son cynisme, et d'autre part par l'intériorisation de sa culpabilité et de sa honte. Pour prendre pleinement conscience du problème, il faut aussi prendre conscience du lieu causal — ce qui aiguisera temporairement la douleur du sujet jusqu'à ce qu'il passe à l'acte.

Bref, une telle prise de conscience consiste dans un premier temps à admettre tout simplement l'existence du problème et, dans un deuxième temps, à réaliser que le problème est dû, en grande partie, à la situation où l'on est coincé plutôt qu'à quelque déficience de sa personnalité.

La décision d'agir

Lorsqu'une personne réalise que son problème provient en grande partie de la situation, elle change de stratégie thérapeutique: le "Qu'est-ce que j'ai de travers?" devient un "Comment puis-je changer mon environnement afin de le rendre suffisamment agréable et accommodant pour que je puisse y réaliser mes objectifs personnels et professionnels?" Mais entreprendre des changements signifie qu'une personne doit être prête aussi à assumer la responsabilité de la transformation de son milieu. Généralement, c'est là une des étapes les plus difficiles. Si nombre de gens sont prêts à se blâmer pour quelque chose qui semblerait être de *leur* faute, ils hésitent par contre à agir si le problème provient d'une situation ou d'une institution. Si le problème est institutionnel, se disent-ils, la tâche incombe à l'administration. Ce voeu n'est pas déraisonnable. Malheureusement, on ne peut pas toujours compter sur l'administration pour remédier à une situation. S'il arrive parfois qu'une administration particulièrement éclairée s'engage à résoudre certains problèmes, elle représente plutôt l'exception à la règle. Les particuliers, eux, peuvent assumer plus de pouvoir et plus de contrôle sur leur vie en réalisant qu'ils disposent de beaucoup plus de façons de maîtriser leur environnement qu'ils ne le croyaient. Nous avons aussi constaté qu'aussitôt qu'un individu se décide à agir pour changer une situation difficile, sa décision a, en soi, un effet thérapeutique pour la simple raison qu'elle fait échec aux effets qui rendent plus fragiles ses sentiments d'impuissance. Il existe également de nombreux moyens spécifiques qui permettent à de petits groupes d'individus d'entreprendre des changements réels ou concrets. Nous en reparlerons en détail au cours des chapitres suivants.

La clarté cognitive

Après avoir pris conscience de l'existence d'un problème et s'être résolu à agir, il faut dans un troisième temps atteindre à un certain niveau de clarté cognitive. Généralement, lorsqu'un individu oeuvrant au sein d'une structure bureaucratique est gagné par l'épuisement, il lui est difficile de distinguer les choses qui peuvent être changées de celles qui sont immuables. D'où cette autre source d'épuisement chez ceux qui croient qu'il est possible de changer tout ce qui est destructif et déshumanisant. Bien sûr, ils finissent toujours par se heurter contre l'impassible muraille d'une bureaucratie insensible. Certains aspects d'une structure bureaucratique sont tout simplement impossibles à changer. D'aucuns essaient, certes, échouent et, évidemment, se laissent emporter par les sentiments d'impuissance et de désespoir, convaincus maintenant qu'on ne peut rien changer. Il y a aussi ceux qui, au départ, sont convaincus que rien ne peut changer; ils développent vite une attitude cynique et ne cherchent jamais à changer quoi que ce soit. Ils se contentent de faire leur temps.

En réalité, il existe certaines choses qui sont impossibles à changer et d'autres qu'il est difficile de changer, ou qui, dans certains cas, ne valent probablement pas l'effort. Mais il est aussi nombre d'aspects d'une situation professionnelle difficile qu'il est possible de changer avec un minimum d'effort. Enfin, une partie de ce que nous appelons ''clarté cognitive'' consiste à développer un certain sens qui permet de distinguer les aspects d'une institution donnée qui peuvent être changés de ceux qui sont immuables. L'individu pourra alors canaliser ses efforts vers ces aspects où il aura beaucoup plus de chances de réussir. Ici aussi, ce n'est pas seulement le résultat qui s'avère bénéfique; le seul fait de se savoir capable d'entreprendre des changements réduit les sentiments d'impuissance et de désespoir et, conséquemment, l'épuisement, même si les résultats obtenus sont loin d'être idéaux.

Prenons l'exemple de cette agence de services sociaux où nous avions constaté que le grief le plus pressant des employés et aussi, selon eux, la source majeure de leur malaise, était l'indifférence des cadres supérieurs envers les immenses efforts qu'ils mettaient dans leur travail. Conséquemment, ils ne sentaient pas que leur travail était apprécié. Pourtant il était quasiment absurde, dans la structure bureaucratique qui existait dans cette agence, de s'attendre à une reconnaissance quelconque provenant des échelons supérieurs. Il aurait fallu entreprendre des changements organisationnels d'envergure pour rendre possible l'expression systématique de l'appréciation des cadres. Nous avons décidé alors d'enseigner aux employés du même niveau hiérarchique à se récompenser mutuellement et, en retour, à respecter et à valoriser l'appréciation de leurs pairs. Nous leur avons montré plusieurs façons de s'y prendre pour remarquer et reconnaître le bon travail de leurs collègues et nous avons établi un système de critique et de communication "entre pairs". Une simple intervention qui s'est avérée extrêmement efficace.

Il n'est pas d'organisation dont les membres ne soient avides de reconnaissance. Par ailleurs, quoique certains ne se sentent pas appréciés, ils n'essaient presque jamais de manifester la moindre appréciation pour le travail d'autrui. L'expérience nous démontre qu'un des meilleurs moyens dont dispose l'individu pour encourager les autres à remarquer son travail est de commencer lui-même à reconnaître le travail des autres. Lorsque les gens se mettent de leur plein gré à s'offrir les uns les autres l'appui et l'appréciation dont ils ont tant besoin, ils amorcent un mode de communication qui croîtra et évoluera exponentiellement. Bien plus, la mise en oeuvre (facile d'ailleurs) d'un tel système d'appréciation entre pairs atténue le besoin d'approbation de la part de ses supérieurs (qui est, elle, souvent difficile, pour ne pas dire impossible à obtenir).

La clarté cognitive ne se limite cependant pas à cette sorte de distinctions. Par exemple, il faut apprendre aussi à bien distinguer les exigences concrètes imposées par le travail de celles que l'individu lui-même s'impose mais que parfois il attribue, à tort, à son "supérieur" ou à "l'organisation". Conséquemment, d'aucuns se surmènent régulièrement en croyant que c'est l'organisation qui l'exige d'eux. S'ils examinaient cette situation de plus près, ils se rendraient compte qu'ils font figure de chefs de corvée beaucoup plus sévères que leurs employeurs. D'emblée, ils se rendraient compte aussi qu'ils disposent de beaucoup plus de contrôle qu'ils ne le réalisaient, et ils auront alors à décider si oui ou non ils désirent s'en prévaloir.

Le développement des moyens
de récupération

Nous avons déjà fait allusion à certains des principaux moyens de récupération. Par exemple, pour pouvoir reconnaître un problème particulier, il faut aussi développer certaines facultés de diagnostic et de discernement. Dans la situation décrite ci-dessus, il fallait, pour pouvoir reconnaître que l'appréciation de ses pairs était un substitut adéquat aux éloges de ses supérieurs, développer une aptitude à chercher et à trouver des alternatives. De même, il faut apprendre à chercher en soi-même pour arriver à formuler clairement ses propres besoins dans une situation donnée. Si, pour résoudre un problème, on est appelé à rencontrer d'autres personnes pour discuter des divers problèmes et solutions, il faut développer certaines aptitudes, comme celle de ''l'écoute active'', et apprendre à communiquer clairement. Il est très important aussi de reconnaître ces aptitudes comme essentielles et faciles à maîtriser. Ceci s'éclaircira davantage au fil de cette lecture.

Une des principales raisons qui nous ont amenés à présenter cette séquence particulière de stratégies pour combattre l'épuisement moral était de vous démontrer qu'il ne suffit pas, pour récupérer, de prendre conscience du problème. C'est là toutefois un bon départ: comme dans tout problème, tel que l'alcoolisme, l'obésité, etc., il est primordial d'en prendre conscience et de souhaiter changer, mais il faut bien plus que cela pour réussir à le vaincre. Voici un exemple qui vaut bien des explications. L'année dernière, nous avons mené en Israël une série d'ateliers sur l'épuisement chez les cadres d'entreprise. Un des participants (que nous appellerons Dov) était vice-président d'une des plus grandes sociétés pétrolières du pays. Lorsque nous sommes retournés quelques mois plus tard pour mener un atelier intensif de postcure, nous avons été étonnés de retrouver Dov parmi les participants. Pourquoi étonnés? Quelques jours avant le début de l'atelier, éclatait en Israël une grave crise énergétique, et comme il y avait d'importantes décisions à prendre, nous étions convaincus que Dov, qui nous avait déjà avoué qu'il était un travailleur invétéré et un des piliers de cette société, se lancerait corps et âme pour aider à résoudre la crise. Que faisait-il alors dans notre atelier?

Dov nous expliqua que quelques mois avant de s'inscrire à notre premier atelier, il avait été victime d'une grave crise cardiaque, et son médecin lui avait ordonné de s'abstenir de tout travail pendant soixante jours. En se promenant dans le bois qui se trouvait près de sa maison, Dov eut l'impression de découvrir pour la première fois les arbres, les oiseaux, le ciel. Soudain, il réalisait à quel point il s'épuisait au bureau, qu'il était maintenant dans la cinquantaine, qu'il s'était beaucoup trop sacrifié à son travail. En fait, plus fort il travaillait maintenant, moins il en tirait de plaisir. Il se jura alors de consacrer dorénavant plus de temps aux choses qui lui tenaient à coeur: sa propre personne et sa famille. Il se jura en somme de cesser d'être un travailleur invétéré. "J'étais tellement excité par cette découverte, nous dit-il, que j'avais hâte au jour où je pourrais enfin la mettre en pratique. Si hâte en fait que je mis un terme à ma convalescence deux semaines plus tôt que prévu. Et je retournai au bureau! Peu de temps après, je reprenais mon train-train quotidien de quatorze heures."

Quelques mois plus tard, Dov s'inscrivit à notre premier atelier sans toutefois s'attendre à grand-chose. Il était convaincu qu'il était trop vieux pour changer ses habitudes. Cependant, il y acquit une plus grande connaissance du phénomène de l'épuisement et quelques aptitudes fort pratiques. Il réalisa surtout qu'il ne suffit pas, pour le résoudre, de prendre conscience du problème. D'ailleurs, même une prise de conscience aussi dramatique qu'une crise cardiaque n'avait pas réussi à le convaincre de changer radicalement son mode de vie.

La preuve ultime de sa transformation se manifesta le jour où il vint participer à l'atelier intensif, date qui coïncidait avec la crise pétrolière. L'ancien Dov n'aurait pas hésité un seul instant à laisser tomber l'atelier, convaincu qu'il était indispensable à sa société. Le nouveau Dov rétablit ses priorités pour se retrouver, lui et ses besoins, en tête de liste. Mieux, il renonça à cette prétentieuse autosuffisance où il se complaisait à se croire indispensable, et enseigna à d'autres comment assumer plus de responsabilités à mesure qu'il se sentait, lui, plus apte à les déléguer. En fait, il devenait, par ce fait même, meilleur directeur, plus utile à sa société et certainement plus utile à lui-même et à sa famille, car il pouvait enfin se récompenser en déléguant ses pouvoirs plutôt qu'en se comportant comme s'il lui fallait tout faire lui-même. Comme c'est souvent le cas, en guérissant lui-même son propre épuisement, Dov n'en fut pas le seul bénéficiaire: sa société, ses subordonnés, sa famille et ses amis tirèrent tous avantage de cette réorientation.

En écrivant ce livre, nous avions pour but de rassembler et de vous faire part de tout ce que nous avons appris au cours de nos recherches et de nos ateliers. Nous espérons donc que cet ouvrage vous aidera non seulement à prendre plus conscience de l'épuisement en général et de votre propension à cette affliction en particulier, mais aussi à trouver l'orientation et les moyens qui vous permettront de la combattre.

Chapitre 2

L'épuisement et la lassitude :
l'épreuve

L'épuisement et la lassitude sont des états de fatigue physique, émotionnelle et intellectuelle, se traduisant généralement par un affaiblissement physique, une exténuation émotionnelle, des sentiments d'impuissance et de désespoir, ainsi que par le développement chez le sujet d'une attitude négative aussi bien vis-à-vis de lui-même que de son travail, de la vie et des gens. Ce sont, en bref, les manifestations des sentiments de détresse, d'insatisfaction et d'échec dans la quête d'idéaux. En phase aiguë, l'épuisement et la lassitude atteignent un point de rupture au-delà duquel le sujet perd toute capacité d'affronter et de tirer plaisir de son milieu.

Si l'épuisement et la lassitude présentent les mêmes symptômes, ils n'ont pas pour autant les mêmes origines. Tous deux sont l'aboutissement d'un ensemble de réactions à la fatigue, mais la *lassitude* est le résultat d'une *pression chronique* prolongée (intellectuelle, physique ou émotionnelle), alors que l'*épuisement* est amené par une *pression émotive* soutenue ou répétée lorsqu'on est impliqué intensément avec des *gens* durant de longues périodes de temps. Un engagement aussi intense est particulièrement fréquent dans les services sociaux et de santé dont les membres choisissent leur profession "par vocation" afin de s'occuper des problèmes psychiques, sociaux et physiologiques des autres: leur épuisement se manifestera lorsqu'ils se rendront à la douloureuse évidence qu'ils n'arrivent plus à secourir ceux qui ont besoin de leur aide, qu'il ne leur reste plus rien à donner.

27

À travers cet ouvrage, le terme "épuisement" ne s'appliquera donc qu'à des situations où le sujet est amené à interagir avec d'autres gens. Évidemment, la lassitude fait presque toujours partie intégrante du syndrome de l'épuisement.

La lassitude peut être déclenchée par un changement brusque, par exemple un événement traumatisant. Mais le plus souvent, elle est l'aboutissement d'un processus beaucoup plus graduel — les luttes quotidiennes, le stress chronique si caractéristique de la vie et du travail de tous les jours. Elle est le produit d'un milieu qui comporte trop d'aspects négatifs pour le nombre d'aspects positifs: beaucoup trop de pressions, de conflits et d'exigences, et trop peu de récompenses, de reconnaissance et de succès[1]. On ne démissionne pas si vite d'une carrière exigeante si on s'y sent utile et apprécié. Mais la majorité des gens sombrent vite dans la lassitude lorsque la vie leur apporte beaucoup plus de stress que de soutien moral.

Nous avons découvert au fil de nos recherches sur la *lassitude*[2] que les gens souffrent tous d'un certain degré de lassitude à un moment ou l'autre de leur vie[3]. À cette fin, nous avons interviewé 3916 hommes et femmes de diverses origines ethniques (3195 Américains, 118 Canadiens, 199 Japonais et 404 Israéliens), représentant un riche échantillonnage de professions et d'âges (17 à 87 ans).

Au cours de nos recherches sur l'*épuisement*[4] nous avons observé des travailleurs sociaux à l'oeuvre, recueilli une foule de données et mené des entretiens individuels. Au niveau du travail de groupe[5], nous avons dirigé plus d'une centaine de séminaires et d'ateliers dans dix États américains et en Israël, avec des groupes pouvant aller de 12 jusqu'à parfois 500 participants. Les participants professionnels provenaient des domaines les plus divers: psychologues, psychiatres, techniciens en psychologie, conseillers, travailleurs sociaux, délégués à la liberté surveillée, personnel d'institutions pénales, spécialistes en protection de l'enfance ou en éducation spécialisée, enseignants de niveaux élémentaire, secondaire, collégial et universitaire; médecins, infirmières, thérapeutes, dentistes, personnel dentaire, directeurs, administrateurs et surintendants de divers organismes et institutions des services sociaux, thérapeutes occupationnels, travailleurs périnatals, techniciens en hémodialyse, avocats, policiers, psychologues militaires, religieuses et prêtres, experts en développement organisationnel.

L'épuisement n'est pas un phénomène isolé caractéristique de certains individus particuliers. Au contraire, il frappe très souvent toutes sortes de gens travaillant dans presque tous les services humains. Ses effets sont très préjudiciables à l'état psychique, et, de toute évidence, sont une des causes majeures de la démoralisation, de l'absentéisme, de la propension au retard et du roulement de personnel. L'épuisement a aussi un rôle primordial à jouer dans le bas rendement des services de santé et d'assistance publique. Ceux qui souffrent d'épuisement développent une attitude négative vis-à-vis d'eux-mêmes et de leur travail. La sollicitude et les sentiments qu'ils éprouvent envers leurs collègues sont émoussés et, dans certains cas, ils finissent par traiter leur clientèle de façon détachée, hostile et indifférente.

L'épuisement est un phénomène extrêmement onéreux; d'abord en termes d'années de formation galvaudées pour ceux qui démissionnent de leurs fonctions, et ensuite en termes de sacrifices psychiques pour ceux qui restent. Mais l'épuisement est tout aussi onéreux pour l'institution, en termes de pertes de talents et de mauvaise performance, que pour la clientèle, qui doit attendre plus longtemps pour obtenir moins d'attention et des soins d'une qualité inférieure — ce qui est une expérience très humiliante.

Les trois composantes de l'épuisement et de la lassitude

Même si la durée, la fréquence et les conséquences ne sont pas toujours les mêmes, l'épuisement et la lassitude présentent trois composantes fondamentales: une fatigue physique, émotionnelle et mentale.

La fatigue physique

Les caractéristiques de la fatigue physique sont: une diminution d'énergie, une fatigabilité chronique, un affaiblissement et de l'ennui. Ceux qui souffrent d'épuisement ont souvent une propension aux accidents et aux maladies, de fréquents accès de migraine, de nausée, de tension musculaire aux épaules et au cou, de douleurs dorsales, ainsi que des changements dans leurs habitudes alimentaires et dans leur poids. Au point de vue médical, on

29

constate des plaintes psychosomatiques, une plus grande fréquence de maladies[6], des rhumes persistants, et une forte incidence de pathologies virales comme la grippe[7]. Souvent, on y retrouve aussi cette combinaison assez paradoxale de lassitude accompagnée de troubles de sommeil[8]. Durant le jour, le sujet se sent extrêmement fatigué, mais ses tourments et ses cauchemars l'empêchent de dormir. D'ailleurs, ces cauchemars reflètent souvent l'état d'épuisement du dormeur. Tel ce garde de prison qui se voyait en rêve pourchassé et fusillé; ou cette serveuse qui se voyait affronter une foule de clients affamés qui lui criaient, furieux, qu'ils en avaient assez d'attendre des repas commandés des heures auparavant; ou ce physicien nucléaire, pressuré à entreprendre et à publier certaines recherches, qui se voyait, toujours en rêve, accusé de supercherie pour sa plus grande découverte.

Beaucoup de gens tentent de combattre l'épuisement par divers moyens physiques et chimiques comme l'alcool, les barbituriques, les tranquillisants et les hallucinogènes. Chez d'autres, la réaction première à la lassitude est la suralimentation. "Tout ce que je peux faire maintenant à la fin d'une journée, de nous avouer une enseignante souffrant d'épuisement, c'est de me vautrer devant la télévision et de bouffer un gros bol de crème glacée." Évidemment, ces stratégies thérapeutiques n'apportent qu'un soulagement temporaire; peu après, le sujet sombre de nouveau dans une lassitude et un désespoir encore plus accablants.

La fatigue émotionnelle

La fatigue émotionnelle est accompagnée de sentiments de dépression, de désespoir, d'impuissance et d'une sensation d'être pris au piège, qui entraînent parfois, en phase aiguë, des troubles mentaux et des idées suicidaires[9]. La fatigue émotionnelle peut aussi provoquer des accès de larmes continus et incontrôlables, ou la perte des mécanismes de contrôle ou de récupération. Ceux qui souffrent d'épuisement sentent qu'il leur faut toute l'énergie émotionnelle qu'il leur reste pour pouvoir continuer à fonctionner. Le travailleur social sentira qu'il n'a plus rien à offrir à personne. Comme celui qui nous avoua: "Parfois il me prend l'envie de dire à mes clients: "Et alors? Vous croyez être les seuls à avoir des problèmes? Que faites-vous de moi?"

"Il y a quelques années, nous dit un avocat, je croyais vraiment que la vie était une perpétuelle ronde de joie et d'exubérance. J'aimais mon travail et j'étais socialement très actif. Maintenant j'ai l'impression que ma job est un cul-de-sac. Mes ressources affectives sont à sec, mes meilleurs amis m'irritent, je ne connais pas mes enfants, et je n'ai plus la force émotive pour devenir leur ami. Il m'est difficile d'être courtois et tolérant envers mes clients. Je m'apitoie continuellement sur mon sort et je ne désire plus qu'une chose — qu'on me fiche la paix." L'épuisé se sent vidé au niveau émotif; il s'irrite et s'énerve facilement. Sa famille et ses amis ne représentent plus à ses yeux une source d'inspiration mais une obligation. Ses sentiments de futilité et de désespoir vont en croissant d'une part et, d'autre part, la satisfaction qu'il tire de son travail et d'autres activités ne fait que diminuer. Ses sentiments de bonheur et d'espoir sont remplacés par une sensation d'isolement[10], de découragement et de désenchantement. "J'avais l'impression de mourir spirituellement", de se rappeler un travailleur social.

La fatigue mentale

La fatigue mentale est caractérisée par le développement d'attitudes négatives vis-à-vis de soi-même, de son travail et de la vie[11]. Ceux qui sont gagnés par la lassitude sont profondément déçus par leur travail, par leur mode de vie et par eux-mêmes. Ils se sentent incompétents, inférieurs, incapables: "J'ai les mains liées et je me sens inutile et impuissant, écrit ce directeur d'une grande agence publique. Je ne dispose jamais assez de renseignements pour pouvoir prendre une décision. Donc, il m'est impossible de vaquer efficacement à mes fonctions. Je me sens inutile, un vrai raté, et j'en veux à mes subordonnés qui sont là, témoins de mon échec."

L'épuisement ne crée pas seulement chez l'individu une image négative de lui-même et une attitude pessimiste à l'égard de son travail, mais aussi des attitudes négatives à l'égard des autres. Le sujet se découvre une froideur et une méchanceté qu'il ne s'imaginait même pas. Parfois, le travailleur social se développera des attitudes déshumanisantes envers les bénéficiaires de ses services. Les psychologues ont amassé une riche documentation sur le concept de la déshumanisation[12]. La déshumanisation est définie comme une diminution de la conscience des

31

qualités des autres et une absence d'humanité dans les interactions interpersonnelles. Le sujet cesse de percevoir les autres comme des êtres ayant les mêmes sentiments, impulsions, pensées et comportements que lui; conséquemment, il élimine, du point de vue psychologique, toute qualité humaine qu'ils pourraient avoir en commun. Résultat: il a de moins en moins le goût de reconnaître et de réagir à l'identité personnelle des autres, et de plus en plus envie de les traiter comme s'ils n'étaient pas des êtres humains. Cependant, celui qui déshumanise les autres finit aussi par étouffer peu à peu ses propres émotions, son empathie et ses sentiments personnels. Autrement dit, il se déshumanise aussi[13]. Souvent, il arrive, par exemple, à des professionnels des services de santé sociaux et souffrant d'épuisement de percevoir leur clientèle comme un tas de problèmes plutôt que comme un groupe d'individus: "Ce ne sont que des animaux, de dire un gardien de prison. Ils méritent probablement d'avoir été aussi longtemps les victimes de la société."

L'insatisfaction au travail pousse souvent les gens à arriver en retard au bureau ou à repartir avant l'heure, à prolonger les périodes de repos ou même à ne point travailler du tout[14]. L'insatisfaction est aussi à l'origine de cette attitude je-m'en-foutiste chez ces individus qui ont déjà été les plus idéalistes. Katherine L. Armstrong[15], qui étudia le phénomène de l'épuisement dans les services de protection de l'enfance, remarqua les comportements suivants: les employés répugnent à se rendre au travail, vérifient constamment l'heure, diffèrent les contacts avec la clientèle, ignorent les messages téléphoniques et les visites des clients, ont une vision stéréotypée de ces derniers, sont incapables de se concentrer sur ce que dit le client ou de supporter sa rage, se sentent embourbés dans le marasme et l'impuissance, sont très cyniques à l'égard de leurs bénéficiaires et, enfin, leur attitude devient réprobatrice.

Il semblerait aussi[16] que le personnel infirmier des soins intensifs soit beaucoup plus déprimé, hostile et angoissé que celui assigné à des fonctions moins stressantes. En fait, on y a remarqué une incidence plus élevée de démissions et d'absentéisme dus à des affections mineures ou à des plaintes vaguement pathologiques (maux de tête ou d'estomac, fatigue, etc.). Généralement, on remarque chez les infirmières travaillant dans des milieux très éreintants au niveau émotif, une incidence tout aussi élevée d'hyperactivité et d'angoisse, de demandes de transfert à d'autres départements, de conflits interpersonnels et de dépersonnalisation des relations infirmière-patient. Lors d'une enquête menée auprès des éducateurs d'handicapés mentaux[17], ceux-là s'avouèrent abattus et désespérés de voir le temps et les efforts qu'ils avaient investis dans leurs patients toujours aboutir à un échec. Il était même des situations où si, à la suite d'efforts soutenus pour le guérir, un patient régressait, le personnel se laissait gagner par l'amertume, voire la rage, et finissait par perdre tout intérêt dans son cas, surtout si le patient avait manifesté au tout début quelque amélioration. Lors de nos propres recherches sur l'épuisement menées auprès du personnel d'une institution pour malades mentaux[18], nous avons constaté que plus longtemps on y travaillait, moins on aimait s'occuper des patients. Mais aussi, plus on évitait tout contact direct avec eux, moins on se sentait à la hauteur de sa tâche et plus son attitude devenait condescendante plutôt qu'humanitaire à l'égard des malades mentaux. Les employés n'essayaient plus de donner toute leur mesure dans leur travail, les "bonnes" journées se faisaient de plus en plus rares, et la seule gratification qu'ils en retiraient maintenant était au niveau du salaire et de la sécurité d'emploi. Nous pourrions y ajouter aussi, selon Herbert T. Freudenberger[19], un psychanalyste qui étudia l'épuisement dans les institutions alternatives, le cynisme, le négativisme et une tendance à l'inflexibilité. Lorsqu'ils discutent de leur clientèle, les travailleurs ont recours à une terminologie et à un jargon intellectualisés, ce qui a pour effet de les distancer davantage de tout engagement émotif. Il leur arrive aussi de communiquer de moins en moins avec les autres, de devenir des solitaires et de se retrancher sur eux-mêmes[20].

Ce changement d'attitude est très fréquent chez les nouveaux enseignants. Lorsqu'elle fut nommée à un poste collégial, un professeur se promit d'être aussi serviable et attentionnée que les professeurs qu'elle avait toujours souhaité avoir. Elle se mit à la disposition de ses étudiants, les encourageant à passer la voir à son bureau, leur permettant même de lui téléphoner à la maison. La réaction des étudiants fut des plus enthousiastes: ils arrivaient à son bureau à toute heure de la journée, lui téléphonaient chez elle à toute heure de la soirée, ne la lâchant plus, qu'elle fût au supermarché, au cinéma ou à la piscine. Le professeur n'arrivait plus à leur échapper, et décida éventuellement

33

de réduire ses heures de bureau, de ne plus recevoir que sur rendez-vous. Maintenant, sa porte est fermée à clef comme toutes les autres portes de la faculté: elle souffre de cette même "phobie des étudiants" qui s'empare si fréquemment des enseignants. "Chaque fois que je vois dans la rue venir vers moi quelqu'un dans la vingtaine, je passe automatiquement au trottoir d'en face. Je n'aime plus tellement enseigner."

Ceux qui souffrent d'épuisement n'ont pas des attitudes négatives qu'envers eux-mêmes et leur clientèle mais souvent aussi envers leurs collègues, leurs amis et leur famille. Ce qui déclenche parfois des conflits domestiques et une détérioration des relations personnelles. Ne tirant plus aucune satisfaction de son travail, le sujet type devient plus exigeant envers son conjoint ou ses amis. Rares sont les relations qui peuvent supporter la pression soutenue de telles exigences excessives et injustes, et le sujet finit éventuellement par tenir rigueur à ces mêmes gens qui lui étaient auparavant si sympathiques ou indifférents. "Tout chez mes collègues m'irrite profondément, nous avoua un médecin souffrant d'épuisement. Leur façon de parler, les mots qu'ils utilisent, leur façon de marcher et même celle de penser. Ils me semblent maintenant tellement stupides que j'ai peine à croire qu'ils aient déjà pu me paraître excitants et stimulants."

Reconnaître les signaux d'alarme

Chez certains, les réactions à l'épuisement se manifestent au niveau somatique, chez d'autres, au niveau émotionnel. Si le sujet manifeste simultanément des symptômes de fatigue physique, émotionnelle et mentale, il se trouve en pleine crise aiguë d'épuisement ou de lassitude. Cependant, quelques symptômes seulement suffisent comme signaux d'alarme; ils indiquent alors qu'il est grand temps d'examiner et de réévaluer ses priorités professionnelles et domestiques autant que le stress engendré par son milieu, et l'efficacité de ses propres stratégies thérapeutiques. Afin d'aider nos lecteurs à identifier leur niveau de lassitude, nous avons inclus à la fin de ce chapitre un petit test d'auto-diagnostic.

Il importe de savoir que nous pouvons tous reconnaître aussi les signaux d'alarme qui se manifestent chez les autres. Au cours de deux de nos ateliers, nous avons demandé par exemple aux 118 participants qui venaient de se diagnostiquer d'évaluer chacun le niveau de lassitude rapporté par un de leurs proches collègues. La corrélation entre l'autodiagnostic et le niveau de lassitude évalué par le collègue se révéla particulièrement significative[21]. En d'autres mots, il est impossible de masquer aux autres son épuisement. Qu'on en soit ou non conscient, lorsqu'on souffre d'épuisement, tout son entourage s'en rend compte. Et comme nous l'avons déjà dit, prendre conscience de son épuisement, se développer une clarté cognitive et identifier les causes majeures de son épuisement sont autant de premiers pas vers une récupération efficace.

Les moments où surviennent l'épuisement et la lassitude

C'est à la fois de l'individu et de son milieu professionnel et familial que dépendent le moment et la façon dont se manifestent la lassitude et l'épuisement, ainsi que leurs conséquences. Dans certaines professions, l'individu est gagné par l'épuisement peu de temps après son entrée en service, parfois même en deçà de quelques mois ou d'une année. Une infirmière s'occupant d'enfants victimes d'incendie nous avoua que, au bout de quelques mois, elle n'arrivait plus, comme la majorité de ses consoeurs, à tolérer le fardeau émotif de ses fonctions et elle avait demandé un transfert. D'ailleurs, le taux de renouvellement de la main-d'oeuvre chez tout le personnel infirmier est toujours particulièrement élevé. Selon la Commission d'enquête nationale sur les soins et la formation du personnel infirmier, au cours de l'année où elle mena son étude[22], 70 p. cent du personnel infirmier des hôpitaux américains avaient démissionné de leurs fonctions. Dans certains départements du service de la protection de l'enfance, ce renouvellement de la main-d'oeuvre implique chaque année 50 à 100 p. cent[23] des employés. Selon un porte-parole de l'aide juridique, tous les jeunes avocats s'épuisent en deçà d'une ou deux années. La situation est tout aussi critique chez les enseignants des grands centres urbains, les travailleurs sociaux, les contrôleurs de l'air et même les réalisateurs de télévision. Il en va de même pour ceux des divers services sociaux ou de santé qui résident dans leur milieu de travail (un centre de traitement résidentiel par exemple); l'épuisement y survient en deçà d'une année ou deux. Chez d'autres professionnels, tels les médecins, les dentistes, les enseignants ou les entrepreneurs privés, la

période de sursis est plus longue; l'épuisement ne survient généralement que quatre ou cinq années plus tard.

Parfois une chute d'épuisement ou de lassitude ne dure que
quelques jours ou quelques semaines; l'épuisé saura récupérer
tout seul. À d'autres moments, la crise peut durer des mois ou
même des années sans qu'il y ait le moindre espoir de récupération.

Selon Herbert Freudenberger[24], le même individu peut
présenter diverses formes d'épuisement; après la première
crise, les périodes de rémission seront de plus en plus longues.
Dans ce cas, la première chute étant survenue relativement tôt,
le sujet apprend avec le temps à mieux contrôler son train de vie.
Il se protège davantage, devient plus prudent, égocentrique,
engage beaucoup moins son intimité et son émotivité dans ses
rapports avec autrui. Bien entendu, cela ne l'immunise pas complètement contre l'épuisement, mais, toujours selon Freudenberger, les chutes ultérieures seront moins dévastatrices.

Il arrive rarement que l'épuisement ou la lassitude affectent
au départ toutes les sphères de la vie d'une personne. Beaucoup
de gens commencent à s'épuiser au travail sans pour cela perdre
la joie que leur procurent leur famille ou leurs activités quotidiennes. D'autres souffrant d'épuisement dû à une détérioration
des relations familiales tirent de leurs activités professionnelles
beaucoup de bonheur, de fierté et d'estime de soi. Cependant,
l'épuisement déclenché dans une sphère finit le plus souvent par
retentir sur toutes les autres.

Les conséquences de l'épuisement et de la lassitude

Nous ne réagissons pas tous de la même façon à l'épuisement. Lorsqu'ils sont gagnés par l'épuisement, certains démissionnent de leurs fonctions. Souvent, surtout si elle survient au
terme d'une longue formation, cette démission est associée sur le
plan professionnel à un sentiment d'échec, de culpabilité, de
gaspillage. Elle est tout aussi onéreuse pour l'employeur que pour
la société en général. D'autres démissionnent de leurs fonctions
sans pour cela changer de profession ou d'employeur. Mais souvent, ils se retrouvent en train d'accomplir des tâches tout aussi
étouffantes. Et parfois, à force de s'épuiser dans un travail

36

après l'autre, il se développe chez eux un sentiment chronique de désespoir et d'échec.

Il y en a même qui, pour échapper à l'épuisement que leur cause un poste, escaladent les échelons administratifs. En fait, nous avons relevé durant nos recherches plusieurs cas où, épuisés par leur contact avec le public, des travailleurs sociaux retournaient aux études pour obtenir un diplôme supérieur qui leur permettrait de décrocher un poste administratif où ils n'auraient plus à communiquer directement avec la clientèle. Si, en apparence, une telle solution semble logique, nos recherches nous ont démontré qu'il n'y a rien de plus épuisant qu'un travailleur épuisé en dirigeant d'autres. Imaginez l'effet dévastateur qu'a sur un jeune travailleur social, plein d'enthousiasme et d'idéalisme pour son nouveau travail, le fait de croiser continûment un supérieur qui, plutôt que d'encourager son idéalisme, lui répète à tour de bras: "Attends un peu et tu verras."

Il y a aussi ceux qui ne démissionnent jamais. Motivés pour la plupart par un besoin de sécurité, ils s'accrochent comme du "bois mort" à tout emploi qui leur offre cette sécurité et un bon régime de retraite[25]. Entre-temps, ils essaient d'en faire le moins possible et ont une réponse toute faite à presque toutes les requêtes: "Je ne sais pas. Je suis juste un employé." On nous parla dans un département de services sociaux d'un délégué à la liberté conditionnelle "fantôme". Personne ne connaissait ni son identité, ni son horaire, ni ses fonctions. Cependant, ses rapports, tous identiques et aussi brefs les uns que les autres, étaient toujours remis à temps. Parfois, ceux qui se transforment en "bois mort" finissent par perdre tout désir de changer ou d'améliorer leur sort et déclinent toute offre de promotion même quand les fonctions promises semblent plus satisfaisantes.

Enfin il est une autre façon d'affronter l'épuisement et la lassitude: la crise déclenche l'épanouissement du sujet. Elle l'invite dans un premier temps à prendre conscience de ses problèmes, à examiner les exigences que lui impose son milieu, aussi bien au travail qu'à la maison. Elle lui offre aussi l'occasion de se développer un système d'entraide et d'autres stratégies de récupération, celle aussi de réarranger ses priorités, de découvrir ses forces et ses faiblesses, de développer ses talents et ses aptitudes. Voici ce que nous en dit un réalisateur de télévision qui venait de traverser une crise de lassitude brève mais aiguë: "Ce fut une épreuve extrêmement pénible et douloureuse. Mais ce fut aussi une expérience extrêmement enrichissante. Elle m'obligea à examiner mes priorités, à prendre conscience des choses qui m'étaient les plus stressantes et de celles, positives, qui m'étaient indispensables. Maintenant je peux enfin distinguer clairement mes points faibles de mes points forts, et me voir d'une façon beaucoup plus réaliste. Je suis tout à fait convaincu que je ne répéterai pas les mêmes erreurs. Je connais bien maintenant les forces auxquelles je peux faire appel en moi."

L'épuisement et la lassitude sont des épreuves fort complexes qui sont affectées par l'inconstance de la nature humaine. C'est là une richesse qu'il est difficile de mettre en valeur au moyen de descriptions abstraites; il faut en étudier divers cas. Voici pourquoi nous vous présentons, à titre d'exemple, six cas différents illustrant chacun une des principales réactions à l'épuisement et à la lassitude: la démoralisation, le changement de métier, la cage dorée, le bois mort, la démission par la promotion, et la lassitude en tant qu'invitation à l'épanouissement. Ces études ont pour sujet des individus normaux et bien adaptés qui ont manifesté à un moment ou l'autre un ensemble de symptômes caractéristiques provoqués à la fois par une présence chronique de facteurs négatifs et par une absence soutenue de facteurs positifs dans leur milieu.

La démoralisation

Charlie est marqué pour toujours par la lassitude. Pourtant, il fut un temps où Charlie était créatif, énergique et ambitieux. Au sortir de l'université, il rêvait déjà de mettre sur pied sa propre maison de haute couture, certain qu'il y réussirait bien. Rien ne pouvait l'arrêter. Il adorait l'aspect créateur de son travail, et le monde des affaires n'était à ses yeux qu'un immense défi à relever. Mais voilà, les choses n'évoluèrent ni à la vitesse ni de la façon dont Charlie l'avait espéré. Peu à peu il s'embourba dans les vétilles administratives de son entreprise qui ne lui laissaient plus le temps nécessaire pour créer. Convaincu qu'il ne pouvait compter sur ses employés pour faire quoi que ce soit, il s'occupa de la publicité de ses produits, de la comptabilité, du téléphone, des commandes pour les tissus, de la bonne exécution de ses modèles, et même de la réclamation aux clients qui ne remboursaient pas leurs arriérés.

Chose étrange, ce fut à l'époque où Charlie réussit enfin à s'établir une bonne réputation pour l'excellente qualité de ses vêtements, que sa vie commença à se détériorer. Pour agrandir son entreprise, il y investissait tous ses efforts et ses profits, alors que sa famille, elle, n'arrivait pas à joindre les deux bouts. De plus, Charlie n'avait jamais une impression d'accomplissement ni de succès, car, selon lui, "Dans ce domaine, tu ne vaux que ce que vaut ton dernier produit. Personne ne se rappelle les excellents modèles que tu as pu créer dans le passé."

L'anxiété et la rage transformèrent le sympathique Charlie en un être soupçonneux qui avait l'impression que tout le monde s'était concerté pour le ruiner. Il vivait constamment dans l'angoisse que quelque chose ne tourne pas rond dans ses affaires, et, bien entendu, quelque chose finissait toujours par tourner mal. Chaque jour lui apportait de nouveaux ennuis qui monopolisaient toute son attention. Il arrivait au bureau à six heures du matin et, lorsqu'il rentrait chez lui tard dans la soirée, il s'occupait de ses livres de comptabilité jusqu'aux petites heures du matin. Il ne voyait presque plus sa famille et refusait de prendre une seule journée de congé. Bien sûr, il se sentait coupable de la détérioration de sa vie familiale, et il en voulait à ses proches pour sa culpabilité.

Au bout de quatre ans, après avoir investi toutes ses ressources physiques, mentales et émotives dans son entreprise, Charlie eut l'impression que ses nerfs s'étaient contractés en une grosse boule. Même le dosage de plus en plus fort de tranquillisants prescrits par son médecin n'arrivait plus à le calmer. Il haïssait le gouvernement pour les impôts qu'il lui imposait, il haïssait ses employés pour leur incompétence, il haïssait ses compétiteurs, il haïssait ses clients, mais surtout il haïssait sa propre personne. Il n'arrivait plus ni à dormir ni à manger. Il n'avait plus de temps pour rire ou se détendre. Charlie s'effondra littéralement un jour, et on l'emmena à l'hôpital dans un état d'exténuation totale. Il resta cinq jours aux soins intensifs et on ne lui permit de repartir qu'à condition de prendre quelques semaines de repos.

Lorsque Charlie récupéra, il déménagea en banlieue avec sa famille. Il ne se sentait plus capable d'assumer la moindre responsabilité autant sur le plan créateur qu'administratif. Il accepta un poste de commis dans une grande manufacture de vêtements et, depuis, ne s'éveilla jamais plus en lui son ambition ni son élan créateur. Sa capacité à affronter le monde extérieur ayant été gravement infirmée, Charlie en fut complètement démoralisé.

Le changement de métier

Pour certains, l'épuisement est un signal leur indiquant qu'ils ont choisi la mauvaise profession. Par exemple, nombre d'enseignants se rendent compte à quel point ils détestent enseigner le jour où ils se retrouvent seuls devant une classe. Comme ce fut le cas pour Carole. Depuis toujours, tout l'entourage de Carole était convaincu qu'elle deviendrait un jour une bonne maîtresse au primaire parce que "Carole avait vraiment le tour avec les enfants" et parce que "enseigner au primaire est un travail idéal pour une femme". Donc, Carole ne douta jamais de son choix de profession — avant sa dernière année d'études. Ce fut pendant son stage qu'elle commença à se poser des questions. Soudain, elle se retrouvait dans une situation extrêmement angoissante et désagréable, entourée d'enfants vivaces et bruyants et aux prises avec son insécurité et son manque de contrôle. Cependant, il lui était difficile de tout lâcher quasiment à la veille de la remise des diplômes. Elle compléta ses études et travailla deux ans comme enseignante avant de s'avouer qu'elle n'en pouvait plus. Elle se sentait incapable de s'acquitter des grandes et parfois contradictoires espérances des parents d'élèves sans leur appui ou celui de la direction. Chaque fois qu'elle se retrouvait seule devant sa classe, elle se sentait faible, impuissante, misérable. Puis, à la fin de chaque journée de travail, elle se sentait complètement vidée, aussi bien au niveau émotif que physique. Il lui fallait faire un grand effort "pour se ramasser" et rentrer chez elle. Le stress quotidien de son travail grugeait toute son énergie. Sa vie sociale se détériorait, et elle passait la plus grande partie de ses heures libres seule, dans sa chambre, souffrante, malade et presque toujours déprimée. Carole se rendit enfin à l'évidence qu'à moins de passer le reste de sa vie à se morfondre, elle n'avait plus d'autre choix que de changer de métier. Elle se trouva un poste de secrétaire dans une manufacture et elle put enfin se sentir bien dans sa peau. Très heureuse de ne plus enseigner, elle se demande encore aujourd'hui comment elle a fait pour endurer ce métier-là aussi longtemps.

La cage dorée

Certains quittent leur emploi lorsqu'ils réalisent qu'ils sont en train de sombrer dans l'épuisement et qu'ils ont choisi le mauvais métier pour y faire carrière. D'autres y restent, surtout ceux qui, pour des raisons économiques, ne peuvent se permettre de démissionner, ou ceux qui pensent qu'en démissionnant ils perdent tout ce qu'ils ont investi dans leur carrière.

Michaël doutait de plus en plus de son choix de carrière mais ne pouvait se permettre de démissionner. Il avait choisi de devenir pédiatre parce qu'il aimait la médecine et adorait les enfants. Au sortir des études, il établit son propre cabinet de médecin, sûr qu'il réussirait bien dans une carrière médicale stimulante.

Mais avec le temps, Michaël se sentit de plus en plus isolé dans sa pratique privée. Bien sûr, il était assisté de deux infirmières et d'une réceptionniste, mais il n'y avait pas d'autre pédiatre qui put apprécier son travail et ses talents. Quant aux défis, ils étaient rares. Ses fonctions, qui consistaient pour la plupart en examens routiniers, commencèrent à l'ennuyer. Jamais il n'avait imaginé que la pratique médicale se limiterait à d'interminables cas de grippe et d'*irritem* fessier. Il se savait capable de plus grands exploits médicaux; mais plus son travail se faisait routinier, moins il y mettait de lui-même, au point de se désintéresser autant de ses petits patients que de la médecine. Il ne tirait plus aucune satisfaction de son travail; son enthousiasme et ses énergies s'épuisèrent; et tout cela, il s'en rendait bien compte, commençait à affecter sa vie personnelle et l'image qu'il avait de lui-même[26].

Mais pour Michaël, il était bien difficile d'abandonner à cinquante ans une carrière "réussie". Il avait encore à débourser pour une maison de banlieue, deux voitures, des vacances annuelles, l'école privée de ses deux enfants. L'argent devint donc la seule gratification qu'il tirait maintenant de son travail. Et il décida, tout comme les dentistes dont nous avons parlé au premier chapitre, d'agrandir son bureau et de soigner plus de patients, plutôt que d'essayer de se trouver des activités sociales pour atténuer le stress de son travail. Bien sûr, plus son horaire était chargé, moins il disposait de temps pour ses jeunes patients ou leurs parents, ce qui eut pour autre effet de lui éviter toute possibilité de contact personnel. Il ne se permettait plus de jaser avec un patient — renonçant ainsi à un autre moyen de mettre un peu de variété dans son travail routinier de médecin — car cela représentait à ses yeux une perte de temps précieux, et le temps, c'est de l'argent. Michaël était rarement heureux. Il se mit à questionner la qualité et le but de sa vie. Il se sentait pris au piège dans sa cage dorée. Mais il y resta, anticipant le jour où il pourrait enfin vivre de ses rentes et tout oublier de la pédiatrie.

Le bois mort

Selon Ichak Adizes, le bois mort est symptomatique d'une mauvaise gestion[27]: "L'individu qui fait figure de bois mort est apathique. Il attend constamment qu'on lui dise quoi faire... La chose qui le préoccupe le plus est de tenir le coup jusqu'à l'âge de la retraite et de bien sauvegarder le peu qu'il a. C'est un type qui ne se plaint jamais de rien, car il craint que la moindre plainte ne le trahisse." D'après nos constatations, ceux qui se relèguent au rang de bois mort font si peu pendant si longtemps qu'ils semblent devenir partie intégrante de la structure physique d'une administration. Personne ne sait ce qu'ils font au juste car ils évitent toute interaction avec les autres employés. En fait, ils ne font qu'exister, et cela jusqu'au jour où ils pourront vivre de leur fonds de pension.

Joseph est un bon exemple de "bois mort". Il travaille comme commis pour la même grande firme depuis 23 ans, et il "ne lui reste plus" que onze années encore à faire avant de prendre sa retraite. Joseph a bien compté les années, les mois et les semaines qui lui restent. Bientôt il se mettra à compter les jours aussi.

Pourtant cela n'a pas toujours été ainsi. Lorsqu'il fut embauché, Joseph était un jeune homme vif d'esprit et sûr de lui-même, enthousiaste et ambitieux. En fait, c'était un employé tellement fiable qu'on finissait toujours par le surcharger de travail. Joseph ne s'en plaignait pas. Sûrement, se disait-il, tous ses efforts seraient bien appréciés par ses supérieurs. Cependant, ces derniers ne lui donnaient signe de vie que lorsqu'il commettait une gaffe ou lorsqu'il outrepassait l'autorité de ses fonctions. Découragé et abattu, Joseph se sentit "comme quelque vulgaire boulon dans une immense machine". Il se mit à faire des cauchemars, à souffrir de crises d'anxiété et de panique. Un jour, il envisagea même le suicide. Un jour, il décida tout simplement de ne plus s'en faire. Il ne pouvait démissionner car il lui fallait cet emploi. Mais il pouvait se résigner à n'y plus mettre le moindre effort. Il ne s'acquitterait que du minimum requis pour garder son poste.

Joseph détestait son travail. Une petite partie de lui-même mourait chaque jour lorsqu'il grimpait les marches menant à son bureau. Il poinçonnait sa carte de temps exactement à huit et à dix-sept heures, mais personne ne savait ce qu'il faisait toute la journée. Joseph évitait tout contact avec ses camarades de bureau. Il était très courtois, mais aussi très distant. Il développa une façon de se rendre invisible, ce qui est relativement facile dans une structure bureaucratique vaste et complexe. Derrière son bureau, il avait toujours l'air occupé, et lorsqu'on lui posait une question ou qu'on lui demandait quelque service, il répondait toujours par "Je suis vraiment navré, mais je ne peux pas maintenant. Je suis très occupé." Peu à peu, les autres cessèrent de lui demander quoi que ce soit et rarement se demande-t-on encore ce qui peut bien l'occuper autant.

Pourtant ceux qui connaissent Joseph en dehors de son milieu de travail ont une tout autre image de lui. Selon eux, Joseph est un homme intéressant, plein de vie, qui a de vastes connaissances musicales. Il lit beaucoup et passe des heures d'affilée à s'occuper de sa collection numismatique. Quant à Joseph, il est très heureux lorsqu'il se retrouve en famille ou entre amis, mais il hait son travail. Il n'a plus qu'un seul but dans la vie — tenir le coup jusqu'à sa retraite, en en faisant le moins possible sans risquer d'être licencié.

La démission par la promotion

Plutôt que de se démettre de leur emploi, certains individus souffrant d'épuisement tentent de grimper l'échelle hiérarchique. Comme ce fut le cas de Jeanne, qui opta pour cette "fuite vers le sommet". Parce qu'elle était d'une nature prévenante et attentionnée, Jeanne invitait, aurait-on dit, les autres à venir lui raconter leurs problèmes les plus intimes. Naturellement, elle se voyait toute faite pour une carrière de travailleuse sociale.

Au tout début, Jeanne s'engagea toute entière à résoudre les problèmes de ses premiers clients, leur dévouant tout son temps, toute son attention, toute son énergie. Mais voilà, chaque client était suivi d'un autre tout aussi démuni qui avait une histoire

43

tout aussi terrible à raconter. Peu à peu, Jeanne se rendit compte qu'elle aurait beau suer eau et sang, jamais elle ne parviendrait à changer le moindrement la vie de ses bénéficiaires ni les causes de leur indigence. Ajoutez à cela l'inertie bureaucratique, l'interminable paperasse à remplir, les politiques sociales mal planifiées, et la pression fut telle que Jeanne finit par sombrer dans l'épuisement.

Démoralisée, elle essaya de se consoler en mangeant à outrance. Bien sûr, elle engraissa, ce qui la déprima davantage. Elle se mit à éviter le bureau aussi souvent qu'elle le put, soit en y arrivant tard, soit en prolongeant ses visites chez les clients, ou encore en faisant du lèche-vitrines dans le voisinage. Puis, elle se mit aussi à limiter toute interaction avec ses clients, à réduire la durée de leurs rendez-vous, à ne plus les écouter, ou à éviter tout contact visuel lorsqu'elle leur parlait. En fait, elle les déshumanisait, les qualifiant de "perdants de la société", leur attribuant le blâme de leur condition humaine, et même les raillant lorsqu'elle en parlait à ses collègues.

À mesure que changeait son attitude à l'égard de son travail, changeait aussi l'image qu'elle avait d'elle-même. Elle se rendait bien compte qu'elle devenait cynique et désillusionnée, et elle se mit à haïr les gens en général et elle-même en particulier. Mais elle réalisait aussi qu'il lui fallait faire quelque chose pour changer tout ça.

Jeanne retourna aux études, décrocha une maîtrise et revint dans le service social en tant que directrice. Ce nouveau poste lui assurait qu'elle n'aurait plus jamais à souffrir de l'interaction avec les autres. Aussi, elle se plaisait beaucoup dans ses nouveaux pouvoirs et son travail avec la paperasse. "La paperasse n'a aucune exigence physique ou émotive. Elle ne s'irrite jamais, et il est très facile de la mettre de côté." Jeanne se sentait maintenant complètement détachée des jeunes travailleurs sociaux qui, pleins d'enthousiasme, comme elle l'avait été jadis, amorçaient leur nouvelle carrière. Elle se sentait plus à l'aise parmi les autres membres de la direction qui, comme elle, avaient choisi de fuir leur épuisement par la voie de la promotion.

Une invitation à s'épanouir

Selon la mythologie grecque, pour châtier Sisyphe, les dieux l'avaient condamné à rouler sans cesse un rocher jusqu'au sommet d'une montagne d'où il retombait de nouveau. "Les dieux avaient pensé, écrit Albert Camus, qu'il n'est pas de punition plus terrible que le travail inutile et sans espoir... Si ce mythe est tragique, c'est que son héros est conscient. Où serait en effet sa peine si, à chaque pas, l'espoir de réussir le soutenait? L'ouvrier aujourd'hui travaille, tous les jours de sa vie, aux mêmes tâches et ce destin n'est pas moins absurde. Mais il n'est tragique qu'aux rares moments où il devient conscient[28]."

Harriet avait cette conscience, et trouvait effectivement cela douloureux. À 41 ans, mariée et mère de deux filles, Harriet était une comédienne qui avait beaucoup de succès. On lui offrait de grands rôles, et elle avait toujours une très bonne critique. Mais Harriet avait aussi beaucoup de problèmes. Certains rôles étaient extrêmement éreintants sur le plan émotif car elle était de ceux qui croient que pour se mettre vraiment dans la peau de son personnage, le comédien doit s'inspirer de ses propres expériences. Comment ne pas s'irriter alors lorsqu'elle devait collaborer avec des gens qui ne prenaient pas le théâtre au sérieux? Enfin, lorsqu'elle décida de monter un *one-woman show*, dont elle avait écrit le scénario et fait la mise en scène, Harriet se retrouva totalement prise par son spectacle. Forcée à donner six représentations par semaine, elle n'avait presque plus de temps à consacrer à sa famille.

Tout comme beaucoup de femmes de carrière, Harriet se sentit vite accablée par le fardeau de son rôle de mère et d'épouse. En fait, coincée comme elle l'était par le temps et ses tâches domestiques, elle ne tirait plus aucun plaisir de sa vie familiale. "Mes interactions avec mes enfants se limitaient à des ordres: "Ferme la porte." "Étudie ton piano." Je ne me plaisais pas du tout dans mon rôle de mère. Les intrusions de mes gosses m'irritaient."

Après quelques mois de ce tiraillage entre ses rôles de mère, d'épouse et de comédienne, Harriet décela chez elle les premiers signaux d'alarme de la lassitude. "Je me sentais écrasée comme par un immense fardeau. J'étais à plat quasiment tout le temps, et souvent déprimée. Je n'avais plus d'énergie tout en étant physiquement tendue, irritable et bouleversée." Peu après, Harriet se blessait dans un accident de voiture, elle entreprenait la rénovation de sa maison, son mari se découvrait une bosse suspecte à la poitrine et sa fille tombait malade. Soudain, Harriet sentit qu'elle était à bout.

"J'avais des migraines, des nausées, des étourdissements. Mon corps était extrêmement tendu. Quelque temps après, j'eus une laryngite. Je n'arrivais plus à parler, mais aussi je n'avais pas envie de parler à qui que ce soit. Je pleurais beaucoup. J'en vins à ne même plus oser sortir de chez moi."

Mais Harriet n'essaya pas de se dérober à son mal. "Je suis comme ça: il faut que je me donne toute entière à ce que je fais et que je goûte pleinement chaque expérience pour en tirer le plus possible." Elle décida donc de faire face à sa douleur, de la comprendre, d'en tirer quelque chose. Elle se laissa aller à la peur, à la colère, à la frustration et même à la folie. Enfin, Harriet conclut qu'il lui fallait du temps pour reprendre le contrôle d'elle-même et de sa vie. Elle décida de se retirer, seule, pendant quelques jours, loin de chez elle. Elle se donna le temps d'examiner ses rôles de mère, d'épouse, de comédienne, d'individu. Elle examina aussi les exigences que, croyait-elle, lui imposaient ses rôles et les récompenses qu'elle en retirait. Elle comprit qu'il lui fallait rétablir ses priorités, dont la première consistait à apprendre à prendre soin d'elle-même. Elle apprit à s'affirmer, à établir des limites à tout ce qu'elle pouvait faire, à demander lorsqu'elle avait besoin de quelque chose.

Quelques semaines après sa crise, Harriet commença à se préparer pour un nouveau rôle, qui ne tarda pas à focaliser tous ses intérêts. Mais elle n'oublia pas pour cela à quel point sa famille était importante. "Ma famille est mon point de repère, mon havre, la source de cette force et de cette énergie qui me permettent de me lancer dans la vie et d'expérimenter." Pour éviter d'autres conflits, elle décida de ne plus mêler sa vie personnelle à sa vie professionnelle.

"Je sens que je suis sur la bonne voie, dit-elle. Je me sens merveilleusement bien. Je me sens forte. Je sens que je peux accomplir n'importe quoi." Ce n'est probablement pas la dernière fois que se manifestent chez Harriet les symptômes de la lassitude. Mais elle sait dorénavant à quoi s'attendre et comment le combattre. Dans son cas, l'épreuve de la lassitude s'est transformée en une expérience d'épanouissement.

Dans chacun des exemples présentés ci-dessus, le sujet a réagi d'une façon différente aux divers incidents qui étaient à l'origine de son épuisement ou de sa lassitude. Ces réactions ou actions peuvent être qualifiées de *stratégies thérapeutiques*. Nous en reparlerons en détail dans les chapitres suivants. Soulignons pour le moment le fait que si certaines stratégies sont efficaces, d'autres s'avèrent désastreuses et quelques-unes, se trouvant à mi-chemin entre ces deux-là, ne servent qu'à différer l'inévitable. Par exemple, à la suite de son hospitalisation, Charlie décida de dénier totalement ses aptitudes et talents créateurs. Il est facile de s'apercevoir que même si cette stratégie lui évitera dorénavant des crises plus affligeantes, elle est loin d'être la plus souhaitable car dans les fonctions qu'il occupe présentement, Charlie n'arrivera jamais à s'épanouir pleinement.

Quant à Carole, elle semble s'en être bien sortie car, de toute évidence, elle n'aurait jamais été heureuse comme maîtresse d'école. Par contre, nous avons connu beaucoup d'individus doués et très enthousiasmés par leur travail dont l'épuisement était dû à des conditions de travail fort inadéquates ou à une absence totale dans leur milieu de travail de système de récompense pour les efforts individuels. Dans leur cas, plutôt que de changer de métier, il serait peut-être plus souhaitable de changer simplement de milieu de travail et de continuer ailleurs à remplir les mêmes fonctions.

Il y a aussi des cas où le problème n'est pas dû à une organisation particulière mais au travail lui-même. Il faut alors faire appel à des stratégies thérapeutiques beaucoup plus subtiles et complexes. Nous en parlerons plus loin.

L'environnement

Pourquoi certains décident-ils de démissionner, d'autres de rester, et quelques-uns de profiter de l'occasion pour s'épanouir? Sûrement la réponse dépend d'une combinaison complexe de variables où entrent en jeu le sujet et son environnement. Par exemple, lors d'un atelier mené en Israël pour des cadres administratifs, nous avons constaté que le plus grand besoin chez tous les participants en était un de liberté au travail, c'est-à-dire de pouvoir faire les choses de la façon qu'ils jugeaient la meilleure. Or, toute situation ne leur offrant pas une telle liberté leur était intolérable et, avouèrent-ils, ils préféraient démissionner plutôt que de supporter cela. N'étant pas du tout disposés ou même capables d'accepter l'absence d'autonomie comme inévitable, ces gens ne finiront jamais comme "bois mort" au sein d'une organisation. Alors qu'au contraire, dans le cas d'un département de services sociaux américains, nous avons constaté que beaucoup de travailleurs souffrant depuis longtemps de lassitude s'accrochaient à leur emploi comme du bois mort parce que l'État leur offrait une sécurité d'emploi et un bon régime de retraite. Leur besoin de sécurité l'emportait sur celui de contrôle et d'autonomie.

Chacun subit la lassitude et réagit à l'épuisement de façon différente car les gens n'affrontent pas tous de la même façon le stress inéluctable de la vie et du travail. Certains sont profondément affectés par presque n'importe quoi. Pour eux le monde est dominé par les forces du Mal et, pour y survivre, il faut être prêt au pire. Ils amplifient le moindre problème, y voyant une preuve que les choses vont mal et, naturellement, qu'elles continueront à se détériorer. D'autres sont persuadés que les choses vont mieux du moment qu'ils en ont le contrôle. Pour ces gens, le plus important est de goûter pleinement à la vie et d'être heureux. Comme ils sont capables de distinguer les véritables tragédies des vétilles, ils ne font aucun cas de ces dernières et, surtout, refusent de les percevoir comme traumatisantes. Enfin, nous sommes tous dotés d'un processus individuel d'évaluation cognitive qui agit comme tampon contre les pressions de notre environnement.

L'évaluation cognitive est à la base même des recherches sur le stress entreprises par Richard Lazarus[29], professeur de psychologie à l'université de Californie. Selon Lazarus, chaque émotion dépend de l'évaluation cognitive (en termes de son importance pour le bien-être de l'individu) que fait ce dernier de ses transactions avec son milieu. L'évaluation consiste en cinq critères principaux. Une transaction avec le milieu peut être 1) pertinente ou non pertinente au bien-être de l'individu; 2) déjà nuisible; 3) potentiellement nuisible; 4) un défi; et 5) potentiellement positive. Une même configuration de stimuli peut déclencher chez divers individus différents types de réactions au stress, selon les antécédents et les traits de personnalité de chacun. Ainsi, certains se laissent emporter par la colère là où d'autres se laissent gagner par la dépression, la peur ou la culpabilité, et certains perçoivent un défi où d'autres verraient une menace. Par exemple, lorsqu'ils découvrent qu'ils sont atteints d'une maladie en phase terminale, certains réagissent en choisissant de l'ignorer, d'autres en sombrant dans la dépression. De même, lorsqu'ils sont offensés, certains choisissent d'ignorer l'affront alors que d'autres, emportés par la rage, jurent de se venger. Afin de mieux comprendre les divers types de réactions, de stabilités émotionnelles et de stratégies thérapeutiques, Lazarus a étudié les facteurs modérateurs qui sont mis en jeu entre l'étape de la configuration des stimuli et celle des réactions. Sûrement, s'est-il dit, dans un organisme doté d'un raisonnement aussi abstrait que celui de l'humain, les plus importants modérateurs ne peuvent être autres que cognitifs.

Donc, les divergences individuelles modèrent l'épuisement et la lassitude. Chaque individu a sa propre hiérarchie de besoins, sa propre vision du monde, sa façon unique d'évaluer et d'affronter le stress. Ce ne sont là que quelques-unes des variables qui influencent le moment où se déclenchera l'épuisement, sa durée et la gravité de ses conséquences. Mais il faut en chercher les causes premières dans le milieu plutôt que chez l'individu. Par exemple, l'organisation d'un milieu de travail peut influencer la stratégie thérapeutique (démission par la promotion, changement de milieu en gardant la même profession, nouveau métier), dépendamment du stress qu'il impose, des récompenses qu'il offre ou de sa flexibilité. Si les récompenses sont très gratifiantes, le sujet ne démissionnera pas même si ses fonctions sont anxiogènes. De même, la disponibilité d'emploi dans certaines domaines permet à ceux qui ressentent un grand besoin de diversité de changer de milieu de travail au premier signe d'épuisement. Nous tenons à souligner ici que nous sommes tous sujets, à divers degrés, à la fatigue physique, émotionnelle et mentale, du moment que nous sommes l'objet de pressions chroniques et que nous sommes démunis de support adéquat. Il serait donc plus logique, autant au point de vue théorique que pratique, de nous concentrer sur l'environnement plutôt que sur l'individu.

Un environnement consiste en divers arrangements encadrant l'individu, y compris son milieu professionnel, son organisation pratique, sociale, familiale et ses loisirs. L'identification de stress communs est possible même si ces milieux sont différents[30]. Tous les groupes professionnels qui participèrent à nos ateliers purent identifier aussi bien le facteur commun le plus stressant que le plus gratifiant de leur milieu de travail. Par exemple, dans les services publics, les pressions les plus fréquentes étaient surtout d'ordre émotif, dues à l'interaction avec des malades, des gens démunis et des inadaptés. Dans le cas des commis et des administrateurs travaillant pour de vastes structures bureaucratiques, nous avons constaté surtout des pressions mentales dues à un excès de paperasse, de tâches routinières, de fonctionnarisme et d'inertie administrative. Chez les pompiers, policiers et militaires, la lassitude était déclenchée par des pressions physiques — entraînement ardu ou situations de travail hasardeuses. Beaucoup de femmes de carrière nous ont parlé de la culpabilité et de l'anxiété générées par le conflit entre leurs rôles de travailleuse et de mère de famille. Dans le monde des affaires, le stress était surtout dû aux pressions de la compétition et au besoin de prendre d'importantes décisions sans disposer ni du temps ni de l'information nécessaires. C'est là, certes, une simplification de stress professionnels. Vous trouverez dans les chapitres consacrés à certains groupes professionnels un compte rendu beaucoup plus détaillé de leurs problèmes spécifiques.

La réorganisation d'un milieu de travail peut, tout comme la façon qu'a un individu de voir le monde, modérer les effets de l'épuisement et de la lassitude sur un groupe professionnel. Une réorganisation consiste en un réarrangement physique mais surtout social. C'est la raison pour laquelle d'ailleurs travailler pour une petite entreprise est très différent de travailler au sein d'une vaste bureaucratie. Mais il existe aussi des différences à l'intérieur d'un même mode d'organisation, autant dans le type de problèmes auxquels font face les employés que dans la fréquence des cas de lassitude.

Nous connaissons deux agences de services familiaux qui emploient le même nombre de psychiatres, de psychologues cliniciens, de travailleurs sociaux et de stagiaires. Toutes deux sont situées en banlieue et desservent le même type de clientèle. Pourtant dans l'une d'elles, la majorité des employés démissionnent au bout de deux ou trois ans, l'incidence d'absentéisme est très élevée, les employés arrivent tard le matin et repartent plus tôt l'après-midi, leurs visites chez les bénéficiaires sont très brèves mais ils mettent le plus de temps possible pour s'y rendre. À l'agence même, il règne une ambiance d'hostilité et de compétitivité, les employés sont peu communicatifs et très prudents, particulièrement lorsqu'il s'agit d'avouer des lacunes dans leurs connaissances. Même les étudiants qui y font leur stage sont critiqués lorsqu'ils posent des questions. Personne n'ose admettre qu'il ne sait pas comment faire face à tel ou tel cas, et les réunions du personnel ne sont que des ''séances de crocodiles'' où chaque employé essaie de ''mordre'' l'autre. Toutefois, dans l'autre agence, les employés y restent de nombreuses années et considèrent leur milieu de travail comme un second ''chez-soi'', chaleureux, stimulant, excitant. Même le psychologue en chef discute souvent de divers cas avec son personnel, recherchant des solutions et une rétroaction.

La lassitude et l'épuisement peuvent être générés par des modes d'organisation stressants, par un ensemble de stress particuliers à une certaine profession, ou par certaines définitions stressantes des rôles. L'épuisement et la lassitude sont possibles aussi dans un milieu de travail démuni d'aspects positifs, où n'existerait pas, entre autres, la diversité, la valorisation et l'autonomie. L'absence de tels aspects positifs[31] est une des sources majeures de lassitude et d'insatisfaction dans la vie en général et dans le travail en particulier. Par contre, la présence de ces variables positives peut servir de tampon contre l'épuisement.

L'épuisement et quelques autres concepts

Il n'est pas d'individu qui soit immunisé contre l'épuisement. Il suffit, pour y sombrer, d'un certain concours de circonstances dans son travail ou dans sa vie. À moins qu'ils ne réussissent, seuls, à s'établir d'efficaces stratégies thérapeutiques, ceux qui sont mus, au départ, par les plus grands idéaux sont les plus vulnérables aux chutes d'épuisement les plus graves. Cette condition préalable — idéalisme et excitation initiaux — est le facteur qui différencie l'épuisement du professionnel de l'aliénation du col bleu. L'aliénation frappe celui dont l'ambition professionnelle se limitait au départ au chèque de paie. L'épuisement frappe le plus souvent ceux pour qui, au départ, le chèque de paie était la chose qui les intéressait le moins.

L'épuisement est un concept socio-psychologique. Par ce fait, il diffère des autres concepts comme la dépression clinique. Dans le cas de cette dernière, l'individu et son passé sont l'origine des symptômes et l'objet du traitement thérapeutique. Dans le cas de l'épuisement, il faut chercher dans le milieu les antécédents des symptômes et le mode de traitement. Conséquemment, une telle épreuve est considérée comme étant de nature sociale plutôt qu'individuelle, à l'exception des cas les plus extrêmes où l'épuisé sombre dans la dépression.

Dans une institution "épuisée", tout le monde souffre de fatigue. Mais l'épuisement est, certes, une affliction beaucoup plus grave qu'une simple fatigue. Il est tout à fait naturel de se fatiguer lorsqu'on travaille fort. À titre d'exemple, ce haut gradé de l'armée israélienne dont les fonctions stimulantes lui offraient énormément de pouvoir, de défi et de valorisation. Il nous avoua au cours d'un entretien qu'à la fin de chaque journée de travail (qui durait souvent entre douze et vingt heures), il se sentait complètement exténué, mais, selon lui, c'était là une "bonne fatigue", riche en sentiments de pouvoir et d'accomplissement, tout comme celle d'un jongleur qui a réussi à maintenir simultanément en l'air douze balles. De toute évidence, il ne souffrait pas d'épuisement. Et pourquoi? Il n'éprouvait aucun des sentiments inhérents à l'épuisement: impuissance, désespoir, étouffement. En effet, l'épuisement n'est pas dû seulement au stress excessif généré par une surcharge de travail, mais aussi chez certains à une absence de défi lorsqu'ils sont appelés à vaquer à des tâches qui ne sont pas à la hauteur ni de leur formation ni de leurs talents.

Les motifs de ce livre

Au fil de nos séminaires, conférences et ateliers sur l'épuisement, nous avons constaté que le simple fait d'identifier le concept de l'épuisement peut avoir un effet thérapeutique sur les participants. D'où cette réaction typique de l'un d'eux: "Alors ce n'était que de l'épuisement! Et moi qui croyais que j'étais le seul à souffrir de ça! Que j'avais vraiment quelque chose de travers!" Il suffisait donc de nommer le phénomène qui les accablait pour que s'allègent leur culpabilité et leur confusion.

Souvent, il est mal vu dans notre société d'admettre ses limitations, ses vulnérabilités, son ignorance ainsi que ses problèmes, particulièrement ceux relatifs à son travail. Chaque professionnel est supposé être impeccable et bien maître de lui. Conséquemment, lorsqu'ils ont des problèmes, la majorité des gens se sentent coupables et tâchent de masquer leur désarroi

52

aux autres, convaincus que "tous les autres" sont en bien meilleure posture, qu'ils sont, eux, les seuls à ne pouvoir résoudre leurs problèmes et à essuyer des échecs. Nous avons là ce que les psychologues sociaux qualifient de *sophisme de l'unicité, d'ignorance pluraliste:* l'individu présume, à tort, qu'il est le seul à avoir ces réactions.

Voici un exemple qui vous illustrera comment un atelier sur l'épuisement réussit à démolir ledit sophisme de l'unicité. Tout comme les infirmières dont nous avons parlé au premier chapitre, les travailleurs sociaux sont, eux aussi, particulièrement vulnérables à l'épuisement, surtout ceux qui s'occupent de cas très exigeants sur le plan émotif, comme ceux, par exemple, impliquant des enfants battus ou négligés. Au départ, bon nombre de ces travailleurs qui choisissent de faire carrière dans les services sociaux sont extrêmement idéalistes. Mais ils ne tardent pas à s'épuiser, généralement en deçà d'une ou deux années de service: la douleur qu'ils éprouvent à observer ces enfants désabusés est particulièrement démoralisante parce que ces travailleurs leurs sont profondément attachés. Lorsque la pression se fait intenable, pour se protéger contre cette douleur, le travailleur social engagé et attentionné commencera à se détacher de la situation, à s'intéresser de moins en moins aux cas individuels, et même à tenir rigueur à ces personnes mêmes qu'il est supposé aider. Ce ne sont là que diverses formes d'autoprotection. Mais le ressentiment du travailleur engendrera, à son tour, des sentiments de culpabilité et de honte à cause précisément de cette même image idéaliste qu'il se faisait de lui-même. Et, comme dans le cas du personnel infirmier responsable de cancéreux en phase terminale, il s'amorce ici aussi un cercle vicieux: l'épuisement mène au ressentiment, ce dernier déclenche des sentiments de culpabilité, lesquels entraîneront encore plus d'épuisement. Il arrive dans une telle situation que le travailleur social attribue sa détresse à des causes personnelles parce qu'on ne lui a pas appris à les chercher plutôt dans son environnement. Ainsi, ne décelant aucune cause externe bien évidente qui aurait pu provoquer son désarroi, sa situation deviendra d'autant plus insoutenable qu'elle lui paraîtra inéluctable[32]. Ce sentiment d'isolement ne fera qu'accroître, d'une part, sa détresse, sa culpabilité et sa honte et, d'autre part, les efforts qu'il mettra à masquer aux autres son épuisement. L'atelier peut dans un cas pareil briser ce cercle vicieux.

Un atelier offre à ses participants l'occasion de discuter de leurs problèmes et de leurs expériences, ce qui a aussitôt pour effet de démolir le sophisme de l'unicité, l'ignorance pluraliste. Chacun découvre que son cas est loin d'être unique, que presque tous ses collègues éprouvent tous ou certains de ses sentiments d'épuisement ou de lassitude. Il cessera alors de chercher réponse dans ses propres déficiences pour se mettre plutôt à examiner ses conditions de travail.

Aussi, lorsqu'un participant apprend que souvent ce sont les travailleurs les plus engagés qui s'épuisent le plus, il se sent plus libre d'admettre ouvertement son épuisement, et cela sans la moindre honte ou gêne. En fait, nous avons constaté, lors d'une enquête menée en Israël[33], que les gens finissent toujours par admettre un plus haut niveau de lassitude lorsqu'ils découvrent le lien qui existe entre cette dernière et l'idéalisme initial. Dans ce cas particulier, nous avons comparé les réponses données à un questionnaire sur la lassitude par 70 directeurs à celles données par 21 autres à qui nous avions d'abord expliqué que "ce sont les idéalistes qui s'épuisent le plus". Résultat: le second groupe avoua un niveau de lassitude notablement plus élevé. En fait, il suffit d'expliquer que tout le monde est plus ou moins prédisposé à l'épuisement pour provoquer chez les participants une grande excitation, puis une profonde relaxation. Maintenant ils peuvent enfin se servir de toute l'énergie qu'ils dépensaient jusque-là à masquer leurs symptômes d'épuisement pour s'établir des stratégies thérapeutiques.

Notre travail fut mené sur deux fronts: la recherche sur les antécédents et leur corrélation avec la lassitude et l'épuisement d'une part et, d'autre part, le travail de groupe qui visait à trouver des stratégies thérapeutiques. Le présent ouvrage en est la somme. Son but principal est de présenter les concepts de l'épuisement et de la lassitude dans l'espoir de faire comprendre au lecteur qui en est affecté que son cas n'est pas unique. Un autre but, auquel sont consacrés les chapitres suivants, est de vous décrire les antécédents communs de l'épuisement et de la lassitude dans les services sociaux, les institutions complexes et chez les femmes. En fait, en nous concentrant sur les antécédents et les corrélations de ces deux épreuves, nous pouvons en découvrir les causes et les moyens de thérapie. Si nous avons consacré trois chapitres à la question "comment combattre", c'est parce que nous sommes convaincus qu'il ne suffit pas de prendre tout simplement conscience du problème. Il ne suffit pas non plus d'identifier le phénomène et ses causes. L'étape la plus cruciale consiste à chercher des solutions et à les mettre en vigueur.

Un autodiagnostic

Vous pouvez évaluer votre niveau de lassitude en complétant le questionnaire suivant. Il vous servira aussi à diagnostiquer vos sentiments envers votre travail et votre mode de vie, ainsi que votre humeur en général ou juste celle d'aujourd'hui.

En vous servant de l'échelle d'évaluation ci-dessous, indiquez la fréquence à laquelle vous vous sentez:

1	4	7
Jamais	Parfois	Toujours
2	5	
Une ou deux	Souvent	
fois	6	
3	Généralement	
Rarement		

_6_ 1. Fatigué

_5_ 2. Déprimé

_3_ 3. Satisfait de votre journée

_6_ 4. Exténué au niveau physique

_6_ 5. Exténué au niveau émotif

_4_ 6. Heureux

_5_ 7. À plat

_6_ 8. Épuisé moralement

_5_ 9. Malheureux

_6_ 10. Abattu

_5_ 11. Pris au piège

_1_ 12. Inutile

_4_ 13. Ennuyé

_5_ 14. Troublé

_6_ 15. Déçu ou dépité par les autres

_4_ 16. Faible et impuissant

_4_ 17. Désespéré

_4_ 18. Rejeté

_4_ 19. Optimiste

_3_ 20. Énergique

_5_ 21. Anxieux

55

Pour évaluer votre niveau:
Additionnez les points que vous avez marqués aux numéros suivants:
1, 2, 4, 5, 7, 8, 9, 10, 11, 12, 13, 14, 15, 16, 17, 18, 21, (A)__83__
Additionnez les points que vous avez marqués aux numéros suivants:
3, 6, 19, 20 (B) ___14___, soustrayez (B) de 32 (C)___18___
Additionnez A et C (D)___101___
Divisez D par 21 ___4.8___. C'est là votre niveau de lassitude.

Des milliers de répondants ont rempli ce questionnaire d'autodiagnostic. Pas un seul n'a obtenu un niveau de lassitude de "1" ou "7". La raison est bien évidente: il est impossible qu'une personne soit continuellement dans l'état d'euphorie impliqué par le niveau 1 alors que celle qui aurait sombré au niveau 7 ne serait même pas capable de sortir de chez elle pour participer à un atelier ou à une recherche.

Si votre niveau se trouve entre 2 et 3, tout va bien chez vous. La seule chose que nous pourrions vous suggérer, c'est de vérifier une fois encore les points que vous avez marqués à chaque question pour vous assurer que vous y avez répondu honnêtement.

Si votre niveau se trouve entre 3 et 4, il serait sage que vous examiniez votre travail et votre mode de vie, que vous réévaluiez vos priorités et que vous entrepreniez quelques changements. Si votre niveau est supérieur à 4, vous êtes tellement affligé par l'épuisement ou la lassitude qu'il vous faut absolument faire quelque chose. Un niveau supérieur à 5 indique une crise aiguë exigeant des soins immédiats.

Notes

1. A.D. Kanner, D. Kafry et A. Pines, "Lack of Positive Conditions as a Source of Stress", *Journal of Human Stress*, 1978, vol. 4, no 4: 33-39.

2. À travers le présent ouvrage, nos données corrélatives sont basées sur des questionnaires individuels qui visaient à établir des données comme le rapport entre deux variables — par exemple, le stress de l'environnement et le niveau d'épuisement. Même si ces données sont valables, il n'est pas toujours facile de les interpréter

clairement. Un exemple: il est souvent difficile de déduire avec certitude laquelle des deux variables est la cause et laquelle est l'effet, ou même si les deux ne seraient pas les effets d'une cause beaucoup plus profonde. Autrement dit: Est-ce que certaines activités stressantes conduisent à l'épuisement? Est-ce que l'épuisement prédispose l'individu au stress? Ou est-ce que certaines professions attirent particulièrement des individus qui s'épuisent facilement et qui sont très sensibles au stress? D'habitude, nous pouvons nous fier à notre bon sens pour établir la séquence la plus raisonnable. En d'autres mots, il serait plus logique d'assumer dans une grande partie des données que nous vous présenterons que certaines variables spécifiques (comme certains stress) sont en effet les antécédents de la lassitude.

Les données recueillies au moyen de questionnaires présentent un autre inconvénient: parfois les résultats sont influencés par des facteurs généraux comme l'honnêteté du répondant ou cette tendance chez certains de n'admettre que ce qui les montrera sous un jour plus favorable. Par exemple, s'il est établi éventuellement qu'il y a corrélation entre l'épuisement et la dépression psychologique, il serait alors concevable de déduire qu'un tel résultat a été influencé par l'honnêteté des répondants: ceux qui sont assez honnêtes pour admettre leur épuisement sont tout aussi francs en ce qui concerne leur dépression. Quoique cette possibilité existe à travers la plus grande partie de nos données, ce facteur n'a pu influencer, en autant que nous sachions, qu'une partie minime de cette relation. Les autres sont absolument significatives. Bien entendu, nous nous basons ici sur une riche documentation que viennent corroborer des témoignages recueillis au cours de centaines d'heures d'interviews et de discussions dans nos ateliers. Donc, aussi "stériles" que puissent être en soi un questionnaire ou un test, les réponses que nous avons recueillies sont le fruit d'interactions "en chair et en os" avec des individus souffrant d'épuisement.

3. Voir l'Annexe II, "La recherche", pour un compte rendu plus détaillé de cette recherche.

4. Cette recherche fut inspirée par Christina Maslach et décrite dans: C. Maslach et A. Pines, "Burnout, the Loss of Human Caring," *Experiencing Social Psychology*, Random House, New York, 1979: 246-252; C. Maslach et A. Pines, "The Burnout Syndrome in Day Care Settings" *Child Care Quarterly*, été 1977, vol. 6: 100-113; A. Pines, "Burnout and Life Tedium in Three Generations of Professional Women", document présenté au congrès annuel de l'Association américaine de psychologie, San Fransisco, 1977; A. Pines et C. Maslach, "Characteristics of Staff Burnout in Mental Health Settings", *Hospital and Community Psychiatry*, 1978, vol. 29:

233-237; A. Pines et C. Maslach, "Combating Burnout in One Child Care Center: A Case Study", *Child Care Quaterly*, printemps 1980, no 9: 5-16; A. Pines, D. Kafry et D. Etzion, "Job Stress from a Cross-cultural Perspective", *Burnout in the Helping Professions*, édité par K. Reid, Western Michigan University Press, Kalamazoo, 1980.

5. Voir l'Annexe I, "Ateliers d'épuisement", pour un compte rendu plus détaillé de ce travail de groupe.

6. J.J. Freudenberger, "Burnout: Occupational Hazard of the Child Care Worker", *Child Care Quarterly*, printemps 1980, vol. 6, no 2: 5-16, 1977: 90-99.

7. K.L. Armstrong, "How Can We Avoid Burnout?", *Child Abuse and Neglect: Issues on Innovation and Implementation*, DHEW Publication, 1978, no (OHOS) 78-30148, 2: 230-238.

8. Dans nos études, les corrélations entre la lassitude et les troubles de sommeil s'échelonnèrent entre $r = 0,28$ ($p<0,01$) et $r = 0,47$ ($p<0,001$). Les corrélations entre la lassitude et la santé physique s'échelonnèrent entre $r = -0,20$ et $r = -0,46$ ($p<0,001$).

9. Dans une étude impliquant 130 répondants à un questionnaire sur le désespoir (A.T. Beck, A. Weissman, D. Lester et L. Trenxler, "The Measurement of Pessimism: The Hoplessness Scale", *Journal of Consulting and Clinical Psychology*, vol. 42, 1974), la corrélation entre le niveau combiné de lassitude et de désespoir était de $r = 0,59$ ($p<0,001$).

10. Il fut constaté lors d'une étude que la corrélation entre la lassitude et la solitude était chez les hommes ($n = 33$) de $r = 0,40$, et chez les femmes ($n = 73$) de $r = 0,27$. Toutes deux sont statistiquement significatives au niveau 0,01.

11. Dans la majorité des cas, nous avons examiné aussi la corrélation entre la lassitude et la satisfaction face à soi, au travail et à la vie. La corrélation entre la lassitude et la satisfaction tirée du travail s'échelonnait entre $-0,24$ et $-0,63$ (la corrélation moyenne étant de $-0,45$). La corrélation entre la lassitude et la satisfaction tirée de la vie s'échelonnait entre $-0,32$ et $-0,70$ (la corrélation moyenne étant de $-0,51$). La corrélation entre la lassitude et la satisfaction face à soi s'échelonnait entre $-0,32$ et $-0,73$ (la corrélation moyenne étant de $-0,51$). Toutes les corrélations étaient statistiquement significatives.

12. Par exemple, V. Bernard, P. Ottenberg et F. Redle, "Dehumanization: A Composite Psychological Defense in Relation to Modern War", *Behavioral Science and Human Survival*, édité par M. Schwebel, Science and Behavior Books, Palo Alto, 1965; M.C. Kelman, "Violence without Moral Restraint: Reflections on the

Dehumanization of Victims and Victimizers", *Journal of Social Issues*, vol. 29, 1973: 25-61; D.J. Vail, *Dehumanization and the Institutional Career*, Charles C. Thomas, 1966; A. Pines et T. Solomon, "Perception of Self as a Mediator of the Dehumanization Process", *Personality and Social Psychology Bulletin*, vol. 3, no 2, 1977: 219-223; P.G. Zimbardo, "The Human Choice: Individuation, Reason and Order versus Deinviduation, Impulse and Chaos", *Nebraska Symposium on Motivation: 1969*, édité par W.J. Arnold et D. Levine, University of Nebraska Press, Lincoln, Neb., 1970.

13. M. Buber, *I and Thou*, 2e éd., Scribner's, New York, 1958.

14. Dans un échantillon de 129 travailleurs sociaux, la corrélation entre la lassitude et le désir de quitter son emploi était de 0,58 ($p < 0,01$). Dans un autre échantillon de 181 opérateurs téléphoniques israéliens, la corrélation entre la lassitude et la propension au retard (ou nombre de journées par année où les employés arrivaient en retard au travail) était de 0,30 ($p < 0,001$). L'étude fut menée par J. Golan. Les corrélations entre l'épuisement et: *a*) la quête d'un nouvel emploi ($r = 0,49$); *b*) la prolongation des périodes de repos ($r = 0,47$); *c*) le nombre de jours d'absentéisme ($r = 0,52$); *d*) les jours de retard ($r = 0,37$), furent rapportées par J.W. Jones dans "The Staff Burnout Scale: A Validity Study", étude présentée à la 52e assemblée annuelle de la Midwestern Psychological Association, à Saint-Louis, 1-3 mai, 1980.

15. Armstrong, "How Can We Avoid Burnout?"

16. W.D. Gentry, S.B. Foster et S. Fruehling, "Psychological Response to Situational Stress in Intensive Care Nursing", *Heart and Lung*, vol. 1, 1972: 793-796.

17. A.H. Stanton et M.S. Schwarts, *The Mental Hospital: A Study of Institutional Participation in Psychiatric Illness and Treatment*, Basic Books, New York, 1954.

18. Voir la note 4 ci-dessus.

19. Voir la note 6 ci-dessus.

20. H.J. Freudenberger, "The Staff Burnout Syndrome in Alternative Institutions", *Psychotherapy: Theory, Research and Practice*, vol. 12A, printemps 1975: 73-82.

21. La corrélation entre l'autodiagnostic et l'évaluation de la lassitude par les collègues pour les deux échantillons était $r = 0,37$ ($p < 0,001$).

22. J.P. Lysaught, *An Abstract for Action. National Commission for the Study of Nursing and Nursing Education*, McGraw-Hill, New York, 1970; aussi, Mitzi Duxbury, de l'École de nursing de l'université du Minnesota, mène présentement à travers les États-Unis une

étude sur le renouvellement de la main-d'oeuvre et l'épuisement dans le personnel infirmier des soins intensifs.

23. C.H. Kempe, "Child Protective Services: Where Have We Been? What are We Now and Where are We Going?", *Child Abuse and Neglect: Issues on Innovation and Implementation*, DHEW Publication, 1978, no 78-30147, 5: 19-28.

24. Freudenberger, "Staff Burnout Syndrome".

25. I. Adizes, "Mismanagement Styles", *California Management Review*, 1976, vol. 19, no 2: 5-30.

26. Ce processus fut décrit aussi par le Dr Martin Lipp dans le chapitre sur les stratégies thérapeutiques et les risques professionnels chez les médecins, de son ouvrage *Respectful Treatment — The Human Side of Medical Care*, Harper and Row, New York, 1977: 206-215.

27. Adizes, "Mismanagement Styles".

28. A. Camus, *Le mythe de Sisyphe*, Éditions Gallimard, 1942.

29. R.S. Lazarus, *Psychological Stress and the Coping Process*, McGraw-Hill, New York, 1966.

30. De telles variables comme la surcharge de travail, les exigences conflictuelles, les charges décisionnelles et la culpabilité sont autant d'exemples de stress les plus fréquents. Par exemple, lors d'une enquête auprès de 724 professionnels des services de santé sociaux, la corrélation entre l'épuisement et la surcharge de travail était de $r = 0,35$; les exigences conflictuelles, $r = 0,31$; la charge décisionnaire, $r = 0,30$; la culpabilité, $r = 0,42$. Toutes les corrélations sont statistiquement significatives.

31. Par exemple, lors d'une étude impliquant 198 travailleurs s'occupant d'handicapés mentaux, on constata une corrélation de $r = -0,23$ entre la lassitude et la diversité, de $r = -0,32$ entre la lassitude et l'autonomie, de $r = -0,18$ entre la lassitude et la valorisation. Toutes les corrélations sont statistiquement significatives.

32. B. Russell, *The Conquest of Happiness*, Liveright, New York, 1971.

33. Cette étude fut menée en collaboration avec le psychologue israélien Dalia Etzion. Le niveau moyen de lassitude des 66 directeurs qui répondirent tout simplement au questionnaire sur la lassitude était de $\bar{x} = 2,8$. Le niveau moyen de lassitude chez les 21 directeurs qui avaient été auparavant avertis que "ce sont les idéalistes qui s'épuisent le plus", avant qu'on leur demande de répondre au questionnaire, était de $\bar{x} = 3,5$. La différence est significative au niveau 0,01.

Deuxième partie

Les origines de
l'épuisement
et de la lassitude

Chapitre 3

L'épuisement dans les services sociaux et de santé

Sue était une jeune femme de trente-deux ans, intelligente, chaleureuse et sensible, qui souhaitait ardemment "aider les autres" et "changer un peu le monde pour le mieux". Mais même si Sue était licenciée en sciences sociales, sa formation professionnelle ne l'avait nullement préparée au stress qu'elle aurait un jour à affronter dans son milieu de travail.

Au départ, Sue fut assignée à un programme de services de réinsertion sociale à domicile pour des cas psychiatriques qui sortaient d'une institution. Trois ans plus tard, Sue démissionna de ses fonctions. "J'en avais assez des cas chroniques, dit-elle. Le travail de thérapeute m'intéressait toujours, mais il y a une limite aux soins thérapeutiques qu'on peut dispenser à ces patients. Mon travail consistait surtout à leur administrer continuellement leur médication et à les aider à s'adapter à leur nouveau milieu. C'étaient des gens très démunis, très dépendants, et mon travail était extrêmement éreintant. À l'exception de quelques vagues progrès chez les plus jeunes, en général, je ne décelais presque jamais la moindre amélioration."

Donc, Sue sentit qu'elle avait besoin d'un changement. Elle accepta un poste de conseillère familiale dans un commissariat de police. Son équipe avait pour tâche de répondre aux appels d'aide lors de conflits domestiques et d'enseigner aux policiers comment intervenir dans ces cas. "Au tout début, le travail était fascinant, stimulant, et nous faisions figure de pionniers dans ce domaine. On parla beaucoup de nous: émissions de télévision, articles de journaux, il y eut même un film. Mais nous avions aussi beaucoup de problèmes!"

Sue sentait qu'il lui fallait absolument se distancier de certaines situations dans lesquelles elle se trouvait impliquée. "C'était en partie une sorte d'autoprotection, car certaines situations étaient vraiment lugubres. Je voyais des choses *tellement* horribles. Et je ne parle pas que des cas de violence domestique, mais d'enfants battus, de conditions de vie terribles, de taudis infects, de tous ces fous à côtoyer qui n'arrivaient pas à s'adapter. C'était trop. Peu après, je dus recourir à un certain blocage mental."

Sue fut accablée par des sentiments de frustration et de futilité. "Tous les cas commençaient à se ressembler. Je n'y voyais plus le moindre progrès. Comme s'il s'agissait toujours des mêmes gens enlisés dans les mêmes bourbiers. Je bouillais de rage aussitôt que je mettais les pieds chez eux. Peu après, je cessai de les écouter. Je ne me sentais plus le moindrement empathique. Et, pour la survie de mon émotivité, je dus me dépouiller aussi de ma compassion. Ce n'était pas du tout le genre de travail où tes clients manifestent beaucoup de reconnaissance. C'était plutôt un cercle vicieux: plus je m'enrageais, plus je devenais avare d'efforts et, bien sûr, moins j'arrivais à améliorer leur sort."

Sue se sentait tout aussi frustrée et isolée au bureau. L'administration et son supérieur ne manifestaient aucune flexibilité, n'encourageaient jamais qui que ce soit à s'épanouir. L'ambiance au commissariat en était une de méfiance; les employés se dénonçaient les uns les autres, et Sue se sentait trahie par les mêmes gens qu'elle affectionnait. "J'étais tellement bouleversée que je me mis à éviter tout le monde. Je fus témoin de choses tellement injustes et immorales, de choses qui portaient atteinte à ces mêmes valeurs fondamentales qui me tenaient le plus à coeur. J'en étais profondément troublée, mais jamais, ni mes collègues ni la direction ne m'offraient le moindre appui moral. Je me sentais complètement isolée. C'était la partie que je trouvais la plus difficile."

Deux ans plus tard, Sue manifesta les premiers symptômes de l'épuisement. Sa réaction: elle se mit à travailler plus fort. Elle accepta d'enseigner un cours par session dans un collège communautaire. "J'avais besoin de récompense pour me sentir quelque peu compétente. L'enseignement m'offrit un peu de gratification.'' Mais ce travail exigeait énormément de temps, en retour de très peu d'argent et d'aucune sécurité. Il comportait toutefois quelques récompenses intrinsèques. ''Je pouvais voir l'excitation et le désir d'apprendre de mes élèves. Puis je leur enseignais des choses dont j'aimais beaucoup parler.'' Sue se servit de ces récompenses pour modérer le stress de son travail de conseillère. Mais à remplir deux emplois, il ne lui restait plus un moment libre. ''J'ai toujours été comme ça: lorsque je me retrouve dans une situation que je ne peux plus ou que je ne veux pas affronter, je me mets à travailler plus fort. Je travaillais donc au bureau toute la journée, à l'école de sept à dix heures du soir, et quand je rentrais chez moi vers onze heures, j'étais trop vidée et déprimée pour arriver à fermer l'oeil.''

Bien entendu, ce train de vie ne fit qu'empirer son épuisement. ''Il ne fallait pas que qui que ce soit me demande un service de plus. Plutôt que d'écouter mes amis, qui essayaient de m'aider, j'avais envie de leur crier après. J'avais toujours les larmes aux yeux. J'étais vraiment déprimée.''

Au travail, Sue essayait d'éviter de plus en plus tout contact avec ses clients. ''Parfois, j'arrivais en retard chez eux. Je m'arrêtais en chemin pour faire mes emplettes ou tout simplement pour flâner. Parfois, durant les entrevues, je me mettais à rêvasser. Puis je commençai à référer mes clients à d'autres agences ou conseillers. Je me composais une attitude négative avant même de mettre les pieds chez eux. J'étais brusque et froide. Quand je me rappelle tout ça, il me semble que j'essayais de me distancier d'eux pour les inciter à me détester. Si je leur suis inutile et déplaisante, me disais-je, ils me répondront sûrement par la négative lorsque je leur demanderai s'ils désirent reprendre rendez-vous avec moi.''

Chez Sue, une des façons d'affronter son épuisement consistait à en rire. ''Il me semblait que je pourrais toujours m'en tirer tant et aussi longtemps que je pouvais rire de moi-même et de mon travail. Et j'en ris! Je me moquais de mes clients, non avec malice mais d'une façon cathartique. Bien sûr, cela m'attirait toujours des ennuis.''

Mais à un moment donné, Sue réalisa qu'elle n'en pouvait plus. Et après quatre ans de service au commissariat de police, elle démissionna. Il lui fallait vraiment décider ce qu'elle aimait faire dans la vie. Elle se savait complètement ''épuisée'' comme fonctionnaire publique. "Je n'ai plus rien à offrir aux gens démunis, dépendants et victimes. J'ai fait ma part de "bonnes actions". Je ne dois plus rien à la société." Sue décida de se prévaloir de ses talents pédagogiques et analytiques. Elle désirait travailler dans un milieu agréable et avec des gens qui aimaient leur travail. Elle se chercha donc un emploi dans une entreprise qui encouragerait la créativité, dans un milieu qui lui offrirait appui moral et défi. Elle chercha longtemps, mais elle finit par trouver.

Une brève analyse de ce cas

Le cas de Sue présente plusieurs des éléments qui caractérisent l'épuisement du professionnel oeuvrant dans les services sociaux. Au départ, Sue opta pour une carrière dans l'assistance publique parce qu'elle désirait aider les gens démunis et, comme c'est toujours le cas, on ne l'avait pas du tout préparée pour le stress inhérent à ce métier. Sue s'épuisa après trois ans de service dans son premier poste, et après deux ans dans le deuxième. C'est là une période préliminaire à l'épuisement que nous avons remarquée chez beaucoup de professionnels des services sociaux avec qui nous avons travaillé.

Les origines de l'épuisement de Sue sont tout aussi fréquentes. Dans son premier emploi, l'épuisement fut surtout provoqué par la "futilité" de ses efforts: elle avait beau aider les patients démunis et les cas de pathologies chroniques, les changements ou les améliorations qu'elle obtenait étaient tout au plus minimes. Dans son deuxième emploi, l'épuisement fut provoqué par la misère de sa clientèle d'une part et, d'autre part, par les conflits interpersonnels au bureau — deux sources d'épuisement assez répandues. Les réactions de Sue face à son épuisement sont tout aussi caractéristiques: dans un premier temps, elle essaya de le combattre par le surmenage, ce qui entraîna une fatigue physique, une usure émotionnelle, une rage à l'encontre de ses collègues et un ressentiment envers ses clients. Enfin, elle sentit qu'elle s'était acquittée de sa part de "bonnes actions". C'est là un sentiment que l'on retrouve chez beaucoup de professionnels des services sociaux et de santé qui furent à leurs débuts profondément idéalistes. Et, à l'instar de Sue, ils recherchent souvent dans l'enseignement une source de réapprovisionnement moral car, en effet, il est plus facile pour un enseignant d'obtenir des résultats gratifiants dans les efforts qu'il met à changer et à épanouir sa clientèle. Si nous appuyons sur le caractère typique du cas de Sue, c'est pour mieux vous démontrer qu'à l'origine, c'était les exigences émotionnelles imposées par son travail et non ses idiosyncrasies personnelles qui déclenchèrent son épuisement.

Les trois antécédents communs à l'épuisement dans les services sociaux et de santé

Dans notre société industrielle, certaines institutions professionnelles remplissent nombre de fonctions qui incombaient traditionnellement à la famille extensive ou à la communauté. Cela est particulièrement vrai dans le traitement des problèmes personnels ou interpersonnels. Il en résulte donc une prolifération de services médicaux, pédagogiques, sociaux et psychologiques, où oeuvrent des millions de professionnels qui ont en commun trois caractéristiques fondamentales: 1) ils vaquent à des fonctions très exigeantes sur le plan émotif; 2) ils possèdent certains traits de personnalité qui les ont incités à faire carrière dans les services humains; 3) ils poursuivent une orientation "axée sur le client". Ces trois caractéristiques sont également les trois antécédents classiques de l'épuisement.

Un travail très exigeant sur le plan émotif

Dans les services de santé et sociaux, le professionnel est appelé à travailler durant de longues périodes dans des situations extrêmement exigeantes au point de vue émotionnel. Il est exposé aux problèmes psychologiques, sociaux et physiologiques de ses clients, et supposé de toujours faire montre de compétence et d'empathie.

Toute fonction où une personne est appelée à aider autrui comporte un certain degré de stress. Ce degré ainsi que le type de stress dépendent des exigences particulières à cette fonction et des ressources dont dispose le professionnel. Aussi, chaque profession comporte des pressions, des anxiétés et des conflits qui sont inhérents aux fonctions du professionnel et aux circonstances dans lesquelles il s'en acquitte.

Exemple: Le stress émotionnel dans les services de santé

Tout personnel médical fait face à des situations qui sont souvent extrêmement émotives, et parfois, particulièrement pénibles pour les médecins. Selon Harold Lief et Renee Fox, qui étudièrent les fondements psychologiques de la pratique médicale, "l'exploration, l'examen et l'incision du corps humain; l'affrontement des peurs, de la colère, des sentiments d'impuissance et de désespoir des patients; les appels d'urgence; les limitations de la science dans son combat contre les pathologies chroniques ou incurables; et même la confrontation avec la mort[1]", sont autant d'épreuves très chargées au niveau émotif que subit continûment le médecin. Un autre stress dans les services de santé est dû au fait de savoir qu'on n'arrivera jamais à enrayer la mort et la maladie. Parmi d'autres stress que subissent autant les médecins que le personnel infirmier, on retrouve la peur constante d'attraper quelque maladie contagieuse, d'avoir à discuter avec les patients de leurs troubles sexuels ou domestiques, d'entreprendre des examens physiques.

Voici comment le Dr Daniel Federman, doyen de la faculté de médecine, à Stanford, décrit cette situation: "Au bout de quelques minutes, comme médecin vous vous retrouvez dans une situation unique dans les relations humaines: vous avez accès au corps du patient avec toute l'intimité et le potentiel d'embarras que cela peut comporter. Le patient s'expose dans toute son intimité et sa vulnérabilité, se soumet à toute prescription, à tout abus physique et même, ultime soumission, à l'inconscience entraînée par l'anesthésie générale et à l'altération physique de son corps par la chirurgie[2]."

Selon le Dr Donald Oken, doyen de la faculté de psychiatrie, à l'Université de l'État de New York, le fait de dispenser des services médicaux force le professionnel à s'exposer régulièrement aux aspects les plus intimes du fonctionnement humain, entre autres à observer, écouter et toucher chaque partie du corps et ses produits, même dans leur condition la plus intime ou leur état le plus déplaisant. Les médecins et les infirmières sont aussi exposés aux secrets les plus intimes et aux conflits les plus personnels, et se retrouvent souvent l'objet de réactions de transfert primitives les plus intenses, tant affectives qu'hostiles, auxquelles ils n'osent jamais réagir[3].

68

Exemple: Le stress émotionnel chez les enseignants

Les enseignants sont victimes de l'épuisement à n'importe quel niveau du système scolaire, depuis la maternelle jusqu'à l'université. Un des antécédents de l'épuisement dans le corps enseignant est l'hypothèse selon laquelle si l'élève n'apprend pas, c'est que le professeur n'a pas bien fait son travail. Certes, c'est là une présomption souvent dépourvue de support réel, mais qui forme, entre autres, une toile de fond sur laquelle se dessinent les espérances irréalistes que les éducateurs partagent avec les élèves, les parents, l'administration et le public — des espérances qui sont à l'origine de leurs frustration, culpabilité et sentiments d'échec.

Une autre source de stress pour beaucoup d'enseignants est d'avoir à maintenir une certaine discipline en classe. Des enquêtes menées à travers le pays démontrent que depuis 1972, le taux d'homicide en milieu scolaire a augmenté de 18 p. cent, celui de viol de 40 p. cent, de vols de 37 p. cent et de voies de fait à l'endroit des professeurs de 77 p. cent[4]. Un sous-comité sénatorial sur la délinquance juvénile rapporte que, au cours de l'année académique 1975, le taux de vandalisme et de violence dans les écoles a augmenté sans cesse, que la destruction matérielle a dépassé le cap des 600 millions de dollars, et que 70 000 enseignants ont été gravement blessés lors d'attaques par les étudiants. Résultat: les enseignants, surtout ceux des grands centres urbains où le problème de la violence en milieu scolaire est le plus grave, finissent par développer la "névrose combative de l'enseignant[5]".

Les enseignants subissent également divers stress psychologiques et émotionnels. Peu importe le niveau scolaire, chaque classe comprend un certain nombre d'étudiants indifférents et non motivés. Et, dépourvu de l'appui des parents et de l'administration, l'enseignant se sent complètement isolé dans sa lutte pour maintenir une certaine discipline et un niveau minimal d'éducation. Ce sont là des problèmes particulièrement douloureux pour lui car, se considérant principalement éducateur, il se retrouve dans un milieu où il passe le plus clair de son temps à maintenir l'ordre parmi les étudiants, recourant parfois même à la force.

Exemple: Le stress émotionnel dans les services sociaux et psychologiques

Dans beaucoup de services sociaux, le risque d'épuisement et de fatigue émotionnelle procède du fait que le professionnel est constamment appelé à avoir une implication émotive envers ses clients. Selon Alfred Kadushin, éminent savant en sciences sociales, ce flux de réserves émotionnelles est à sens unique — du travailleur au client — et peut mener à l'exténuation émotionnelle du travailleur. L'outil le plus important dont dispose le professionnel qui dispense des soins psychologiques se trouve à être les professionnels eux-mêmes. Il arrive aussi aux travailleurs sociaux de traduire chaque échec subi par leurs clients en une preuve d'incompétence tant professionnelle que personnelle[6].

Parfois, il est particulièrement difficile, lorsqu'on vaque à des fonctions aussi humaines, de séparer son travail des autres sphères de sa vie. Selon Kadushin, l'interpénétration de la vie privée et de la vie professionnelle est un des conflits majeurs auxquels fait face toute personne travaillant dans des situations particulièrement émotives. Ce rapprochement soutenu avec les sentiments intenses des autres est un stress si particulier aux fonctions de ceux qui dispensent l'aide psychologique[7], qu'il devient, dans un sens, un risque professionnel[8]. Or, c'est lorsque ce stress émotionnel, inhérent au fait de dispenser de l'aide sociale et psychologique, n'est pas reconnu et traité comme tel qu'il conduit le plus souvent à l'épuisement.

Quelques autres stress particuliers aux services sociaux et de santé

Tout travail où l'on a affaire à des gens comporte un certain niveau de stress. Certaines catégories de services humains (médicaux, socio-psychologiques ou pédagogiques) comportent certaines formes de stress émotionnels qui leur sont toutes particulières. Même certaines fonctions à l'intérieur de chacune de ces catégories ont, elles aussi, des stress qui leur sont tout à fait uniques.

Dans le cas de Sue, présenté au début du chapitre, la violence domestique dont elle était témoin était la source principale du stress émotionnel inhérent à ses fonctions de conseillère familiale, stress qui était d'autant plus amplifié que Sue se sentait impuissante à changer les conditions de vie destructrices des familles qu'elle visitait.

Les infirmières qui s'occupent d'enfants atteints de leucémie subissent un immense stress émotionnel en côtoyant quotidiennement des jeunes patients agonisants. Elles se sentent totalement impuissantes devant cette mort injuste et inéluctable. Beaucoup d'infirmières assignées aux cas chroniques nous parlèrent du stress émotionnel que comporte la question de l'euthanasie. Une autre nous raconta un incident où tout le personnel se bousculait pour arriver avec l'équipement d'urgence à sauver la vie d'une dame de 87 ans qui, auparavant, les avait suppliés de la laisser mourir. Certains techniciens en hémodialyse nous parlèrent de la difficulté qu'ils avaient à se soumettre aux voeux des patients qui décidaient de mourir. Une éducatrice d'enfants sourds, aveugles et mentalement handicapés nous expliqua à quel point il était éreintant de travailler avec des jeunes qui manifestent très peu de progrès. "J'ai passé des mois à montrer à Sandy comment attacher ses lacets de souliers, nous dit-elle. Puis un jour, elle a eu une crise d'épilepsie et elle a tout oublié." Un officier militaire nous parla, lui, du stress généré par certaines situations où, sans disposer ni du temps ni des renseignements nécessaires, on est appelé à prendre des décisions où la moindre erreur peut entraîner des pertes de vie. Un prêtre, qui avait survécu à un ouragan, nous parla du moment où il dut expliquer la volonté de Dieu à ses paroissiens en deuil alors qu'il ne la comprenait pas lui-même. Un policier nous parla de la rage désespérée qui s'empara de lui après avoir visité le foyer qu'habitait un enfant battu. Il savait que le petit y serait toujours en danger, mais il lui était légalement impossible de faire quoi que ce soit pour le protéger.

Dans chacun de ces cas, le stress émotionnel est inhérent aux fonctions du professionnel parce qu'il travaille avec des gens. Cependant, chacune de ces "professions publiques" comporte aussi des stress générateurs d'épuisement qui lui sont uniques.

La personnalité en rapport avec une carrière dans les services sociaux

Certains traits de personnalité des professionnels eux-mêmes sont également à l'origine de leur stress. Le plus souvent, la personne qui choisit une carrière où elle pourra aider les gens est de nature particulièrement sensible aux besoins d'autrui. S'il est extrêmement éreintant pour quiconque d'être continûment stimulé au niveau émotif, ça l'est doublement pour ces personnes car elles sont excessivement sensibles à la souffrance des autres.

Une identité professionnelle est toujours renforcée par l'homogénéité de ceux qui choisissent eux-mêmes leur profession. La nature des tâches professionnelles agit alors comme une sorte de triage où ne sont retenus que les individus dotés de certaines qualités particulières. Les professionnels oeuvrant dans les services humains sont pour la plupart fondamentalement humanitaires. Leur grand désir est d'aider quiconque éprouve des difficultés. Ils sont davantage portés vers les gens que vers les objets[9]. Par exemple, les travailleurs sociaux se décrivent généralement comme des personnes sympathiques, compréhensives, altruistes et serviables[10]. À presque chacun de nos entretiens avec des professionnels des services sociaux, nous leur demandions de nous faire la liste des raisons pour lesquelles ils avaient choisi leur profession, et presque toujours, quelles que fussent leurs fonctions, ils répondaient par des choses comme "J'aime les gens", "J'ai toujours été porté vers les gens", "J'ai toujours voulu travailler avec les gens".

Ceux qui choisissent de faire carrière dans les services sociaux possèdent aussi certains traits de personnalité qui les prédisposent aux stress émotionnels inhérents à leur profession. Par exemple, tous les employés, enseignants et autres, d'une école de langues pour étudiants étrangers se préparant à étudier dans une université américaine avaient déjà vécu à un moment ou l'autre dans un pays étranger. Mais s'ils étaient sensibles aux problèmes de leurs étudiants, il leur était parfois difficile d'approuver certains de leurs comportements culturels. Aussi, l'empathie peut infirmer quiconque choisit de travailler avec des enfants ou des vieillards. Les auxiliaires qui travaillent dans les résidences pour personnes âgées sont souvent tourmentées par des pensées du genre "Cette dame pourrait être ma mère" ou "Et si ça m'arrivait aussi dans mes vieux jours?" Les professionnels qui travaillent avec des enfants parlent souvent de la douleur émotionnelle associée à des pensées du genre "Ça aurait pu être mon enfant." De plus, ils doivent faire face à leurs limitations à aider des enfants souffrants ou mourants. Chez certains professionnels des services de protection de l'enfance, le choix de carrière est motivé par certaines expériences personnelles. Par exemple, certains professionnels de l'aide aux alcooliques ont déjà été eux-mêmes des alcooliques ou ont eu des parents alcooliques. Mais s'il renforce leur empathie, ce type d'antécédents aiguise aussi leur douleur.

Une orientation axée sur la clientèle

Le troisième antécédent de l'épuisement est cette orientation "axée sur la clientèle" presque exclusive aux services de santé et sociaux. Ici, tout est axé sur le bénéficiaire des services. Ce sont d'ailleurs les besoins du client qui définissent le rôle du professionnel ainsi que ses fonctions: aider, comprendre, soutenir. La présence du professionnel n'est justifiée que dans la mesure où il peut encore servir. Dans ce type de relation, seuls les sentiments exprimés par le client sont légitimes.

Si la majorité des relations humaines sont réciproques, il n'est pas de même pour les relations thérapeutiques. Celles-ci sont plutôt complémentaires: le professionnel donne, le client reçoit. De l'avis de Kadushin, le travailleur social répond à une "éthique de dévouement" qui rehausse les motifs du service[11]. En fait, beaucoup de ces professionnels ne considèrent pas leur emploi comme un travail, mais plutôt comme une vocation, et leur récompense est supposément inhérente à l'aide qu'ils dispensent.

Il est rarement question des stress émotionnels que subissent ces professionnels dans les divers documents et manuels scientifiques ou pédagogiques qui touchent aux services sociaux et de santé. L'attention est portée presque exclusivement sur les bénéficiaires de ces services et leurs problèmes. Conséquemment, au fil de ses années de formation, l'étudiant se fait tacitement inculquer cette notion qu'il est inadmissible d'éprouver quelque besoin que ce soit dans l'exercice de ses fonctions professionnelles. Marlene Kramer, professeur de nursing, parle dans son livre *Reality Shock* de l'impact dévastateur que leur travail a sur les jeunes infirmières non averties, encore novices dans leur profession[12]. Souvent, ce choc de la réalité entraîne une crise d'induction, bien reflétée d'ailleurs dans le taux extrêmement élevé du renouvellement de la main-d'oeuvre chez les infirmières au cours des premiers mois de service[13].

73

Les cours de formation consistent presque exclusivement en sujets cognitifs. Personne ne s'est jamais occupé de développer chez l'étudiant des aptitudes qui lui permettraient d'affronter le public ou le stress inhérent à sa profession. Ce n'est que tout dernièrement qu'on a commencé à développer chez le praticien des aptitudes plus concrètes et à lui fournir une formation pratique[14]. Mais pour ce qui est du stress auquel doit s'attendre chaque travailleur, ou de la façon dont il pourrait y faire face, toujours rien. Même ces manuels pédagogiques modernes, qui se veulent plus éclairés et où le professionnel est appelé à s'engager dans des exercices de substitution de rôles (il doit, pour développer son empathie, se mettre dans la peau du client), ne font aucune mention d'exercices qui pourraient développer une empathie pour les afflictions du professionnel qui est toujours appelé à se donner sans jamais rien recevoir en retour.

L'absurdité d'une telle orientation axée exclusivement sur le client fut démontrée de façon dramatique par un incident relaté par Martin Lipp dans son ouvrage *The Wounded Healer*[15]. Il est question d'un psychiatre qui s'est suicidé, phénomène qui, selon le Dr Lipp, lui aussi psychiatre, n'est pas aussi rare qu'on le pense — beaucoup de psychiatres se suicident. Néanmoins, dans ce cas particulier, le choc fut total pour ses amis et spécialement pour ses collègues qui, malgré leur expertise à dépister les symptômes de la dépression, n'avaient remarqué aucune anomalie dans le comportement de leur confrère. Le psychiatre était jeune, dans la force de l'âge. Il venait de traverser les douloureuses instances d'un divorce, mais semblait s'en être bien tiré. Sur le plan professionnel, c'était la réussite. L'avenir s'annonçait des plus brillants. Bref, personne ne se doutait qu'il pût être aussi déprimé qu'il le révéla dans sa lettre de suicide. En fait, les seules personnes qui semblaient plus ou moins au courant de ses tourments étaient ses clients. Une de ses patientes avait remarqué son bouleversement, senti que quelque chose ne tournait pas rond. Mais quand elle lui demanda ce qui le tracassait, le psychiatre sourit gentiment et lui répondit qu'elle était là pour résoudre ses propres problèmes et non pour soigner son analyste. Même au plus profond de son désespoir, le psychiatre ne put briser cette relation client-médecin et saisir cette main secourable qu'on lui tendait.

Une orientation axée sur la clientèle implique un manque de réciprocité dans les relations thérapeutiques, qui peut s'avérer très stressant pour le professionnel qui dispense l'aide. Ses effets sont davantage amplifiés lorsque viennent s'y greffer l'intensité émotionnelle qui caractérise la majorité des services humains ainsi que les traits de personnalité particuliers à ceux qui choisissent d'y faire carrière. Étant donné que ces trois éléments sont présents dans presque toutes les professions des services sociaux et de santé, le processus de l'épuisement devient quasiment inexorable.

L'objectif : une sollicitude détachée

Les professionnels travaillant dans les services sociaux ou de santé font de grands efforts pour atteindre un certain niveau de "sollicitude détachée", terme inventé par Harold Lief et Renée Fox pour définir cette attitude où "le médecin empathique devient suffisamment détaché ou objectif à l'égard de son patient pour pouvoir faire preuve d'un jugement médical sain et maintenir son équanimité, en conservant suffisamment de sollicitude pour pouvoir dispenser des soins sensibles et compréhensifs". Ainsi, "c'est le patient, plutôt que son foie, son coeur ou même son état mental, qui devient l'objet des sollicitudes du médecin[16]".

Toutes les professions ne présentent pas le même "équilibre idéal" entre le détachement et la sollicitude. Nous considérons pour la plupart inopportun qu'un commis de banque demande à ses clients, au moment où ils effectuent un retrait, ce qu'ils comptent faire de leur argent. Par contre, nous sommes presque tous bouleversés lorsqu'un médecin nous considère tout simplement comme un cas pathologique qu'il lui faut soigner.

Il est tout aussi difficile d'atteindre que de maintenir un juste équilibre de sollicitude détachée. On court toujours le risque de s'impliquer à outrance et, par ce fait même, de perdre son objectivité et, conséquemment, sa capacité d'aider. "Du moment que nous nous mettons dans la peau d'un patient, de dire un psychologue clinicien, nous ne sommes plus d'aucune utilité. Surtout que cette peau-là, où le patient se trouve, lui, depuis si longtemps, est manifestement bien étouffante. Pour pouvoir aider, nous devons être capables de voir plus et de comprendre mieux que la personne qui sollicite notre aide." De plus, on court entre-temps le risque du détachement total qui entraîne l'indifférence et les attitudes déshumanisantes qui caractérisent l'épuisement. Un détachement excessif est dépourvu de cet engagement si nécessaire à motiver l'aide positive. Les diverses recherches démontrent que les clients aussi exigent un certain équilibre entre l'aide et la compréhension personnelles d'une part et, d'autre part, un diagnostic d'expert et des recommandations[17].

Même s'ils oeuvrent au sein de la même institution, tous les professionnels ne ressentent pas le même besoin de se détacher. Par exemple, dans un hôpital pour malades mentaux, les psychologues et les travailleurs sociaux assignés au pavillon des cas extrêmes souffraient d'épuisement parce que, d'une part, il leur était très difficile d'établir la moindre relation avec les patients et, d'autre part, les progrès obtenus étaient minimes. Toutefois, il y avait un médecin qui s'y sentait parfaitement à l'aise car, pour lui, il était plus facile de s'occuper de psychotiques continûment drogués que de ses patients ordinaires. "D'habitude, il me faut parler du ciel et du beau temps avec les patients, tout en faisant bien attention à leurs sentiments, chose que je déteste. Ici, je n'ai pas besoin de parler ni de m'occuper des sentiments des patients. Je peux donc me concentrer entièrement sur leurs organes défectueux, chose qui m'a amené à travailler ici en premier lieu."

D'après nos observations, ce sont les "assistants sociaux" les plus idéalistes et les plus engagés qui éprouvent le plus de difficulté à se détacher et qui, conséquemment, s'épuisent le plus vite. Pour se protéger contre l'intensité de leurs propres émotions, ils finissent par trop se détacher. Le psychologue Bruno Bettelheim décrit ce processus en ces mots:

> Au début, il y a la peur de se voir happé par le tourbillon de la colère, de l'anxiété et du désespoir des patients. Le sujet commence à craindre pour son propre équilibre. Parfois il commence même à se demander lesquelles de leurs illusions sont raisonnables et lesquelles sont fausses. Le système de défense le plus "naturel" consiste alors en réactions presque automatiques par lesquelles le sujet essaie d'étayer ses moyens de défense pour se protéger contre l'impact de ce type d'épreuves, de blinder son coeur et parfois même son esprit contre ceux-là même qui, de toute évidence, menacent de l'envahir par l'intensité de leurs émotions[18].

Pour le professionnel des services humains, il existe diverses façons d'atteindre l'équilibre idéal de la sollicitude détachée.

Certains essaient de se détacher physiquement, d'autres au niveau émotif et quelques-uns mentalement. D'aucuns recourent parfois aux trois modes de distanciation. Malheureusement, comme l'illustrent les exemples suivants, le mode de distanciation auquel a recours le professionnel pour se protéger est souvent considéré comme déshumanisant par les bénéficiaires de ses services.

Le détachement physique

Certaines des professions les plus exigeantes sont celles où le professionnel n'arrive pas à se distancier de ses fonctions même après avoir quitté son milieu de travail. Un des inconvénients de la pratique privée est que beaucoup de médecins et de psychiatres n'arrivent plus à séparer leur vie professionnelle de leur vie privée parce qu'ils sont toujours en appel. "Chaque fois que j'entends le téléphone sonner, nous avoua un médecin, je me dis: "Ah non! J'espère que ce n'est pas un patient." Parfois j'ai l'impression que je n'arriverai jamais à échapper aux problèmes de mes patients pour goûter à un peu de paix et de tranquillité." Même si la pratique privée leur offre un revenu beaucoup plus élevé, certains psychiatres préfèrent travailler dans les hôpitaux parce que "à la fin de la journée, je peux fermer la porte derrière moi en sachant que quelqu'un d'autre prendra la relève". Le taux d'épuisement est, bien sûr, beaucoup plus élevé chez les conseillers et les éducateurs résidents. Plus élevé aussi est le taux de renouvellement de la main-d'oeuvre dans les centres de traitement résidentiels. Dans certains même, l'administration se fait de façon très démocratique — personnel et patients sont impliqués jour et nuit dans le processus thérapeutique. Les conseillers ne peuvent tolérer une telle intensité émotionnelle, et le manque de temps libre et l'épuisement les poussent à démissionner, souvent en deçà d'une ou deux années de service.

La distanciation physique se manifeste aussi durant les périodes de travail. Comme dans le cas de ce psychiatre qui, se rendant compte qu'il s'épuisait énormément dans sa clinique privée, se servit de son bureau comme d'une barricade contre les clients. Beaucoup d'administrateurs qui, au début de leur carrière, tenaient à se mettre à la "disposition de tous", finissent par se retrancher sur eux-mêmes lorsqu'ils se sentent surexploités

— ils évitent les autres, ne désirant que se retirer seuls dans leur bureau pour travailler en paix. D'autres moyens sont employés par certains pour éviter toute interaction humaine dans leur milieu de travail comme celui de ce professeur qui passa son année sabbatique sur le campus afin de terminer la rédaction d'un livre: pour avoir la paix, il inscrivit sur la porte de son bureau le nom d'une personne fictive. Le tour réussit: personne ne frappa à sa porte. Trois ans plus tard, le même nom fictif se trouve encore à la porte de son bureau! Ne recevoir que sur rendez-vous et seulement durant les heures de bureau, s'embaucher une secrétaire pour "trier" les visiteurs, disposer ses meubles de son bureau de façon à créer une certaine distanciation, sont autant de stratégies qu'utilisent les professionnels pour minimiser leur engagement physique dans les interactions stressantes.

D'autres décident tout simplement de consacrer moins de temps à leurs clients. Beaucoup réduisent au minimum la durée de leurs contacts directs avec le public, comme cette pédiatre qui prenait tout son temps pour se rendre du bureau à son premier rendez-vous de la journée. Comme elle y arrivait toujours en retard, elle avait une excuse toute faite pour couper court à toute visite stressante durant la journée. Dans une université, les conseillers pédagogiques se cherchaient toujours une bonne raison pour examiner les dossiers des étudiants: les dossiers étaient entreposés dans un bâtiment adjacent et cette promenade les soulageait beaucoup des rencontres avec les étudiants.

Il fut constaté lors de deux études indépendantes que les travailleurs souffrant de fatigue physique, émotionnelle et mentale avaient toujours tendance à arriver en retard au bureau, à prolonger les périodes de repos, à s'absenter fréquemment pour des raisons vagues[19]. On remarqua aussi dans les hôpitaux pour malades mentaux[20], que plus longtemps une personne travaillait avec des handicapés mentaux, moins elle aimait s'en occuper; son attitude devenait de plus en plus celle d'un gardien plutôt que celle d'un humain. Ceux qui, dans le passé, avaient déjà travaillé avec des schizophrènes, essayaient d'éviter autant que possible tout contact direct avec eux. Dans un certain hôpital, les infirmières souffrant d'épuisement passaient de plus en plus de temps avec leurs collègues et de moins en moins avec les patients. Elles devenaient même revêches lorsqu'un patient les approchait, comme s'il leur volait de "leur" temps. Une travailleuse de la protection de l'enfance nous avoua qu'elle profitait de ses congés de maladie pour se retirer loin des gens en général et des "petites gens qui parlent par monosyllabes" en particulier.

Dans certaines agences de santé et d'assistance publique, les employés commencèrent à "faire des coupures" dans leurs interactions avec les clients en prolongeant de plus en plus leurs heures de dîner. Prolonger ses heures de dîner, consacrer plus de temps à la paperasse, quitter son bureau plus tôt, ou s'en absenter complètement, sont quelques-uns des moyens de détachement physique qui permettent de passer moins de temps avec la clientèle. Certains professionnels se distancient de leurs clients en se tenant loin d'eux, en évitant tout contact visuel, en gardant toujours une main sur la poignée d'une porte. D'autres ne communiquent que par des moyens impersonnels — échange de généralités superficielles, formules épistolaires.

Enfin, voici une technique de distanciation beaucoup moins répandue, décrite par une conseillère en sciences sociales: lorsque la rencontre avec des clients particulièrement difficiles commence à l'ennuyer, elle recourt à sa "vision télescopique": elle imagine ses clients minuscules et très loin, si loin en fait qu'elle n'arrive plus à les entendre.

Le détachement émotionnel

Lorsqu'il leur est impossible de se distancier physiquement, ceux qui souffrent d'épuisement recourent au détachement émotionnel. Selon Lief et Fox, le souci majeur des étudiants en médecine, au cours de leurs deux premières années d'études, est d'atteindre un niveau aussi élevé que possible de détachement émotionnel[21]. "Pour me protéger contre mes propres émotions, nous dit un jeune interne, il me faut me blinder quasiment chaque fois que je mets les pieds dans la salle d'urgence." D'autres, appelés à faire continûment face aux douleurs de leur clientèle, recourent à des méthodes identiques de détachement émotionnel. Comme dans le cas, décrit plus haut, de Sue qui se distancia en "débranchant" sa compassion, son empathie, sa chaleur, et en "rêvassant" durant ses entretiens avec ses clients.

Une travailleuse sociale nous décrivit le développement de son détachement émotionnel en ces mots: "Au début, je m'engageais entièrement dans chacune des facettes de la vie des 60 familles dont je m'occupais. J'étais pleine de sollicitude et d'encouragement pour tout ce qu'elles faisaient. Mais si tu continues à ce train-là, tu ne tarderas pas à perdre la boule. Je commençai donc par me détacher un peu, par voir les divers problèmes comme étant ceux des clients. Je passai de l'engagement total à une sorte de distanciation. Graduellement, il se développa en moi un désintéressement, une froideur à l'égard des clients. En fait, je m'étais à ce point détachée que j'aurais aussi bien pu être ailleurs. Je gagnais un certain revenu soit, mais je ne sentais plus que mon travail faisait partie de ma vie.''

Pour se protéger contre les divers stress émotionnels de leur métier, certains professionnels tracent une ligne de démarcation bien précise entre leur travail et leur vie privée. Par exemple ce psychologue de pénitencier qui refuse de dévoiler sa profession à ses nouvelles connaissances sociales. Quand on lui demande quel métier il fait, il répond: ''Je suis fonctionnaire'', ou ''Je travaille pour le gouvernement''. Un policier nous raconta qu'il avait catégoriquement défendu à sa femme et à ses amis de lui parler de son travail. ''Je passe mes journées à côtoyer le crime et la crasse. Rentré chez moi, je n'en veux plus rien savoir. Je ne veux même pas en parler.'' Cette sorte de compartimentation émotionnelle permet au professionnel de circonscrire son stress professionnel aux heures et à son milieu de travail.

Même si le professionnel se détache pour se protéger et pour ne pas trop s'engager au niveau émotif, ce type de distanciation peut croître au point d'entraîner un détachement total et la perte de toute sollicitude envers les bénéficiaires de ses services. Puis, comme il est très difficile pour quiconque de brancher et de débrancher ses émotions à volonté, un tel détachement risque éventuellement d'affecter la vie privée et sociale du sujet.

Le détachement mental

Le détachement mental est un ensemble d'attitudes qui, d'une part, préserve le pourvoyeur de services d'un trop grand engagement et, d'autre part, justifie son détachement envers sa clientèle. De bien des façons, ces attitudes poussent le professionnel à percevoir le client comme ''sous-humain'', à évaluer leurs relations en termes objectifs et analytiques, et à réduire l'intensité et la portée de toute stimulation émotionnelle. Une de ces attitudes consiste à se retrancher toujours derrière les règlements pour définir les relations avec les bénéficiaires. Un exemple: lorsqu'on demanda à une déléguée à la liberté conditionnelle de contresigner une demande de prêt faite par un ancien détenu, elle chercha et trouva un règlement qui interdisait ce genre de chose. Soulagée, elle put donc dire sans hésitation: "Ne prenez pas ça personnellement. Ce sont les règlements." Un professeur-adjoint, qui à ses débuts avait été plein d'enthousiasme pour son métier, avoua qu'il se sentit soudain sombrer dans l'épuisement lorsque, à la suite d'un examen, vint le voir le 313e étudiant pour lui demander de modifier sa note. "Celui-là me raconta qu'il avait mal compris la question parce qu'il était tout bouleversé et confus par la grave maladie que traversait sa mère, qu'il lui fallait absolument ces trois points supplémentaires sinon il coulait et risquait de se faire expulser de l'université." Sur quoi, l'expression du professeur-adjoint devint "de glace" et il dit à l'étudiant: "Désolé, mais je ne peux pas modifier la note. C'est un règlement de l'université..." Il réduisit donc sa surcharge émotionnelle en ripostant à la requête de l'étudiant par une réponse impersonnelle dictée par les règlements.

Ce type de détachement mental est très fréquent chez les médecins. Souvent, pour circonscrire leurs émotions, ces derniers ont tendance à intellectualiser et à priser particulièrement la "raison pure". Le patient devient alors un diagnostic intéressant plutôt qu'un être humain affligé. De même, une infirmière souffrant d'épuisement deviendra davantage une technicienne et une surveillante, s'intéressant plus à la pathologie qu'au patient.

Selon Marcia Millman, une sociologue qui a étudié le travail des médecins, ce travail est extrêmement éreintant au niveau émotionnel car la moindre erreur de la part du médecin peut mettre en péril une vie humaine[22]. Pour se protéger, les médecins développent des techniques de groupe afin de justifier et masquer toute erreur dont pourrait être victime le patient. Ce type de rationalisation collective est particulièrement manifeste lors des conférences sur les décès où, toujours selon Millman, il arrive parfois aux médecins de réexaminer la mort d'un patient d'une façon telle qu'il devient possible de justifier en rétrospective n'importe quelle décision prise par l'un d'eux. Parfois les médecins pallient à leurs erreurs en rejetant le blâme sur le patient: si l'on arrive à discréditer ce dernier — il fut alcoolique, fou, non coopératif ou tout simplement indigne d'attention pour une raison ou une autre —, on pourra ainsi exonérer le médecin de toute responsabilité. Ce type de rationalisation collective ou de transfert du blâme au patient sont deux moyens d'autoprotection dont disposent les médecins pour se défendre contre le stress émotionnel de culpabilité provenant des erreurs médicales.

L'usage d'une terminologie particulière est une autre manifestation symptômatique du détachement mental. Les généralisations permettent au professionnel de se distancier de tout client pour qui il aurait de l'empathie. Les clients, qu'il connaissait individuellement, deviennent alors des "masses démunies", "les victimes malades ou indigentes de la société". Il y a des terminologies encore plus dérogatoires: une enseignante se référait à ses élèves comme "les monstres"; un éducateur des services de réhabilitation pour toxicomanes se référait à ses clients comme "mes dopés". Une autre façon de se distancier des afflictions des autres consiste à identifier les gens par leurs problèmes plutôt que par leurs noms: "le cas de la molaire pourrie", "le rein de la chambre 202", etc. Ce genre de terminologie permet au professionnel de nier le côté humain de ses clients et, par ce fait, de minimiser son engagement émotionnel.

L'humour aussi est un moyen d'autodéfense contre le stress émotionnel. L'humour "macabre", par exemple, des étudiants en médecine lorsqu'ils se retrouvent dans des situations particulièrement stressantes, comme dans un cours d'anatomie. Selon Lief et Fox, lorsqu'ils sont angoissés par la dissection d'un cadavre, les étudiants en médecine donnent généralement un nom, souvent comique, à chacun des corps sur lesquels ils travaillent: "Coude", "Rotule", etc. Ceci permet à l'étudiant de tempérer la gravité des séances de dissection et de démembrement du corps humain[23].

Beaucoup d'employés collectionnent des anecdotes amusantes à propos de leurs clients. Une dame travaillant dans une boutique nous décrivit la façon dont elle et ses collègues se moquaient en privé des clients difficiles. Au terme d'un atelier intensif de trois jours, deux chefs de groupe réussirent à se soulager en riant d'eux-mêmes, des autres participants et de la situation en général. En effet, en riant ou en se moquant de certaines conditions stressantes, le professionnel peut atténuer la tension et l'anxiété qu'il éprouve, ou rendre une situation beaucoup moins grave et accablante.

Toutes les techniques de détachement décrites ci-dessus (physique, émotionnel et mental) permettent au professionnel qui

travaille avec le public de réduire l'intensité des diverses stimu-
lations émotionnelles inhérentes à ses fonctions. Mais ces techniques sont particulièrement utiles lorsqu'elles lui permettent
d'atteindre l'équilibre idéal de sollicitude détachée, et ne s'avèrent dysfonctionnelles que lorsqu'elles sont utilisées à outrance
et qu'elles entraînent les attitudes déshumanisantes associées à
l'épuisement. Malheureusement, même lorsque le détachement
n'est employé que comme moyen d'autoprotection, il finit éventuellement par restreindre l'efficacité et la capacité d'aide du professionnel. Il est primordial donc de tâcher d'atteindre un équilibre
idéal — un équilibre qui ne serait pas souhaitable seulement pour
le professionnel mais aussi pour le client. Parfois, on arrive à un
certain équilibre au moyen de mécanismes de situation: par
exemple, le professionnel crée une situation très formelle qui lui
permettra par la suite une approche émotionnelle. Ou bien, il crée
une situation intime en conjonction avec une approche axée sur
l'objectif beaucoup plus rationnel[24]. Nous reparlerons aux chapitres 7, 8 et 9 de diverses stratégies thérapeutiques qui permettent au professionnel d'alléger son épuisement sans pour cela
porter préjudice à la qualité des services qu'il dispense. Mieux,
ces stratégies lui permettront aussi de se réapprovisionner sur le
plan émotif en l'aidant à admettre la légitimité de ses propres
besoins.

La faute aux situations et non
aux gens

Souvent les gens recourent à toutes sortes de théories sur
les "traits de personnalité" pour expliquer les travers de notre
société. Selon eux, les actes antisociaux sont commis par des
individus qui sont fondamentalement "méchants". En termes psychologiques, ce sont là des caractéristiques comportementales
de disposition. Par exemple, on attribue le comportement indifférent, rude ou déshumanisant d'un professionnel à des traits
caractériels comme la froideur ou la cruauté — une interprétation
qui est le plus souvent erronée. Les recherches socio-psychologiques nous ont toutefois permis de voir ces problèmes dans une
perspective beaucoup plus juste et utile en mettant l'accent sur
les attributs de situation[25]. Plutôt que d'attribuer un certain comportement à une déficience de la personnalité, on gagnerait
souvent à se concentrer plutôt sur les divers facteurs environne-

mentaux, tant sociaux que physiques, qui incitent les gens à se comporter d'une façon particulière ou d'une autre. Une telle approche ne renie pas l'importance des caractéristiques individuelles et des traits de personnalité. Elle suggère plutôt qu'il est possible qu'un comportement antisocial soit aussi influencé par un puissant facteur de situation. Ainsi, même si un individu se comportant rudement peut être tout simplement "un gars rude", il est plus que probable qu'il soit au fond un gars bien normal subissant actuellement certaines pressions. Si nous persistons à le percevoir uniquement comme un gars rude, il ne nous reste plus qu'à désespérer, à l'éviter ou à nous fâcher contre lui. En revanche, si nous le percevons comme un bien-pensant travaillant sous pression, nous pourrions même l'aider à alléger sa tension. L'épuisement n'est pas le propre de certains vilains individus qui sont froids et indifférents, mais le propre de certaines vilaines situations où doit fonctionner un individu qui a déjà été idéaliste. Or, il faut modifier les situations pour les rendre plus propices à la promotion et non à la démolition des valeurs humaines[26].

Notes

1. H.O. Lief et D.C. Fox, "Training for 'Detached Concern' in Medical Students", *The Psychological Basis of Medical Practice*, édité par H.I. Lief, V.I. Lief et N.R. Lief, Harper and Row, New York, 1963: 13.

2. D.D. Federman, "Can Compassion Survive? Pressures Imperil M.D.'s Conscience and Motivation", *Stanford Observer*, mars 1976: 5. L'article est tiré du discours donné par le professeur Federman à la faculté de médecine de Stanford en 1975.

3. D. Oken, "The Unknown Factor: The Doctor and How He Does His Doctoring", *Frontiers of Psychiatry*, juin 15, 1978: 12.

4. "The 'Jungle' Today", *Education*, Maclean's (Canada), 8 mars 1976: 52.

5. A.M. Bloch, "Combat Neurosis in Inner City Schools". Étude présentée à la 130e assemblée annuelle de l'Association américaine de psychiatrie, le 4 mai 1977.

6. A. Kadushin, *Child Welfare Services*, MacMillan, New York, 1974.

7. Par exemple, Jim Coins, psychologue clinicien à l'université de Californie à Berkeley, a démontré que les conversations téléphoniques avec les clients déprimés ont un effet négatif sur l'humeur du thérapeute.

8. Y. Feldamn, H. Spotnitz et L. Nagelberg, "One Aspect of Case Work Training through Supervisors", *Social Casework*, avril 1953, vol. 34: 153.

9. Kadushin, *Child Welfare Services.*

10. W. Regiatt, "The Occupational Culture of Policemen and Social Workers", American Psychological Association, Washington D.C., 1970: 11.

11. Kadushin, *Child Welfare Services.*

12. M. Kramer, *Reality Shock*, Mosby Co., St. Louis, 1974.

13. J.M.M. Hill, "The Representation of Labor Turnover as a Social Form", *Labor Turnover and Retention*, éd. B.O. Pettman, Wiley, New York, 1975: 73-93.

14. Par exemple, A.E. Ivey et J.A. Authier, *Microcounseling*, Charles Thomas, Springfield, Ill., 1978.

15. M. Lipp, *The Wounded Healer*, Harper and Row, New York, 1980.

16. Lief and Fox, "Training for 'Detached Concern'".

17. D. Etzion, "Achieving Balance in a Consultation Setting", *Group and Organization Studies*, 1979, vol. 4, no 3: 366-376.

18. B. Bettelheim, *A Home for the Heart*, Bantam Books, New York, 1974: 280.

19. J. Golan, "Attitudes, Personal Characteristics, and Organizational Factors and Their Relationships with Absenteeism among Telephone Operators". Thèse de maîtrise en sciences administratives, comportement organisationnel, présentée à la faculté des études administratives de l'université de Tel-Aviv en 1979; J.W. Jones, "The Staff Burnout Scale: A Validity Study". Étude présentée à la 52e assemblée annuelle de la Midwestern Psychological Association, St-Louis, 1-3 mai 1980.

20. A. Pines et C. Maslach, "Characteristics of Staff Burnout in Mental Health Settings", *Hospital and Community Psychiatry*, 1978, vol. 29, no 4: 233-337.

21. Lief et Fox, "Training for 'Detached Concern'".

22. M. Millman, *The Unkindest Cut: Life in the Backrooms of Medicine*, Morrow, New York, 1977.

23. Lief et Fox, "Training for 'Detached Concern'".

24. Etzion, "Achieving Balance in a Consultation Setting".

25. E.E. Jones, D.E. Kanause, H.H. Kelley, R.E. Nisbett, S. Valins et B. Weiner, *Attribution: Perceiving the Causes of Behavior*, General Learning Press, Morristown, N.J. 1972.

26. C. Maslash, "Burnout: The Loss of Human Caring", *Human Behavior*, septembre 1976, vol. 5: 16-22.

Chapitre 4

L'épuisement dans les bureaucraties

Pour la majorité des gens, le travail est essentiel à la vie. Nous lui consacrons le tiers de nos journées, et nos occupations définissent nos modes de vie, nos réseaux sociaux, l'image que nous avons de nous-mêmes, notre santé générale et même notre bonheur. "Sans travail, dit Albert Camus, la vie se gâte. Mais lorsque le travail est sans âme, la vie s'étouffe et se meurt." À travers le pays, on se rend de plus en plus compte de l'énorme tort occasionné autant à l'individu qu'à toute administration par l'insatisfaction des travailleurs, insatisfaction qui se manifeste en grande partie dans les institutions buréaucratiques.

Dérivée du mot "bureau", une "bureaucratie" signifie un ensemble de départements ou une division d'une administration, habituellement gouvernementale. Dans la majorité des sociétés industrielles, les institutions bureaucratiques contrôlent de plus en plus le monde du travail et leur influence sur les travailleurs est immense, tant au point de vue théorique que pratique. L'étude des bureaucraties a été particulièrement influencée par le travail de pionnier du scientifique allemand Max Weber qui, le premier, décrivit le modèle de la "bureaucratie idéale" comme étant "une institution formée de professionnels organisés hiérarchiquement, qui traiterait tout cas individuel selon des normes uniformisées". Selon Weber, les bureaucraties sont dotées "d'un caractère rationnel où prédominent les règlements, les calculs moyens-fin et la praticabilité[1]". Weber considérait les bureaucraties comme moyens permettant de traduire l'action sociale — les relations entre individus qui suffisaient jadis à gouverner les sociétés simples — en relations rationnelles, forme d'activité indispensable aux sociétés complexes.

Cette conception positive des bureaucraties subit depuis quelque temps des changements radicaux. Étant donné leur taille et leur complexité, les institutions bureaucratiques sont lentes et insensibles; et, de l'avis général, elles ne sont équipées que pour résoudre les problèmes survenus deux ans plus tôt. On accuse aussi les bureaucraties de ne servir que leurs propres fins plutôt que de pourvoir aux besoins du public. Enfin, travailler dans une bureaucratie peut s'avérer frustrant et très lassant, surtout pour l'individu énergique et ambitieux qui désire effectuer des changements rapides.

Nous avons étudié dans le deuxième et troisième chapitres des cas individuels. Dans celui-ci, nous étudierons le cas d'une administration — l'institution bureaucratique comme "patiente". Si nous avons choisi le ministère de la Santé et du Bien-être social, c'est parce que l'individu y est sujet aussi bien à la lassitude (travailler dans une bureaucratie) qu'à l'épuisement (travailler avec les gens).

L'étude d'un cas: les services sociaux en tant qu'organisme bureaucratique

Au ministère de la Santé et du Bien-être social, quelque 381 000 employés font affaire avec plus de 23 241 000 assistés sociaux. Les employés sont appelés à travailler avec un grand nombre de gens, parfois dans des circonstances particulièrement exigeantes. De plus, ils sont constamment assaillis par la paperasse, par des amendements aux règlements et par un réseau de communication à sens unique — de haut en bas. Les programmes d'assistance sociale consistent, entre autres, à assister les familles ayant des enfants à charge, à distribuer de la nourriture, à dispenser des soins médicaux et autres, et à fournir l'aide financière supplémentaire aux retraités, aveugles et handicapés.

En tant qu'organisme d'aide sociale, le ministère de la Santé et du Bien-être impose à ses employés deux types de stress: le stress générateur de lassitude inhérent à sa nature bureaucratique, et le stress générateur d'épuisement inhérent aux services qu'il dispense.

Le stress inhérent à la structure bureaucratique

Selon une enquête menée récemment auprès du ministère de la Santé et du Bien-être, celui-ci a "une structure bureaucratique rigide tellement complexe et inefficace qu'elle semble encourager les fraudes et les abus". L'énorme quantité de paperasse, une gestion inopérante, le manque de formation des travailleurs sociaux et l'incurie des politiques d'enquête coûtent chaque année des milliards de dollars aux contribuables[2]. L'image qui ressort en est une de "chaos, confusion et conflit dans la gestion de l'assistance sociale, particulièrement dans les grands centres urbains". Et Robert Reed, directeur de l'aide juridique de l'État de Michigan de déclarer à un sous-comité sénatorial: "Il est quasiment impossible de décrire l'incurie administrative qui règne dans les départements d'assistance sociale des grandes villes."

S'il est difficile d'identifier "le patron" dans n'importe quelle vaste bureaucratie, c'est quasiment impossible dans une administration publique. Une politique d'assistance sociale peut être l'oeuvre autant du gouvernement fédéral, de l'État, du corps législatif que de l'agence elle-même. Cette vague délégation des responsabilités empêche les travailleurs de formuler et de rectifier leurs griefs de façon efficace. Le système est constitué de nombreux échelons administratifs et de beaucoup de travailleurs. Chaque employé est contrôlé par un chef de service, et chaque chef de service par un directeur, et cela jusqu'au sommet de la hiérarchie où, souvent, les administrateurs ne sont pas du tout au courant des problèmes des travailleurs oeuvrant à six ou sept échelons plus bas. Résultat: même si les directeurs sont légion, la direction, elle, d'après les travailleurs, est souvent inopérante.

Tout aussi souvent, le travailleur ne sait plus comment s'acquitter de ses tâches. On modifie les vieux programmes et on en crée de nouveaux si fréquemment que la confusion est totale. Selon Patricia Johnson, directrice des services pour la famille et l'enfance de l'État de Géorgie, "Parfois on n'a pas le temps de faire autre chose que de se tenir au courant des diverses politiques constamment révisées par le Congrès, le ministère de la Santé publique, les diverses législatures et les administrateurs locaux. À peine a-t-on le temps de se familiariser avec un règlement qu'un autre point déjà à l'horizon." Certains règlements sont vagues, d'autres sont rédigés dans le plus grand détail. Lorsqu'il voulut mettre en oeuvre un certain programme qui, au départ, avait été une loi de quatre pages, le ministère de la Santé publique dut rédiger 70 pages de réglementations, qu'il accompagna ensuite d'un manuel d'instructions de 1200 pages.

En fait, la bureaucratie des services sociaux génère tellement de paperasse que les travailleurs se plaignent de passer leur temps à brasser des formulaires plutôt qu'à enquêter sur leurs clients. À lui seul, l'État de New York achemine chaque année trois milliards de documents divers dans ses services sociaux. Dans certains États, une seule demande d'aide sociale doit être véhiculée à travers soixante formulaires différents. Selon une commission sur "la paperasse fédérale", qui étudia le processus de demande d'aide sociale, celui-ci est "inutilement complexe, exagérément encombrant, inopérant, inéquitable et inutilement coûteux[3]".

Le stress inhérent au fait de dispenser des services

Le travailleur social est appelé à étudier les diverses demandes d'aide, à déterminer l'éligibilité et le type d'aide, et à décider du moment où le bénéficiaire n'a plus besoin d'assistance publique. "Dans beaucoup de régions, les travailleurs sont débordés de travail, chargés parfois du double ou du triple de la limite de 60 cas par personne stipulée par le ministère. Aussi, beaucoup d'entre eux travaillent sous pression dans des bureaux qui sont généralement encombrés et décrépits, où ils ne disposent même pas de l'équipement de référence le plus élémentaire[4]."

Malgré ces conditions, on s'attend à ce que le travailleur social fasse preuve de clairvoyance dans l'étude de chaque demande d'aide. D'une part, il doit faire montre de compassion envers la personne qui fait appel à ses services et, d'autre part, il doit faire montre de vigilance pour protéger l'intérêt public contre les erreurs et les fraudes et évaluer correctement chaque demande d'aide. De plus, il doit rendre compte à ses supérieurs, à ses clients et aux gouvernements fédéral et régionaux.

Ce type de travail exige certaines aptitudes et une bonne formation. Cependant, il suffit dans vingt-sept États d'un diplôme d'études secondaires pour devenir travailleur social. La majorité des travailleurs chargés d'étudier l'éligibilité des clients sont jeunes, les deux-tiers sont des femmes, et peu d'entre eux détiennent un diplôme d'études supérieures. Bien sûr, c'est toujours le travailleur inexpérimenté et dont la formation a été minime qui est le plus souvent dupé par ceux qui fraudent le système. Plutôt que de recevoir une instruction formelle de leurs supérieurs, beaucoup de travailleurs sont entraînés par leurs collègues. Enfin, il faut environ six mois pour bien entraîner un travailleur social, mais beaucoup d'entre eux ne restent pas aussi longtemps dans la fonction publique.

À cette pléthore de facteurs négatifs dans les services sociaux, vient se greffer une carence pour le moins dramatique d'éléments positifs. En commençant par le salaire qui, pour un travail aussi exigeant, est définitivement inadéquat. Dans l'État de New York, le salaire de base d'un enquêteur était en 1978 de 9600 à 13 000 dollars, donc inférieur au revenu annuel de certaines familles vivant d'assistance sociale[5]. Quant aux promotions, elles n'offrent aucune satisfaction puisque souvent les divers règlements locaux exigent des administrateurs de promouvoir tous et chacun aussitôt qu'un poste est vacant, sans la moindre considération pour la performance individuelle. Enfin, forcés par l'administration de s'acquitter des divers processus et routines bureaucratiques, les travailleurs sociaux se voient transformés en commis de bureau plutôt qu'en assistants sociaux.

Si ces pressions ne sont pas circonscrites, elles peuvent mener à la fatigue physique, émotionnelle et intellectuelle de la lassitude. C'est d'ailleurs la raison pourquoi dans certains bureaux d'aide sociale le taux de renouvellement de la main-d'oeuvre dépasse parfois les 40 p. cent par année. Beaucoup d'employés démissionnent lorsqu'ils s'aperçoivent qu'ils ne peuvent plus souffrir les pressions bureaucratiques et s'acquitter des exigences de leurs fonctions. Certains même changent de profession après avoir été menacés ou attaqués par leurs clients. Mais souvent aussi les travailleurs sont quasiment poussés à démissionner à cause de leur frustration de ne pouvoir sensibiliser un système inerte aux besoins de la clientèle. Certes, ils pourront, une fois épuisés, continuer à travailler en y mettant le moins d'effort possible, mais pour certains l'épuisement est l'évidence qu'il leur faut changer de métier.

La lassitude morale des travailleurs sociaux peut s'avérer traumatisante pour l'individu, déplaisante pour les bénéficiaires, affaiblissante et onéreuse pour l'institution. Chaque année, le ministère de la Santé et du Bien-être débourse ''par erreur'' au moins quatre milliards de dollars. Le coût de ces erreurs bureaucratiques dépasse de loin celui des fraudes perpétrées intentionnellement par les bénéficiaires et autres individus[6]. Et c'est au niveau des travailleurs sociaux que la bureaucratie de l'assistance sociale commence à faire défaut, puisque la lassitude a sapé la résistance et la vigilance de ceux-là même qui forment supposément l'avant-poste de sa défense contre les abus. Dépourvus de formation adéquate, surchargés et mal rémunérés, beaucoup d'entre eux quittent leur profession pour de bon.

Les antécédents de la lassitude dans les bureaucraties

Dans son étude classique sur la démocratie américaine, Alexis de Tocqueville a examiné l'érosion soutenue qui procède d'une forme de gouvernement bureaucratique qui ''soumettrait la vie sociale à un réseau de règlements mesquins et complexes, aussi pointilleux qu'uniformes''. Une telle politique, de dire de Tocqueville, ne brise pas la volonté de l'individu, mais ''l'affaiblit, la plie, la guide[7]''.

Un certain projet de recherche[8] décrit la structure de l'organisation comme étant le facteur déterminant de la performance, de la satisfaction et de l'épuisement du travailleur. On aurait aussi constaté dans les grandes agences conventionnelles et hiérarchisées, où les pouvoirs décisionnels sont centralisés, une forte incidence du renouvellement de la main-d'oeuvre, un bas niveau de satisfaction et une rapide évolution de l'épuisement.

Ces constatations coïncident avec celles de notre enquête auprès d'une administration bureaucratique dont les employés souffraient d'un niveau assez élevé de lassitude morale[9]. En fait, le niveau de lassitude y était inversement proportionnel au nombre de facteurs positifs dans le milieu du travail, et plus les travailleurs sombraient dans la lassitude, plus ils souhaitaient démissionner de leurs fonctions[10].

On enseigne rarement dans les diverses institutions de formation professionnelle comment devenir "un bon bureaucrate". Pourtant la majorité de leurs diplômés finissent tôt ou tard par travailler pour des bureaucraties. Il n'est pas surprenant donc que leurs employés ne sachent pas comment venir à bout du stress qu'elles génèrent. Ceci est d'autant plus vrai dans les services sociaux où l'individu choisit de faire carrière pour des raisons altruistes, mais finit par s'occuper de paperasse administrative plutôt que de gens. En général, les institutions bureaucratiques ont trois antécédents communs de lassitude: 1) surcharge de travail; 2) absence d'autonomie et 3) manque de récompenses.

La surcharge de travail

La surcharge de travail est une des caractéristiques des institutions avancées sur le plan technologique. Au cours de leurs recherches sur le stress lié à l'occupation, menées à l'Institut de recherches sociales de l'université de Michigan, John R.D. French et Robert D. Caplan étudièrent les effets du milieu de travail sur les variables psychologiques et physiologiques, et l'effet du stress lié à l'organisation ou aux tensions individuelles, en se servant du concept de la surcharge comme principale variable de l'étude du stress lié à l'occupation et de ses effets sur la santé[11].

French et Caplan font la coupure aussi bien entre la surcharge objective et subjective qu'entre la surcharge quantitative et qualitative. La surcharge objective consiste dans le volume actuel en informations que l'individu doit véhiculer par unité de temps. Le nombre d'appels téléphoniques auxquels il doit répondre, de lettres qu'il doit rédiger, de clients qu'il doit recevoir au bureau ou de patients qu'il doit examiner au cours d'une journée sont autant d'indicateurs quantifiables de la surcharge objective. En revanche, la surcharge subjective reflète les sentiments de l'employé: il a trop de choses à faire, il considère son travail trop difficile, etc. La surcharge quantitative se réfère à l'excédent de travail dont l'employé est appelé à s'acquitter dans un laps de temps insuffisant. Quant à la surcharge qualitative, elle implique que le travail exige certains talents et connaissances qui dépassent ceux de l'employé. En bref, un travailleur subit une surcharge quantitative lorsqu'il possède les aptitudes nécessaires

93

pour s'acquitter de ses fonctions mais qu'il ne dispose pas du temps qu'il faut pour y vaquer. Il subit une surcharge qualitative lorsque, quel que soit le temps qui lui est accordé, il ne pourra pas s'acquitter convenablement de ses tâches car il ne possède pas les aptitudes nécessaires.

Nombre d'études se sont penchées sur la grande fréquence de la surcharge de travail. Selon une enquête nationale, 44 p. cent des cols blancs mâles considèrent qu'ils sont surchargés de travail. Une autre étude, menée par des universitaires, démontre que la surcharge quantitative subie par nombre de cols blancs est généralement auto-imposée et liée aux objectifs qu'ils se sont fixés[12]. Lorsque, au cours d'une de nos recherches, nous avons demandé à 724 travailleurs sociaux d'identifier les aspects les plus stressants de leurs fonctions, plus de 50 p. cent du stress mentionné était dû à une surcharge de travail[13].

Il y a corrélation entre les surcharges quantitative et qualitative et les symptômes psychologiques et physiologiques du stress. Le sujet surchargé manifeste une augmentation du rythme cardiaque et du niveau de cholestérol, il fume plus, il est beaucoup moins satisfait de son travail et beaucoup plus tendu, il a une plus faible estime de lui-même[14].

J.G. Miller, pionnier dans les recherches sur la surcharge d'informations reçues, a développé un appareil qui permet d'étudier les réponses psychologiques à la surcharge.[15] Selon lui, l'individu réagit de plusieurs façons à une surcharge d'informations: ignorer certaines informations, se tromper dans l'analyse de d'autres, différer les réponses durant les périodes de surcharge pour se rattraper durant les périodes calmes, ''trier'' les informations, répondre vaguement, ou bien se retrancher soit par la distanciation physique soit en interrompant tout simplement le flux d'information. Et, toujours selon Miller, une surcharge excessive d'information peut entraîner une désorganisation cognitive et comportementale.

Les facteurs liés à l'occupation qui contribuent à la surcharge de travail diffèrent d'une profession à l'autre. Selon Robert L. Kahn, directeur du centre des recherches de l'université de Michigan, la surcharge est une des formes les plus fréquentes du conflit des rôles dans les bureaucraties. Il résume les réponses des sujets interviewés en ces mots: ''Ce ne sont pas les tâches qu'on nous impose qui nous rebutent; elles ne sont ni déplacées ni extravagantes. Il est tout simplement impossible de nous acquitter simultanément de toutes dans le peu de temps et avec le peu de ressources dont nous disposons[16]." Dans les forces de l'ordre, la surcharge qualitative est souvent due aux objectifs que le public impose aux policiers. "La société est trop exigeante envers ses policiers. Non seulement on s'attend à ce que chaque policier fasse respecter la loi, mais aussi à ce qu'il s'improvise psychiatre, conseiller matrimonial, travailleur social et parfois même curé ou médecin. Et un bon policier doit faire appel tous les jours à certains des talents particuliers à tous ces professionnels et à bien d'autres[17]." On a constaté d'ailleurs, lors d'une enquête officieuse, que plus de 70 p. cent des policiers sont victimes du stress dû à la surcharge des tâches[18].

Lors de l'étude d'une institution bureaucratique des services sociaux, nous avons demandé à 52 employés de nous identifier les aspects les plus stressants de leur travail[19]. Ils nous répondirent: "Nous sommes surchargés de travail." "Nous ne disposons ni du temps ni des effectifs nécessaires pour répondre à toutes les demandes; conséquemment, les services dispensés ne sont pas aussi positifs qu'ils devraient l'être." "Les dossiers ne cessent plus de s'empiler et le client doit attendre beaucoup trop longtemps pour se faire servir. Je n'y vois vraiment pas de fin." Nous avons aussi constaté une étroite corrélation entre ce genre de surcharge et la lassitude[20].

La situation est la même dans les garderies et les institutions d'hygiène mentale; plus le rapport employé-enfant ou employé-patient est disproportionné, moins les employés se plaisent dans leur travail et plus ils manifestent un surmenage cognitif, émotionnel et sensoriel. Par contre, la qualité des soins et services dispensés s'améliore à mesure que ce rapport est réduit[21].

Les afflictions de la surcharge de travail sont aggravées lorsqu'on impose aux travailleurs des tâches qui sont hautement prioritaires pour l'administration mais trop peu importantes pour les bénéficiaires. Il est beaucoup plus difficile de s'occuper de paperasse et des chinoiseries bureaucratiques lorsqu'attendent des gens qui ont vraiment besoin d'aide. Nous avons même entendu des travailleurs sociaux, des conseillers, des policiers et des délégués à la liberté conditionnelle dire que ce n'était pas autant le contact avec les clients qui leur était le plus stressant mais plutôt "la rédaction en six copies d'un rapport que, je suis convaincu, personne ne lira jamais". Une enquête menée auprès de 4500 policiers rapporte que ces derniers considèrent "la surcharge de paperasse" comme leur plus sérieux problème lié à l'occupation[22]. En effet, nous avons constaté durant nos recherches une forte corrélation entre la surcharge de paperasse et de fonctions administratives et la lassitude[23] — plus il y a de paperasse et de fonctions administratives, plus la lassitude est grave.

L'absence d'autonomie

Lorsqu'une personne n'a pas la maîtrise de son environnement, elle subit un immense stress. Selon Martin Seligman, quand l'animal et l'humain subissent constamment des épreuves négatives sur lesquelles ils n'ont aucun contrôle, ils sombrent dans "la résignation acquise" et la dépression[24]. En fait, lorsqu'une personne est assaillie par des événements incontrôlables, il se déclenche en elle un affaiblissement de la motivation et de l'efficacité. Seligman rapporte que des sujets à qui on avait demandé de résoudre des anagrammes insolubles n'arrivaient plus par la suite à résoudre des anagrammes solubles. D'autres, exposés à des bruits auxquels ils ne pouvaient échapper, n'essayaient plus par la suite de s'y retrancher même lorsque l'évasion devenait possible. Ceux qui développent une "résignation acquise" ne s'attribuent plus jamais le mérite d'une réussite, mais n'hésitent pas à s'attribuer le blâme d'un échec. Ces gens développent aussi une faible estime d'eux-mêmes, ils deviennent passifs, tristes. Le phénomène de la résignation acquise expliquerait donc certains symptômes de la lassitude morale qui afflige les employés des institutions bureaucratiques lorsqu'ils sont dépourvus de toute autonomie.

Les psychologues sociaux[25] ont constaté que ceux qui ont le contrôle de la durée et de l'intensité de leur déplaisir peuvent endurer plus de douleur que ceux qui n'en ont pas. On a aussi constaté[26] que le taux de mortalité dans les foyers pour personnes âgées est plus élevé parmi les résidents placés là par d'autres que parmi ceux qui sont là par choix. Une enquête sur les femmes au foyer rapporte que celles qui restent à la maison par choix sont généralement heureuses, en santé et plus à l'aise dans leur rôle[27]. Elles ne désirent pas travailler, elles sont fières de ce qu'elles font et satisfaites de leur vie, et ont l'impression d'avoir un certain contrôle sur les choses. Par contre, les femmes qui souhaitent mais ne peuvent travailler à l'extérieur du foyer manifestent des symptômes du "syndrome de la ménagère aigrie": elles ne sont pas satisfaites de leur vie, elles ont une faible estime d'elles-mêmes, et souvent elles tentent par l'usage des drogues d'anesthésier leurs sentiments d'isolement et d'angoisse. Lorsque, au cours d'une étude, nous avons demandé à diverses personnes de nous dire si elles vaquaient à leurs activités professionnelles ou personnelles par choix ou par la force des choses, celles qui répondirent "par la force des choses" manifestaient un niveau plus élevé de lassitude que celles qui répondirent "par choix[28]".

L'absence d'autonomie est un des antécédents de la lassitude d'autant plus puissant lorsque le sujet en est conscient. Le besoin d'autonomie est si profond que certains vont parfois jusqu'à s'attribuer le blâme de certains accidents juste pour avoir l'impression de contrôler les événements. Il y a en filigrane à ce type de blâme de soi le raisonnement suivant: "Si je suis coupable de ce qui est arrivé, alors il est en mon pouvoir de voir à ce que ça se ne répète plus."

La frustration qui procède du manque d'autonomie est un antécédent fréquent de la lassitude dans les administrations bureaucratiques[29]. Lors d'une étude d'une agence de services sociaux, les sources de stress le plus souvent mentionnées étaient les fréquents amendements des règlements d'une part et, d'autre part, l'application avec très peu de préavis à l'agence même de changements mal planifiés[30]. Par ailleurs, nous avons constaté dans toutes nos recherches que le niveau de lassitude augmente à mesure que baisse celui d'autonomie, du sentiment de contrôle et du temps discrétionnaire.

Dans les bureaucraties, l'absence d'autonomie est tout aussi évidente dans les pressions administratives imposées au travailleur individuel que dans les règlements superflus et la non-participation du travailleur à la prise de décisions qui affectent son travail et sa vie. William Kroes, un psychologue qui a beaucoup travaillé avec les policiers, s'est penché sur le stress inhérent à ces situations où le policier se voit transférer d'une équipe à l'autre, d'un poste et même d'un district à l'autre sans le moindre préavis[31]. D'habitude, les policiers n'ont aucune voix au chapitre de leurs fonctions, que ce soit pour diriger la circulation, donner des contraventions ou enquêter sur des plaintes aussi insignifiantes que celles de certains propriétaires découvrant que les mauvaises herbes ravagent leur gazon.

Selon Dan Gowler et Karen Legge, qui ont examiné le stress chez les cadres, trois facteurs en sont la cause: l'incertitude quant au résultat de toute démarche, l'importance que ce résultat a pour l'individu, et la façon dont l'individu perçoit sa capacité d'influencer ce résultat[32]. Ces trois incertitudes sont clairement reliées à l'absence de contrôle et d'autonomie. Une source d'incertitude et de stress qui, selon Gowler et Legge, serait commune à bien des postes administratifs procède d'une absence de critères précis de réussite. Dans beaucoup d'institutions, la réussite administrative dépend de la mise en oeuvre d'objectifs liés à l'organisation, tels l'augmentation de profits ou l'expansion commerciale. Il arrive toutefois que l'avenue menant à ces objectifs dépende autant des facteurs externes (la situation économique au pays, la disponibilité de matières premières, le développement de nouvelles technologies, etc.) que des aptitudes des directeurs individuels. Souvent donc, ces derniers se sentent incapables de réaliser leurs ambitions par la seule qualité de leur performance.

Selon Brian Sarata, professeur de psychologie à l'université du Nebraska, il existe au moins deux facteurs qui empêcheraient les employés d'obtenir plus d'autonomie: d'abord, beaucoup de décisions ne sont prises que par les professionnels; ensuite, une bonne distribution de soins exige la bonne coordination des efforts de toutes les disciplines et la mise en oeuvre de façon consistante des divers plans de traitement. Évidemment, ceci limite au départ la liberté d'engagement individuel des employés dans ce processus.

L'absence d'autonomie peut être aggravée par le manque de communication entre les hauts et bas échelons de toute hiérarchie bureaucratique. Ce manque peut être dû ou bien à l'inefficacité des réseaux de communication inhérente aux vastes bureaucraties, ou bien aux diverses perspectives dont dispose la direction. L'absence de contrôle individuel est beaucoup plus manifeste et stressante aux échelons inférieurs. Conséquemment, les employés se sentent privés de toute individualité, "comme si nous étions les insignifiants rouages d'un immense mécanisme". Les caractéristiques d'une organisation complexe, tels l'autorité restreinte, les réseaux de communication à sens unique — de haut en bas, la spécialisation, les responsabilités formelles et la hiérarchie, ainsi que la vague participation des effectifs contribuent aux sentiments d'impuissance, de manque de contrôle et d'autonomie, et, par ce fait même, à la lassitude morale.

Le manque de récompenses

Plus une administration est complexe, plus elle dispense mal les récompenses et autres marques d'appréciation et de reconnaissance. Ce qui contribue, bien entendu, au découragement, à la démoralisation et, éventuellement, à la lassitude. Nous avons constaté dans certaines bureaucraties complexes que les employés peuvent tolérer un plus haut niveau de stress lorsqu'ils se considèrent appréciés et convenablement récompensés. Malheureusement, ces cas sont rares.

Au ministère de la Santé et du Bien-être, la lassitude morale des employés est due autant aux aspects négatifs de leur travail qu'à l'absence d'aspects positifs. Leurs salaires ne sont guère proportionnels aux exigences de leurs fonctions, la rétro-action positive avec les supérieurs est minime, et les promotions sont le plus souvent accordées en retour de faveurs politiques plutôt que pour récompenser le mérite individuel. En fait, selon une étude menée dans une administration de services sociaux, l'absence de récompenses (rémunérations, bénéfices, promotion) serait une des principales causes de lassitude[33].

Pourtant, la majorité des gens estiment davantage les marques d'appréciation pour leur travail que les rémunérations financières. En effet, il semblerait que, d'un point de vue phénoménologique, le revenu idéal de chacun se situerait généralement entre 10 et 20 p. cent au-dessus de son revenu actuel, même pour ceux qui se trouvent dans les échelons socio-économiques supérieurs. Par exemple, les médecins que nous avons interviewés se plaignaient des pressions économiques autant que les travailleurs sociaux et les commis. Par contre, ceux qui se sentaient appréciés, satisfaits et valorisés par leur travail, étaient tout aussi satisfaits de leur revenu, aussi bas fût-il. Il existe en effet une plus forte corrélation entre l'absence de tout sentiment de réussite et d'importance et la lassitude, qu'entre celle-ci et le revenu. De même, il y a une plus forte corrélation entre l'absence de toute actualisation de soi et une pauvre santé physique et la lassitude, qu'entre celle-ci et le revenu[34].

Ainsi donc, c'est plutôt le sentiment subjectif qu'on n'est pas adéquatement récompensé qui serait un antécédent de la lassitude et non la récompense elle-même. La lassitude procède en partie du sentiment que tous nos efforts, même s'ils excèdent ceux requis par nos fonctions, ne sont jamais appréciés. Un employé décrit sa frustration en ces mots: "Vous avez beau maintenir un excellent niveau de performance, vous ne réussirez jamais à attirer l'attention de la direction. Tout ce que vous recevrez d'elle c'est un mémo lorsque vous commettez quelque erreur." Cette absence de reconnaissance et d'appréciation est un important antécédent de la lassitude. Les bureaucraties gagneront autant que leurs employés en engageant avec eux une forme ou une autre de rétroaction positive.

Deux cas de lassitude morale

Nous présenterons dans la deuxième partie de ce chapitre deux cas de lassitude morale dans les institutions bureaucratiques. Ils vous démontreront mieux que n'importe quelle discussion abstraite l'impact d'une bureaucratie sur ses employés. Les sujets détenaient des rôles très différents dans des institutions tout aussi différentes. Mais tous deux furent gagnés par la lassitude due à certains aspects de leur milieu de travail et de leurs rôles professionnels.

La lassitude d'un employé

David avait cinquante ans. Depuis treize ans, il élaborait des cours de formation pour le gouvernement lorsque, soudainement, on lui annonça qu'il changeait le lendemain de département. David fut bouleversé autant par ce transfert que par la façon dont il fut effectué.

"J'étais meurtri. Je me sentais perdre toute ma dignité. Je n'avais nullement confiance en la personne auprès de qui on me transférait, et j'étais irrité par la façon injuste et désobligeante dont on s'y était pris. Mais je n'avais pas le choix. Oui, je savais que cela arrive souvent dans le secteur privé, n'empêche que j'étais complètement abattu, j'étais incapable de le digérer. J'avais l'impression que mon ancien et mon nouveau patrons disposaient de moi comme d'un pion. J'étais furieux, humilié. Je me sentais manipulé. Je n'étais pas dupe de leur jeu — ils allaient profiter de mes talents jusqu'au bout, pour me mettre ensuite au rancart quand je ne leur serais plus d'aucune utilité. Je n'ai pas réussi encore à résoudre ces sentiments.''

Après son transfert, David travailla pendant trois ans au nouveau département, mais ces relations avec son nouveau patron ne firent que se détériorer. Sa définition de tâches était vague et il se sentait constamment critiqué pour son travail.

''On ne remarquait jamais le bon travail. En revanche, on ne manquait pas une occasion d'amplifier les erreurs. Tout ce que je faisais, on le dépréciait. Je sentais mon esprit s'éroder lentement. J'avais l'impression que je n'existais pas. Graduellement, j'ai commencé à vaquer à mes fonctions comme une machine, un robot, et non comme une personne. Lorsqu'on ne vous traite pas comme un humain, vous vous résignez aux tâches routinières, jour après jour. Vous devenez un vulgaire brasseur de paperasse.''

Le plus dur était ce sentiment de se sentir pris au piège.

''Je voulais m'en sortir à tout prix, mais il n'y avait pas d'issue. Mes obligations familiales ne me laissaient pas d'autre choix que de rester là. Puis il y avait toutes ces années où j'avais contribué à un certain fond de pension. Il m'était devenu impossible, au point où j'étais rendu, d'aller ailleurs. Si je démissionnais, je renonçais aussi à une grande partie de mon avenir. Plus je sentais tout cela peser sur moi, plus je commettais des erreurs. Et plus je commettais des erreurs, plus la pression se faisait intenable. Jusqu'au jour où je n'arrivai plus à prendre la moindre décision, à établir la moindre priorité. J'étais tellement stressé que rien n'arrivait plus à me consoler. Mes sentiments de futilité minaient tout mon être. J'étais tellement malheureux que je pensais sérieusement à me suicider. Parfois même à commettre un meurtre. La pression se fait parfois si intense que tu sais que tôt ou tard quelque chose finira par claquer.''

La lassitude de l'administrateur

Lorsqu'elle fut embauchée comme directrice d'un programme d'assistance aux victimes et témoins de crimes violents,

Susan savait que son poste avait été créé pour des raisons politiques — il faisait partie d'une subvention fédérale octroyée au bureau du procureur pour établir certains liens avec divers groupes communautaires. On confia donc à Susan la tâche de créer et de mettre sur pied un programme d'assistance aux victimes et témoins de crimes violents, sans lui octroyer cependant le budget nécessaire pour financer adéquatement ses services et payer ses employés. Les tâches pourtant étaient énormes. ''Beaucoup de gens m'avertirent que c'était là une mission impossible, dit-elle. Mais le défi était grand, l'occasion unique.''

Tous les salaires fixés par la subvention étaient bas. Dépités, les employés s'en prirent à Susan. Et comme directrice, elle avait à rendre compte non seulement à ces derniers, mais aussi au bureau du procureur, aux groupes communautaires et minoritaires, aux autorités municipales, et à un comité des services de l'ordre composé de représentants de diverses agences communautaires et de certains groupes d'intérêt public qui n'arrivaient jamais à s'entendre sur les objectifs du programme. Susan travaillait 60 heures par semaine, aussi bien les soirs que les fins de semaine. Elle essayait de voir à tout: gestion, comptabilité, rédaction des rapports, formation des employés et des volontaires, relations avec les communautés, services aux victimes et aux témoins. Mais elle ne disposait tout simplement ni du temps ni des fonds nécessaires.

Susan découvrit qu'un des aspects les plus frustrants de son travail était ses rapports avec le ''système''. La bureaucratie ne lui fournissant aucun candidat pour son agence, elle devait recruter et choisir elle-même ses employés. Quant à la distribution des services aux victimes, elle était sérieusement entravée par une foule de formulaires et de conditions complexes imposés par le gouvernement régional. Susan devait aussi soumettre régulièrement des rapports budgétaires aux quatre agences responsables de son programme. ''Si je me trompais de formulaire, ou si je soumettais le mauvais rapport à la mauvaise agence, il ne me revenait que plusieurs semaines plus tard et je devais tout recommencer. Souvent, il me fallait remplir trois formulaires supplémentaires pour corriger une erreur. Bref, ça prenait dix fois plus de temps que prévu pour arriver à accomplir quoi que ce soit dans la ville même.''

En dépit de tous ces obstacles, Susan s'engagea entièrement dans son programme, parce qu'elle considérait qu'il remplissait une importante fonction sociale et parce qu'elle désirait vraiment aider les victimes. En dix mois, elle put, assistée de trois employés et de quelques volontaires, desservir mille clients. Cependant, Susan sentait que le plus important restait encore à faire, même si, étant donné les ressources limitées de son programme, il lui était humainement impossible de réaliser ses objectifs. Elle commença alors à développer les symptômes classiques de la lassitude.

"Plus je me sentais pressée de toute part, frustrée et moins efficace dans mon travail, plus la vision que j'avais de moi-même était déficitaire. J'étais mauvaise administratrice, je n'étais pas assez intelligente pour m'acquitter convenablement de mes fonctions, je me sentais décevoir ces mêmes gens qui m'avaient aidé à décrocher ce poste, et sûrement, me disais-je, si j'ai autant de problèmes à faire mon travail, c'est que j'ai quelque chose de travers. Et cette pauvre perception de moi-même retentit sur d'autres sphères de ma vie — mes relations personnelles et familiales, mes activités athlétiques, et quoi encore. Une fois que ce type d'autodévalorisation est déclenché, il se développe quasiment une force qui lui est propre et qui rejette, on dirait, toute information susceptible de rehausser l'estime de soi.

"J'en avais plein le dos de mon fonctionnarisme. J'en avais plein le dos de la façon dont les gens étaient exploités et de la façon dont je me sentais exploitée, moi. J'en avais assez de travailler avec des gens stupides et inaptes, de faire affaire avec la bureaucratie municipale. J'en avais assez des politiques des groupes et des agences communautaires. J'en avais assez des clients qui exigeaient *tout et tout de suite*!"

Susan était fatiguée mentalement, autant que sur le plan émotif et physique — symptômes classiques de la lassitude. Elle démissionna.

Susan et David détenaient deux rôles différents au sein de leur bureaucratie. David était un employé qui subissait les pressions provenant de ses supérieurs, alors que Susan était une directrice qui subissait des pressions provenant de toutes parts. Cependant, tous deux ressentaient certains stress communs qui les conduisirent à une profonde lassitude morale. Tous deux

103

avaient une notion vague de leurs véritables fonctions. Tous deux n'avaient aucun pouvoir décisionnel sur les diverses situations qui affectaient leur travail et leur vie. Tous deux se sentaient isolés. Tous deux ne disposaient d'aucun système d'entraide professionnelle. Et tous deux ne recevaient de leur administration aucune marque d'appréciation et de reconnaissance.

L'évitement de la lassitude: devenir un ''bon bureaucrate''

Malgré le nombre croissant d'institutions bureaucratiques complexes, la majorité des gens qui y travaillent n'apprennent jamais comment devenir de ''bons bureaucrates''. Pour beaucoup de gens, le terme ''bon bureaucrate'' est une contradiction. Au sens péjoratif, un ''bureaucrate'' représente tout ce qui est ''anti-humain''. Pour les éducateurs, les praticiens et les chercheurs, c'est là un rôle qu'ils ont complètement ignoré jusqu'à ce jour. Toutefois, selon Robert Prugger, professeur de sciences sociales à l'université de Californie, il faut être particulièrement compétent pour réussir à réaliser ses buts professionnels au sein d'une bureaucratie complexe. Entre autres, il recommande au travailleur de développer les aptitudes nécessaires qui lui permettront de transiger avec le système bureaucratique plutôt que de s'y dérober. Plus particulièrement, l'employé est appelé à transiger avec le stress, les possibilités et les contraintes qui imprègnent le mode d'organisation. Voici donc certaines des aptitudes qui, selon divers bureaucrates chevronnés, leur ont permis d'éviter les antécédents communs de la lassitude[35].

Éviter la surcharge: la familiarisation avec l'institution et l'acquisition d'aptitudes

La surcharge est intrinsèque à la taille et à la complexité de chaque institution bureaucratique. Mais on peut l'éviter en partie en se familiarisant avec les tâches routinières et la structure de l'organisation. Pour cela, le sujet doit, bien sûr, détenir son poste suffisamment longtemps pour surmonter le stress initial.

Par exemple, les travailleurs sociaux rapportent qu'ils sont particulièrement surchargés de travail durant leurs six premiers mois de service. Non seulement il leur faut assimiler une énorme quantité d'informations, mais aussi leur formation est inadéquate. Cette surcharge initiale est souvent associée à des sentiments d'inaptitude, de culpabilité et d'échec dont certains employés ne réussissent jamais à se débarrasser.

Il est indispensable, pour pouvoir réduire cette surcharge initiale, d'acquérir une formation adéquate. De tels programmes de formation efficaces et une forme de tutelle stimulante sont deux façons d'aider l'employé à acquérir et améliorer les aptitudes qui réduisent la surcharge et la lassitude. Ici aussi, l'employé doit rester au sein de l'institution suffisamment de temps pour acquérir les diverses aptitudes qui le rendront plus efficace, à commencer par les aptitudes générales de plus en plus recherchées par chaque administration mais pour lesquelles il n'existe le plus souvent aucune instruction formelle (rédaction des propositions, préparation des budgets, analyse des problèmes, etc.) pour finir avec d'autres, plus spécialisées (administration, informatique, communications).

Pour sa part, l'administration peut réduire la surcharge des employés en définissant ses priorités. La liste des priorités peut inclure aussi bien les objectifs organisationnels internes que d'autres, plus généraux, comme ceux relatifs aux services dispensés et à l'image publique de l'institution. Une liste des priorités pour les activités professionnelles peut, elle aussi, alléger la surcharge de travail. Elle consiste en une analyse des tâches recouvrant toutes les activités à entreprendre ainsi qu'en l'identification de celles qui créent un excédent de travail. Celles-ci sont ensuite divisées en deux catégories: activités nécessaires qui créent elles-mêmes une surcharge, et activités qui créent une surcharge auto-imposée. Les activités nécessaires sont admises telles quelles, et le temps leur est accordé en conséquence: plus de temps pour les activités qui sont plus importantes, moins de temps pour celles qui sont moins importantes. On établit ensuite une liste de priorités pour les activités auto-imposées, en accordant le temps nécessaire pour celles jugées importantes et en réduisant ou en éliminant les autres.

Si ces techniques réussissent à réduire la surcharge, elles arrivent rarement à l'éliminer. La principale stratégie consiste à aider le travailleur à s'habituer à la surcharge, à établir ses priorités et à réduire le stress créé par l'angoisse ou la culpabilité. Il devient plus facile de circonvenir la surcharge lorsqu'elle

105

est enfin acceptée comme un mal nécessaire mais libre de toute angoisse et de toute tension.

L'autonomie sans la perte des objectifs

Dans toute institution bureaucratique, la prise de décisions et leur application sont deux processus extrêmement lents. Selon Robert Pruger, une des caractéristiques du bon bureaucrate est sa capacité à se maintenir au pouvoir. "Peu importe les idées, les changements, les projets et les aspirations professionnelles du travailleur, il ne pourra les réaliser qu'en restant au sein de l'organisation et en poursuivant ses objectifs suffisamment longtemps. Cependant, il ne suffit pas de survivre comme présence physique. Un bon bureaucrate doit conserver sa vigueur et sa liberté de pensée, être constamment animé par une vision progressiste des objectifs réalisables de son institution, et développer sans cesse la capacité et la conscience de son comportement discrétionnaire[36]." Il est presque toujours possible pour chaque employé de préserver et de développer la capacité discrétionnaire de ses activités et, par le fait même, son sens d'autonomie et de contrôle. Diverses recherches démontrent que la décentralisation des pouvoirs administratifs et la participation de tous les travailleurs au processus décisionnel ont des effets extrêmement positifs sur leur performance et leur moral[37].

Pour réaliser ces objectifs, le bon bureaucrate doit être attentif à l'autorité et éviter tout comportement qui risque d'entraîner sa destitution. Le bureaucrate avisé sait que tout est plus flexible qu'il ne le semble à première vue. Bien sûr, l'autorité étant le plus fréquemment exprimée au moyen de règlements, de descriptions et de programmation des tâches, ces constatations sont très générales et chaque employé peut les interpréter à son avantage. Mais aussi, ce type de généralisation exige une certaine discrétion. À ce niveau, le bureaucrate compétent dispose de plus de contrôle que l'administration sur la nature de ses fonctions.

L'épuisement et la lassitude sont associés à des sentiments d'impuissance et de manque de contrôle. Dans chaque bureaucratie, beaucoup d'employés pensent et agissent comme s'il leur était impossible de changer quoi que ce soit, comme s'ils n'avaient pas d'autre choix que de vaquer à leurs fonctions sans la moindre autonomie, ou presque. Ce sont là les "bois morts", les "brasseurs de paperasse", les "suiveux", les "bureaucrates" dans le sens péjoratif du terme. Et comme nous l'avons déjà mentionné, ce type d'individu peut, s'il se retrouve à la tête d'une administration, provoquer l'épuisement des nouveaux employés en les décourageant et en dépréciant leur enthousiasme. En fait, les tactiques auxquelles recourent certains administrateurs pour démoraliser les employés idéalistes satisfont souvent un besoin de s'assurer que leurs subordonnés s'épuiseront afin de justifier leur propre épuisement. D'autres, d'habitude les nouvelles recrues, sont excessivement optimistes quant aux possibilités de changement dans une bureaucratie. Souvent, ils finissent enragés, frustrés, désespérés.

Pour éviter les traquenards autant de l'optimisme excessif que du pessimisme excessif, l'employé doit évaluer chaque aspect de son travail pour déterminer les possibilités de changement, et renoncer à tous les changements qui semblent irréalisables. Ainsi, il pourra concentrer toute son énergie sur les aspects de son travail et de la structure de l'organisation qui peuvent être changés. En centrant son attention sur le possible, il renforce du même coup son sens de pouvoir et de contrôle.

Le besoin de contrôle et d'autonomie n'est que l'envers du besoin de sécurité. Comme nous l'avons déjà dit, l'individu qui souhaite travailler dans une bureaucratie est souvent motivé par un besoin de sécurité et veut s'assurer un bon régime de retraite. Et ce sont ces mêmes raisons qui l'empêchent de démissionner même s'il souffre d'une profonde lassitude morale.

Mais dans toute bureaucratie, le sens d'autonomie et de contrôle peut servir de tampon contre la lassitude. L'employé peut maximiser ses capacités discrétionnaires pour définir son rôle et établir ses priorités professionnelles. Il faut, certes, faire d'abord la coupure entre ce qui contribue à la réalisation des objectifs organisationnels et ce qui favorise tout simplement les intérêts de l'administration. Le bon bureaucrate ne se soumet pas inutilement aux exigences imposées par la convenance administrative. Ainsi, il sera davantage protégé contre la lassitude. Selon Purger, le bon bureaucrate sait aussi que la meilleure arme contre l'inflexibilité, l'excès de zèle et les autres frustrations des bureaucraties est le sens de l'humour[38].

Les récompenses:
possibilités de provenance

Il est possible à tout employé de tirer plus de satisfaction de son travail en refusant de considérer ses supérieurs comme étant la seule source d'éloges. Ainsi, il se sentira plus libre pour initier et développer les améliorations qui sustenteront sa vigueur et celle de son institution. Aussi, l'employé dont le sentiment d'accomplissement dépend exclusivement des éloges de la direction sera vite déçu. Les supérieurs remarquent ou commentent rarement le travail d'un subalterne, à moins qu'il ne commette quelque gaffe. Plutôt que d'espérer uniquement la reconnaissance de ses supérieurs, l'employé doit rechercher des sources alternatives. Il peut apprécier et se voir apprécier par ses collègues et ses clients. Il tirera ainsi de son travail un plus grand sentiment de réussite.

Pour sa part, l'administration peut alléger la lassitude morale des employés en reconnaissant que les divers systèmes de récompense et d'appréciation sont de puissants tampons contre la lassitude. En étant plus sensibles aux besoins de récompense et d'appréciation des employés, et plus conscients de l'effet que ces marques de reconnaissance ont sur l'employé lorsqu'elles proviennent d'un supérieur, les administrateurs acquièrent une immense capacité d'alléger la lassitude dans une institution. Ils peuvent aussi rehausser le sens du pouvoir chez leurs effectifs en décentralisant l'autorité et en les invitant tous à participer au processus décisionnel[39].

Les experts en développement de l'organisation essaient depuis quelque temps d'intervenir et de modeler la vie bureaucratique au niveau de l'organisation. Leurs efforts n'ont pas été vains[40]. Les employés d'institutions aussi éclairées sont très chanceux. Ils souffrent sûrement moins de lassitude.

De toute évidence, certaines institutions bureaucratiques sont supérieures à d'autres au point de vue surcharge de travail, structure des pouvoirs et systèmes de récompense. Autant qu'une structure bureaucratique permet et encourage le développement d'aspects positifs (communication, autonomie, etc.), le niveau de lassitude continuera à diminuer. Cependant, aussi éclairée qu'elle le soit, il est impossible pour n'importe quelle administration bureaucratique de résoudre ce problème pour tous ses employés. Chacun d'eux doit disposer de ses propres stratégies thérapeutiques, sensibles et utiles. Nous en reparlerons aux chapitres 7, 8 et 9.

Notes

1. M. Weber, *Economy and Society: An Outline of Interpretative Sociology*, éd. G. Roth et C. Witlich, Bedminster Press, New York, 1968: 1002.
2. D. Bacon, "Mess in Welfare — The Inside Story", *U.S. News and World Report*, le 20 février 1978: 21-24. L'étude du cas est basée sur ce rapport. Les autres citations sont aussi tirées de la même source.
3. *Ibid.*
4. *Ibid.*
5. *Ibid.*
6. *Ibid.*
7. Alexis de Tocqueville, *Democracy in America*, Doubleday, Garden City, N.Y., 1969.
8. K. L. Armstrong, "How We Can Avoid Burnout?" *Child Abuse and Neglect: Issues in Innovation and Implementation*, DHEW Publication, 1978, no (OHDS) 78-30148, 2: 230-238.
9. Dans cette étude, impliquant 52 employés d'une institution bureaucratique, le niveau moyen de lassitude était de 3,6. Dans une autre, impliquant 205 professionnels, le niveau moyen de lassitude était de 3,1 dans les services sociaux, 3,2 dans le monde des affaires, 3,3 chez les scientifiques, et 3,2 dans les arts.
10. La corrélation entre la lassitude et la satisfaction générale face au travail était de $r = -0,58$*; la satisfaction générale face à soi-même, $r = -0,45$*; la satisfaction générale face à la vie, $r = -0,44$*; la satisfaction de ses supérieurs, $r = -0,32$*; la satisfaction du département, $r = -0,26$; la satisfaction du public, $r = -0,22$; la satisfaction des clients, $r = -0,53$*; la satisfaction de ses collègues, $r = -0,17$; la satisfaction face à son travail, $r = -0,43$*; la satisfaction moyenne face à diverses activités professionnelles, $r = -0,57$*; le désir de démissionner, $r = +0,44$*. (L'astérisque indique que la corrélation est statistiquement significative au niveau 0,01.)
11. J.R.D. French et R.D. Kaplan, "Organizational Stress and Individual Strain", *The Failure of Success*, éd. A.J. Marrow, AMACOM, New York, 1973.

12. Les deux études sont citées dans Z.L. Lipowski, "Sensory and Information Inputs Overload: Behavioral Effects", *Comprehensive Psychiatry*, vol. 16, no 3, 1975.

13. L'étude fut menée en collaboration avec Steve Weinberg du Programme de formation administrative de l'université de l'Alabama à Birmingham.

14. French and Kaplan, "Organizational Stress and Individual Strain".

15. J.G. Miller, *in Communication in Clinical Practice*, éd. R.W. Waggoner et D.J. Carek, Little, Brown, Boston, 1964: 201-224.

16. R.L. Kahn, "Job Burnout, Prevention and Remedies", *Public Welfare*, printemps 1978: 61-63.

17. G. Kirkham, "From Professor to Patrolmen: A Fresh Perspective on the Police", *Journal of Police Science and Administration*, 1977, vol. 2, no 2: 127-137.

18. L'étude est citée par W. Kroes dans *Society's Victim — The Policeman: An Analysis of Job Stress in Policing*, Charles Thomas, Springfield, Ill., 1976: 27.

19. A. Pines et D. Kafry, *The Impact of a Burnout Workshop on Occupational Tedium*, Technical Report, Berkeley, Calif., 1979.

20. Dans cette étude particulière, la corrélation entre la lassitude et la surcharge était de $r = 0,30$ ($p = \leqslant 0,05$).

21. L'étude sur les moniteurs de garderie est décrite dans C. Maslach et A. Pines, "The Burnout Syndrome in Day Care Settings", *Child Care Quarterly*, 1977, vol. 6, no 2: 100-113. L'étude sur les travailleurs dans les institutions d'hygiène mentale est décrite dans A. Pines et C. Maslach, "Characteristics of Staff Burnout in Mental Health Settings", *Hospital and Community Psychiatry*, 1978, vol. 29, no 4: 233-237.

22. N. Watson et J. Sterling, *Police and Their Opinions*, International Association of Chiefs of Police, Gaithersburg, 1969.

23. Dans cette étude, impliquant 52 employés d'une institution bureaucratique, la corrélation entre la lassitude et les désagréments administratifs, comme la paperasse, les problèmes de communication, etc., était de $r = 0,25$, ($p < 0,05$).

24. M.E. Seligman, *Helplessness: On Depression Development and Death*, Freeman Press, San Francisco, 1979.

25. J.E. Singer et D.C. Glass, *Urban Stress*, Academic Press, New York, 1972.

26. P.G. Zimbardo, entretien privé.

27. Cette étude fut menée par L. Fidell et J. Prather à l'université de l'État de Californie, à Northridge. Elle fut décrite par Carol Tavris dans *Psychology Today*, 1976, vol. 10, no 4: 78.

28. Dans cette étude menée auprès de 205 professionnels, le niveau moyen de lassitude pour les répondants du "par la force des choses" était de $\bar{x} = 3,5$, et de $\bar{x} = 3,1$ pour ceux du "par choix". La différence est statistiquement significative à $p < 0,0001$. Dans une étude impliquant 84 étudiants, les niveaux moyens étaient de $\bar{x} = 3,8$ pour les "par la force des choses", et de $\bar{x} = 3,3$ pour les "par choix" ($p < 0,001$).

29. Dans une étude menée auprès de 52 employés d'une institution bureaucratique, la corrélation entre la lassitude et l'autonomie était de $r = -0,35$. Dans une étude impliquant 205 professionnels (services sociaux, affaires, arts, etc.), la corrélation était de $r = -0,28$. Les deux résultats sont statistiquement significatifs au niveau 0,05.

30. Pines et Kafry, *Impact of a Burnout Workshop*.

31. Kroes, *Society's Victim*.

32. D. Gowler et K. Legge, éd., *Managerial Stress*, Grower Press, Epping, England, 1975.

33. Pines et Kafry, *Impact of a Burnout Workshop*.

34. Dans une étude menée auprès de 205 professionnels, la corrélation entre la lassitude et les récompenses était de $r = -0,33$; l'appréciation, $r = -0,32$; un sentiment d'importance, $r = -0,21$; un sentiment de réussite, $r = -0,24$; la santé physique, $r = -0,39$; la satisfaction salariale, $r = -0,01$.

35. R. Pruger, "The Good Bureaucrat", *Social Work*, juillet 1973: 26-32.

36. *Ibid.*

37. N.V. Rayner, M.W. Pratt et S. Roses, "Aids Involvement in Decision Making and the Quality of Care in Institutional Settings", *American Journal of Mental Deficiency*, 1977, vol. 81, no 6: 570-577.

38. Pruger, "The Good Bureaucrat".

39. Rayner, Pratt et Roses, "Aids Involvement in Decision Making".

40. W.L. French et C.A. Bell, *Organizational Development: Behavioral Science Interventions for Organizational Improvement*, 2e éd., Prentice-Hall, Englewood Cliffs, N.J., 1978.

Chapitre 5

L'épuisement et la lassitude chez les femmes

Rose était une jeune femme de 29 ans, sensible et extrêmement intelligente. Elle s'était classée première aux examens de fin d'études secondaires et obtint les honneurs de Phi-Beta-Kappa à l'université. Elle rencontra son mari lorsqu'elle travaillait sur sa thèse de doctorat, qui lui valut, une fois de plus, les plus grands honneurs. Et tout ce temps, Rose put financer ses études avec les bourses et les subventions les plus prestigieuses. En plus de ses études, elle s'adonna à nombre d'activités athlétiques et musicales. Elle courait une dizaine de kilomètres par jour, prenait part aux tournois de tennis compétitif et jouait du violon dans divers orchestres amateurs de la région.

Lorsque son mari accepta un poste dans un bureau d'avocats de la Côte Est, Rose déménagea avec lui. Et comme tous deux désiraient avoir un enfant, elle devint enceinte aussitôt qu'ils s'installèrent dans leur nouvelle communauté. Quelques mois après la naissance de l'enfant, Rose se vit offrir un poste qui semblait tout fait pour elle dans une université prestigieuse, située à une centaine de kilomètres de chez elle. Elle fut extrêmement flattée. Mais voilà, il y avait maintenant l'enfant, et Rose tenait à passer plus de temps avec lui. Le dilemme fut déchirant: si elle restait avec sa fille, elle décevait tous ces gens qui croyaient en elle et qui l'avaient aidée à obtenir le poste universitaire. Lorsqu'elle travaillait sur un manuscrit qu'elle comptait publier, elle se sentait coupable de ne pas être à la maison, avec la petite. Sa conscience n'arrêtait plus de la tourmenter. "Pourquoi donner naissance à un enfant si on se propose de le laisser avec des étrangers? Ma fille grandit de jour en jour et je manque tout ça. Pourquoi alors avoir accepté toutes ces bourses si je n'arrive jamais à publier mes recherches? Si je décline l'offre de l'université, jamais plus je n'aurai le courage de parler à mon professeur.''

Le conflit ne tarda pas à l'épuiser mentalement et sur le plan émotif. Et plus il prenait de l'ampleur, moins elle arrivait à démêler les diverses questions qui la tourmentaient. Elle souffrait maintenant de troubles de sommeil et se sentait souvent agitée, angoissée. Parfois même, elle s'emportait et se mettait à crier après son enfant et son mari, pour sombrer ensuite dans la culpabilité et le désespoir. Elle se sentait prisonnière de sa famille et parfois elle pleurait des heures d'affilée. Enfin, elle se mit à remettre en question la valeur de sa vie et à douter de sa compétence en tant que femme. La seule chose dont elle était certaine, c'est qu'elle ne pourrait pas souffrir cette situation encore longtemps.

Rose finit par décliner le poste universitaire. Deux années plus tard, elle eut un autre enfant. Elle commença à enseigner à temps partiel dans un collège communautaire; mais si elle tirait beaucoup de satisfaction de l'enthousiasme de ses étudiants, la préparation des cours exigeait tellement de temps qu'il ne lui restait plus un seul moment pour ses sports, sa musique ou ses propres recherches. Jamais elle ne put surmonter le déchirement entre son rôle de mère et son rôle professionnel, et ce conflit fut une source constante de tension émotive.

Le conflit des rôles est une des sources majeures de stress chez la majorité des femmes qui essaient de conjuguer harmonieusement leurs carrières au foyer et sur le marché du travail. Chez certaines, ce conflit devient le principal antécédent de l'épuisement et de la lassitude morale. Nous nous y attarderons davantage lorsque nous aurons examiné séparément le stress de la femme au foyer et le stress de la femme de carrière.

Le stress de la femme au foyer

Il n'existe pas de métier dont les membres contribuent à plus de biens et de services que les femmes au foyer. Quoiqu'on ne tienne pas compte dans le produit national brut de ces biens et

114

services, ils constituent une partie vitale de notre économie[1]. Pourtant, aussi indispensable qu'il soit pour la société, le rôle de mère et d'épouse ne constitue nullement pour certaines femmes une source de valorisation et de sentiment de réussite.

Il fut un temps, pas très lointain, où les chercheurs s'intéressaient à peine au rôle de la femme au foyer. Depuis, l'intérêt de plus en plus croissant qu'on porte aux questions féministes a suscité la révision du rôle de la femme au foyer, que les sociologues étudient maintenant comme ils étudieraient toute autre profession. Ainsi que le dit le psychologue industriel Richard Arvey, il y a d'importantes distinctions à faire entre les fonctions de la femme au foyer et celles qui existent à l'extérieur du foyer. Certes, une de ces distinctions est que la femme au foyer ne reçoit aucune rémunération pour les biens qu'elle produit et les services qu'elle dispense. Une autre distinction est que pour la femme au foyer, il n'y a quasiment aucune séparation entre son rôle "fonctionnel" et les autres. Autrement dit, les rôles de ménagère, de mère et d'épouse sont intimement reliées, peut-être même de façon inextricable[2].

Selon Myra Marx Ferree, sociologue à l'université du Connecticut, la femme américaine au foyer est "assiégée". D'une part, les traditionalistes lui disent que sa plus grande joie consiste à subvenir aux besoins d'autrui: établir un foyer pour sa famille, élever des enfants en santé, faire plaisir à son mari. D'autre part, les égalitaristes lui disent que ses propres besoins sont tout aussi importants. Après avoir interviewé 135 femmes, Marx Ferree découvrit que deux fois plus de femmes au foyer que d'épouses travaillant à l'extérieur du foyer se considèrent insatisfaites de leur vie. Aussi, plus de femmes au foyer sont d'avis que la vie a été injuste envers elles et souhaitent que leurs filles "deviennent surtout ce que je n'ai pas été".

Les raisons de l'insatisfaction des femmes au foyer se trouvent dans les caractéristiques mêmes de leur travail:

La femme au foyer travaille continuellement. Et parfois, ses fonctions ne lui rapportent ni récompenses tangibles ni relations sociales. De plus, ni les maris ni les femmes ne savent précisément lesquelles de ses fonctions sont vraiment du "travail". Entre-temps, la femme dépense beaucoup d'énergie sans recevoir en retour la moindre marque d'appréciation: le mari l'accuse "de ne rien faire de toute la journée", pour lui rappeler, l'instant d'après, que son devoir consiste à rester à la maison et à s'occuper du foyer. Conséquemment, beaucoup de femmes au foyer n'ont qu'une idée vague de leurs fonctions et de la qualité de leur travail[4].

Il n'y a pas longtemps, écrit Marx Ferree, les femmes au foyer faisaient toutes partie d'un réseau social. Le plus souvent, elles habitaient près de leur mère, de leur parenté et de leurs amis, le tout formant des groupes aux liens très serrés. À l'intérieur de ces groupes, il était facile de reconnaître les bonnes ménagères des mauvaises. Cependant, depuis quelques décennies, une plus grande mobilité et la participation accrue des femmes sur le marché du travail a non seulement éliminé la majorité de ces réseaux mais aussi rendu plus difficile la conservation de ceux qui restent. Ainsi, le mari parti travailler et les enfants partis à l'école, la femme au foyer se retrouve isolée. Beaucoup de celles interviewées par Marx Ferree avouèrent qu'elles avaient l'impression de perdre la boule en restant à la maison, où "je ne vois rien d'autre toute la journée que ces quatre murs". "Rester à la maison, de dire l'une d'elles, c'est comme purger une peine de prison[5]."

La littérature recourt souvent aux stéréotypes pour décrire la femme au foyer: névrotique, ennuyée, déprimée, angoissée. Son travail, nous dit-on, est le comble de l'ennui et de la banalité, dégradant, déplaisant, une véritable négation de soi-même. Le travail d'une ménagère est aussi décrit comme une besogne fastidieuse, démunie de rémunération concrète, de support social et de reconnaissance, qui ne génère chez la femme que de l'insatisfaction. Selon Jessie Bernard, "le rôle de ménagère écoeure les femmes[6]".

Lorsqu'elle interviewa des femmes au foyer en Angleterre[7], Ann Oakley constata que 70 p. cent d'entre elles étaient insatisfaites de leur rôle. Richard Arvey constata, au cours d'autres recherches, une proportion d'insatisfaction encore plus élevée[8]. La psychologue Linda Fidel et la sociologue Jane Prather suggèrent que le nouveau stéréotype de la ménagère névrotique est aussi dévié que celui, jadis, de la ménagère heureuse[9]. Elles insistent pour que l'on fasse la distinction entre les femmes qui ne désirent pas travailler à l'extérieur du foyer et celles qui le veulent mais qui en sont empêchées par leurs obligations familiales, le manque de services de garde, le chômage ou la maladie. Ce sont plutôt ces dernières qui souscriraient au stéréotype de la "ménagère malheureuse". Elles sont insatisfaites de leur vie, elles ont une faible estime d'elles-mêmes, elles se sentent prises au piège par les circonstances et elles recourent aux drogues pour anesthésier leurs sentiments d'isolement et d'angoisse. En revanche, les femmes qui veulent travailler à la maison sont heureuses, en santé et bien à l'aise dans leur rôle. Souvent issues de familles aisées, elles n'éprouvent aucun besoin de gagner leur vie; elles préfèrent s'occuper de leur ménage et d'elles-mêmes. Elles forment des ménages heureux, elles se sentent qu'elles ont du contrôle sur leur vie et jouissent d'une excellente santé physique et mentale.

Tout comme Fidel et Prather, nous avons, nous aussi, constaté au cours de nos recherches sur les femmes au foyer [10] que celles-ci forment deux groupes distincts au point de vue de la lassitude morale. D'une part, il y a celles manifestant le "syndrome de la ménagère névrotique", qui souffrent d'un haut niveau de lassitude, et conséquemment de fatigue chronique et d'un épuisement émotionnel. Elles considèrent que consacrer ses journées aux enfants, c'est vraiment "s'atrophier le cerveau". Elles se sentent déprimées et prises au piège. Beaucoup d'entre elles sont complètement épuisées, autant comme mères que comme épouses. D'autre part, il y a les femmes qui manifestent un très bas niveau de lassitude; elles sont fières de leurs rôles de mère et d'épouse, elles s'acquittent de façon créatrice de leurs tâches domestiques, elles s'inscrivent à des cours de formation pour adultes et participent aux affaires communautaires. Terry et Sara sont deux femmes qui représentent chacune de ces deux extrêmes.

Terry était bachelière en lettres, mariée et mère d'un enfant. Depuis des années, elle essayait de se trouver du travail comme professeur d'anglais, sans succès. Gagnée par la frustration et l'amertume, elle sentait qu'elle galvaudait sa vie, que ses fonctions domestiques grugeaient ses talents et ses connaissances. "Quelle créativité y a-t-il dans l'époussetage?" dit-elle. Lorsqu'elle se comparait à son mari, elle se sentait piégée. Lorsqu'on lui demandait ce qu'elle faisait dans la vie, elle répondait sur un ton embarrassé, d'excuse presque: "Je ne suis qu'une ménagère et une mère."

Terry avait horreur des heures creuses de ses journées. Elle recourait aux "stimulants" pour faire échec à la dépression, et, pour passer le temps, elle fumait, buvait et regardait la télévision. Il ne lui restait pas assez d'énergie pour lire un livre ou téléphoner à une amie. Elle avait même de la difficulté à communiquer avec son fils. Souvent même elle perdait son sang-froid, et elle commençait à se demander si elle ne lui ferait pas mal un jour. Elle commença aussi à avoir des ruminations suicidaires. "Si c'est ça la vie, se disait-elle, elle ne vaut pas la peine d'être vécue."

En revanche, Sara était très satisfaite de sa vie. Elle avait travaillé quelques années comme infirmière, mais se sentait heureuse de pouvoir quitter sa profession lorsqu'elle se maria. Elle avait toujours souhaité devenir mère, épouse et s'occuper d'une belle maison. Sara prenait toujours soin de son apparence. Tous les jours, elle consacrait un certain temps à ses exercices et à ses soins de beauté. Elle était aussi fière de sa maison et de son jardin que de son apparence. Sara tirait beaucoup de plaisir des heures qu'elle passait avec ses enfants, et elle était bien engagée dans leurs activités scolaires et parascolaires. Ses enfants aimaient emmener leurs amis à la maison, et celle-ci grouillait toujours de vie.

Sara avait beaucoup d'amies qui étaient, comme elle, des femmes au foyer. Elles formaient un réseau social d'entraide. Sara participait activement aux oeuvres de charité et était membre de l'association de parents-professeurs, en plus de travailler, avec beaucoup de bonheur, la céramique. Bref, Sara considérait qu'elle menait une vie pleine et valorisante.

Mais il existe aussi certaines distinctions objectives entre la vie de Sara et celle de Terry. Le mari de Sara avait un revenu supérieur. Sa maison était plus luxueuse. Elle pouvait se payer une belle garde-robe, des visites au salon de beauté, des leçons de tennis et de l'aide domestique pour la maison et les enfants. Elle pouvait s'offrir aussi du temps à elle seule. Sara appréciait les bénéfices matériels de son ménage car elle était issue d'une famille très pauvre, alors que Terry était déçue de la façon dont la vie avait disposé de son immense potentiel.

Il existe aussi des distinctions qui sont plutôt subjectives, et qu'il est impossible d'expliquer par des réalités économiques ou par un barème d'aspirations réalisées ou manquées. Sara faisait partie d'un réseau d'entraide composé de femmes comme elle, alors que Terry se sentait isolée et seule. Sara sentait qu'elle maîtrisait sa vie, et ses fonctions domestiques lui procuraient de la variété et des sentiments de réussite et d'importance. Par contre, Terry ne sentait pas qu'elle avait le contrôle de sa vie. Elle avait honte de son rôle de ménagère et n'en tirait ni satisfaction ni valorisation. Sur notre échelle de lassitude morale, Sara se trouvait au niveau le plus bas, Terry, au niveau le plus haut.

Il y a deux décennies, la majorité des Américaines ne travaillaient qu'à la maison. Leurs principales occupations étaient leurs rôles de mère, d'épouse et de ménagère, et leur degré de réussite était proportionnel à la propreté de leur maison, aux bonnes manières de leurs enfants, à la satisfaction de leur époux. Tout comme Sara, beaucoup d'entre elles se sentaient extrêmement chanceuses, plus chanceuses en fait que les hommes qui disposaient pourtant eux de la liberté de travailler. Les femmes pouvaient disposer de leur temps à leur gré tout en réalisant leur principale ambition: élever une famille heureuse. Elles ne répugnaient pas, comme Terry, à être désignées comme ''Mme John Watkins'' ou ''la mère de David''. Elles étaient fières et en sécurité dans leur rôle.

Depuis, les rôles d'occupation des Américaines ont beaucoup évolué. La majorité de celles qui travaillent à l'extérieur du foyer ne le font plus uniquement pour aider leur mari à joindre les deux bouts. De nos jours, plus de femmes sont actives sur le marché du travail, choisissant souvent des professions exigeantes où elles excellent. Mais, culturellement, les Américains s'attendent encore à ce que chaque femme accorde la priorité à ses vocations d'épouse et de mère, et ces attentes génèrent un stress externe lié à la situation et un stress interne au niveau émotif qui affectent, à leur tour, la perception qu'a la femme de carrière d'elle-même en tant que personne compétente. Tout cela crée, bien sûr, de l'épuisement et de la lassitude.

Avec un peu d'effort, chaque individu peut changer ses attitudes. Ainsi la femme qui sait qu'elle restera pendant quelques années à la maison peut profiter au maximum de cette période en s'intéressant aux tâches que lui impose ce rôle. Elle peut même s'y plaire davantage en poursuivant des cours pour adultes ou en se choisissant un passe-temps. Il est tout aussi important pour la femme qui se sent particulièrement pressurée de s'accorder des journées de congé — elle peut rester à la maison ou, quand les autres membres de sa famille sont absents, elle peut dîner avec des amis ou se promener en ville. Mieux, elle peut créer un réseau d'entraide avec d'autres femmes se trouvant dans la même situation qu'elle. La disponibilité d'un tel groupe est un facteur déterminant dans sa lutte contre l'épuisement et la lassitude.

Le stress de la femme sur le marché du travail

Les femmes dans les services sociaux et de santé

Les stéréotypes sexuels prévalent à tous les niveaux du marché de travail. Par exemple, on considère la femme comme plus portée vers l'enseignement, les services d'orientation ou infirmiers, car ces professions seraient l'extension de ses rôles domestiques puisqu'elles consistent en activités de maternage, de pourvoyance et d'aide sociale. Dans les pays industriels, les diverses statistiques sur la main-d'oeuvre reflètent clairement ces stéréotypes d'occupations. La majorité des travailleuses sont ou bien dans l'enseignement, ou bien dans les soins infirmiers[11].

Lors d'une enquête visant à étudier les perceptions qu'ont les gens de la femme professionnelle[12], nous avons constaté une forte corrélation entre la femme "féminine" d'une part et, d'autre part, la femme "bien dans sa peau", "mieux adaptée", "moins agressive et active", "plus sensible, chaleureuse et douce". Pourtant ces mêmes attributs qui inspirent tant de femmes à se chercher du travail dans les services de santé et sociaux et qui les qualifient mieux pour ce genre de travail sont aussi ceux qui les rendent plus vulnérables à l'épuisement.

La travailleuse sociale qui est aussi ménagère subit en plus le stress de ses obligations domestiques. Elle est supposée vaquer à ses occupations professionnelles et domestiques en véhiculant, à longueur de jour, empathie, sollicitude et sensibilité envers les besoins d'autrui. Comme nous l'avons mentionné au chapitre sur l'épuisement dans les services sociaux et de santé il y a trois antécédents à l'épuisement: 1) travailler avec les gens; 2) choisir soi-même sa carrière; et 3) avoir une orientation axée sur la clientèle. Ces antécédents sont d'autant plus puissants chez les femmes, particulièrement chez celles qui assument le double fardeau d'une famille et d'une profession:

1) Les femmes sont souvent attirées par les professions où elles sont appelées à travailler avec les gens, optant surtout pour des rôles "de service". Proportionnellement, les femmes sont de loin majoritaires dans l'enseignement, les soins infirmiers, les services d'orientation, sociaux et d'assistance publique. Ce sont là des fonctions qui exigent une interaction avec le public, souvent dans des circonstances difficiles, pénibles ou exigeantes sur le plan émotif. En même temps, ces mêmes femmes sont supposées, aussitôt rentrées chez elles, dispenser les mêmes services empathiques.

2) Les stéréotypes sexuels veulent que la femme soit affectueuse, nourricière, empathique et sensible aux besoins d'autrui. Si cela décrit les femmes en général, c'est encore plus vrai pour celles qui travaillent dans les services humains. En fait, la femme est plus que l'homme "prédéterminée" à faire carrière de son propre chef comme dispensatrice d'aide.

3) Les professions que beaucoup de femmes choisissent sont souvent axées sur la clientèle, tout comme le rôle de la mère est axé sur ses enfants. Mais assumer un rôle axé autour des enfants, c'est vraiment amorcer un processus sans fin: il y a toujours un petit quelque chose de plus qu'une "bonne" mère peut faire. Et ce précepte social est à l'origine de sentiments de culpabilité chez beaucoup de femmes.

Plus une femme est sensible, plus les conflits professionnels seront frustrants pour elle. Si elle est empathique, elle vivra de façon encore plus déchirante la souffrance et l'impuissance qui l'entourent. Si elle se considère attentionnée et prévenante, elle sera d'autant plus ébranlée lorsqu'elle se verra devenir insensible aux besoins d'autrui. C'est pourquoi les problèmes de l'épuisement prennent une signification toute particulière chez la femme travaillant dans les services sociaux ou de santé.

Trois générations de professionnelles

Lors d'une étude menée auprès de 424 femmes professionnelles appartenant à trois générations différentes, nous avons essayé d'explorer chez elles les similarités et les divergences de la lassitude et de ses antécédents.[13] La première génération était constituée d'étudiantes "préprofessionnelles" dont l'âge moyen était de 21 ans; la deuxième génération, de femmes "en pleine carrière" dont l'âge moyen était de 34 ans; et la troisième de "postprofessionnelles" retraitées dont l'âge moyen était de 66 ans. Les questions présentées concernaient la lassitude, les activités quotidiennes, les attitudes à l'égard des questions féministes et la satisfaction tirée du travail et de la vie. Nous vous présentons ci-dessous le résumé de cette étude.

Les professionnelles en pleine carrière

Nous avons découvert que les femmes de carrière qui sont aussi des épouses et des mères — celles donc qui sont supposées être le plus accablées par leurs deux occupations à temps plein — sont celles des trois groupes qui projettent l'image la plus positive. Même si elles travaillent plus que les autres, elles tirent plus de satisfaction de leur travail, considèrent leur rôle professionnel comme plus satisfaisant et gratifiant, et ont une attitude plus libérale à l'égard des femmes actives sur le marché du travail et leurs problèmes. La vie des professionnelles en pleine carrière est plus diversifiée, autonome et complexe. Même si elles disposent de moins de temps pour elles-mêmes, elles sont en meilleure santé et leur attitude face à la vie est plus positive que celle des femmes plus jeunes ou plus âgées. Bref, elles ont une attitude particulièrement positive face à leur vie et à leur travail.

Les femmes préprofessionnelles

Les jeunes étudiantes présentent, elles, le plus haut niveau de lassitude et le plus bas niveau de satisfaction par rapport au travail et à la vie. Elles sentent qu'elles ont entrepris beaucoup trop de choses, qu'elles ont assumé beaucoup trop d'obligations sociales, qu'elles sont constamment déchirées entre leurs études et leur vie sociale. Beaucoup sont tourmentées par leurs relations sentimentales lorsqu'elles étudient et, lorsqu'elles sont avec leur ami, elles sont envahies par la culpabilité de négliger leurs études ainsi que par l'anxiété quant aux effets de cette négligence sur leur avenir. Ces jeunes femmes se considèrent beaucoup moins autonomes que celles des deux autres groupes et se plaisent moins dans leur rôle professionnel. Elles consacrent plus de temps que les autres à l'étude et à la lecture, mais elles en tirent moins de plaisir. Leurs relations avec leur entourage sont plus difficiles, probablement à cause de la compétition dans le milieu universitaire.

Bref, les femmes les plus jeunes sont celles qui souffrent le plus de lassitude. Constatation fort étonnante, due peut-être au processus de sélection dû à la lassitude: les jeunes femmes qui sont le plus affligées durant leurs études lâcheront probablement avant même d'avoir amorcé une carrière professionnelle, ou peu de temps après. Nous pouvons supposer aussi que l'attitude positive de la femme en pleine carrière est due peut-être à une sorte d'autorationalisation: il est plus facile pour certains, les étudiants par exemple, d'admettre leur détresse lorsqu'ils n'ont pas encore opté pour une carrière. Une fois que la décision est prise et qu'on s'est résolu aux peines d'une formation professionnelle et aux conflits que cette décision crée par la suite dans un ménage, il est peut-être plus difficile d'admettre certaines difficultés personnelles.

Les femmes postprofessionnelles

Les femmes postprofessionnelles sont les plus mal-en-point physiquement, ont moins d'occupations, de divertissements et de conflits. Elles consacrent plus de temps à la télévision, aux passe-temps et aux oeuvres communautaires, ainsi qu'au ménage et aux emplettes, deux activités traditionnelles de la femme au foyer. Pourtant, même si ces femmes ont été des professionnelles à une époque où la femme de carrière était plutôt l'exception à la règle, elles souscrivent davantage à des déclarations comme ''élever des enfants est amplement suffisant pour une femme'', ''les enfants dont la mère travaille sont généralement des inadaptés'', ou encore ''la carrière de l'époux est plus importante'' que la leur. Aussi, ces femmes passent moins de temps avec leurs amis ou leur parenté et, quoiqu'elles estiment énormément leurs relations amicales, elles sentent qu'elles reçoivent moins de support inconditionnel lorsqu'elles en ont besoin.

En résumé, les plus importantes constatations faites dans cette étude sur trois générations de femmes professionnelles sont, d'une part, que le milieu universitaire est stressant pour les préprofessionnelles et, d'autre part, que les postprofessionnelles souffrent d'isolement et sont encore imbues d'attitudes traditionalistes. Quant aux femmes en pleine carrière, elles ont des attitudes plus libérales vis-à-vis des questions féministes, elles tirent plus de satisfaction de leur vie et de leur travail. Même si elles doivent s'acquitter de la double charge de leurs rôles professionnel et familial, elles ne souffrent pas plus du conflit des rôles ni de lassitude.

Dans le cas de Rose, présenté au début de ce chapitre, nous avons décrit le conflit des rôles comme étant une des sources majeures de stress chez la femme de carrière. Il semblerait pourtant, d'après les données présentées ci-dessus, que les femmes menant deux carrières souffrent moins du conflit de leurs rôles que les étudiantes préprofessionnelles. Cette contradiction s'expliquerait par le fait que nous avons comparé les femmes en pleine carrière non pas aux hommes ou aux femmes professionnels célibataires, mais à des étudiantes et à des retraitées. La contradiction est davantage éclaircie lorsque nous examinons de plus près la façon dont la femme en pleine carrière perçoit l'autonomie et la diversité. En fait, nous avons constaté que les femmes professionnelles considèrent, plus que celles des deux autres groupes, qu'elles ont le contrôle de leur vie et que leurs doubles rôles ne sont pas conflictuels mais plutôt deux sources riches en diversité. Enfin, comme l'indiquent les constatations faites chez les préprofessionnelles, le conflit des rôles est, en effet, une source de stress et un des principaux antécédents de la lassitude.

Une comparaison entre hommes et femmes de carrière

L'étude sur la lassitude chez trois générations de femmes professionnelles démontre que ce sont les femmes en pleine carrière qui assument la double obligation de leur profession et de leur famille qui tirent le plus de satisfaction de leur vie et de leur travail. Même si elles travaillent plus et qu'elles disposent de moins de temps pour elles-mêmes, leur condition leur offre plus de diversité, d'autonomie et de valorisation. Cependant, cette image des femmes professionnelles change lorsqu'on les compare aux hommes professionnels plutôt qu'aux femmes se trouvant à divers stades de leur carrière. Lors d'une étude sur la lassitude, ses antécédents et ses corrélations chez les femmes et les

hommes, nous avons remarqué que les femmes sont en désa-
vantage, particulièrement au niveau des conditions de travail.

Les femmes professionnelles souffrent d'un peu plus de
lassitude que les hommes professionnels, mais il y a quatre fois
plus de femmes qui souffrent de lassitude aiguë. Les femmes considèrent qu'elles disposent de moins de liberté, d'autonomie et
d'influence dans leur milieu de travail, lequel, en retour, leur offre
moins de diversité, de défi et d'aspects positifs. Elles considèrent
aussi qu'elles ont moins de possibilités de s'exprimer et de s'actualiser, et que leurs efforts sont récompensés moins adéquatement.
Nous avons aussi constaté que leurs milieux comportent plus
d'aspects négatifs, tels les pressions environnementales et la surcharge due aux exigences imposées par les autres. Ces constat-
tations, ainsi que les recherches prouvant que les femmes sont
victimes de discrimination et de harcèlement dans les professions dominées par les hommes, viennent à l'appui des conclusions voulant que les femmes souffrent plus d'épuisement et de
lassitude morale[14].

Une des raisons pour lesquelles l'environnement professionnel de la femme est plus lassant remonte à son choix d'occupation et de rôles. Une autre serait, d'après Margaret Henning
et Anne Jardim, la différence entre les attitudes des deux sexes
vis-à-vis de leur carrière[15]. Henning et Jardim, qui ont interviewé plus d'une centaine de femmes occupant des postes administratifs dans le monde des affaires et de l'industrie, déclarent
que les femmes perçoivent la carrière comme une source d'épanouissement et d'actualisation de soi offrant à chacun la
satisfaction de pouvoir accomplir ce qu'il ou elle aime faire. Ces
perceptions inciteraient donc les femmes à s'attendre davantage
de leur carrière que les hommes et, conséquemment, à sombrer davantage dans l'épuisement et la lassitude lorsque ces
attentes ne se réalisent pas. Par ailleurs, nos recherches démontrent que plus une femme s'actualise et dispose de possibilités de
s'exprimer, moins elle souffre de lassitude. Ceci est moins vrai
pour l'homme[16].

En général, les hommes perçoivent leur carrière comme
une progression ascendante d'emplois qui leur mérite des
marques d'appréciation et des récompenses, alors que les
femmes attribuent moins d'importance à la promotion, percevant leur profession comme une série d'emplois plutôt que

comme une carrière pour la vie. Nos recherches démontrent, en effet, qu'il existe chez les hommes, mais non chez les femmes, une corrélation entre, d'une part, l'infériorité hiérarchique et la rémunération inadéquate et, d'autre part, le niveau de lassitude. Alors que les hommes perçoivent chaque poste comme une étape de leur carrière, les femmes, elles, séparent les deux: le poste occupé fait partie du présent, la carrière est chose du futur. Les hommes poursuivent des objectifs à long terme; les femmes centrent plutôt leurs intérêts sur les projets à court terme sans trop se soucier des implications à long terme.

Toujours selon Henning et Jardim, il est difficile pour l'homme de faire le partage entre ses buts personnels et ses objectifs professionnels; il perçoit les deux comme interreliés et il tâchera de transiger avec eux s'ils entrent en conflit. En revanche, les femmes tâchent de ne pas mêler vie et carrière. D'après nos recherches, si le conflit entre la vie privée et le travail est tout aussi stressant pour les hommes que les femmes, ces dernières accordent plus de priorité à leur vie à l'extérieur de leur milieu de travail.

On a aussi constaté que l'environnement lié à l'occupation des femmes est plus stressant que celui des hommes, qu'il comporte moins d'aspects positifs, alors que la sphère de leur existence à laquelle les femmes accordent une place prépondérante, soit leur foyer, leur offre peu de diversité. Elles travaillent davantage à la maison que les hommes, se sentent plus souvent surexploitées au niveau émotif, et se laissent davantage accabler par la culpabilité et l'angoisse en se demandant constamment si elles s'acquittent de leurs occupations aussi bien qu'elles le souhaiteraient. Conséquemment, le milieu stressant de leur travail et le double fardeau émotionnel de leurs rôles génèrent chez les femmes beaucoup plus de lassitude que chez les hommes. Enfin, les réseaux sociaux représentent une source d'entraide beaucoup plus importante pour la femme que pour l'homme.

Sur l'échelle des valeurs de la femme, la qualité des relations professionnelles et familiales l'emporte de loin sur l'ambition et la compétition. Il existe, en fait, chez les femmes une forte corrélation entre les bonnes relations personnelles et la lassitude[17] — la qualité de la relation est inversement proportionnelle au niveau de lassitude. Ceci est moins vrai dans le cas des hommes. Le niveau de lassitude est beaucoup plus faible chez les employés, plus spécialement les femmes, engagés dans divers réseaux sociaux et systèmes d'entraide. Les femmes sont, de toute évidence, plus sensibles que les hommes aux aspects sociaux de leur vie et de leur travail; elles ont de meilleures relations personnelles; elles reçoivent une plus grande assistance émotionnelle de leur famille, de leurs amis et de leurs collègues, et un support beaucoup plus inconditionnel en période de stress que les hommes.

L'image de la femme professionnelle?

Il a été question au début de ce chapitre des effets du conflit des rôles sur la vie d'une femme, en l'occurrence Rose. Toute femme de carrière qui décide de fonder une famille est confrontée à ce dilemme. De plus, elle doit faire face à une question tout aussi lourde en conséquences: la perception qu'ont les autres de son double rôle. Perception que nous avons examinée lors d'une étude[18] avec, pour modèle, une femme qui, tout comme Rose, était aux prises avec un conflit de rôles et qui avait entrepris, dans sa tentative pour trouver une issue, d'examiner la façon dont les autres la percevaient. Nous lui avons demandé donc de nous parler de chacun de ces deux rôles dans deux vidéocassettes différentes. Dans les deux cas, l'entretien s'amorçait de la même façon: la femme parlait de son passé, de son éducation, de ses intérêts. La seconde partie, où la femme discutait de ses projets d'avenir, était différente: dans une cassette, elle ne fit part que de ses projets professionnels, déclarant, entre autres, qu'elle souhaitait se trouver un poste universitaire, enseigner et publier des articles scientifiques. Dans l'autre, elle ne fit part que de ses projets familiaux, disant qu'elle avait décidé de rester au foyer avec son enfant pendant qu'il était petit encore, et s'occuper de sa maison et de son jardin.

Nous avons invité ensuite divers groupes d'étudiants d'université à visionner chacun l'une ou l'autre cassette pour leur demander par la suite quelles étaient leurs perceptions de la "personne stimulus", soit la femme interviewée. Bien sûr, tous purent voir la même première partie où la femme parlait de ses aptitudes. Cependant, les étudiants qui visionnèrent la cassette où il était question de carrière, recoururent, pour décrire la femme, davantage à des épithètes attribués traditionnellement aux mâles centrés sur leur carrière: agressive, dominatrice, indépendante. Aussi, elle était davantage perçue comme centrée sur la réussite et ambitieuse, attributs associés habituellement à quiconque poursuit une carrière. En revanche, dans la cassette où la femme parlait de sa vie familiale, elle fut perçue comme moins indépendante, moins active, moins agressive, moins ambitieuse, moins dominatrice, moins centrée sur la réussite et moins capable de faire face aux pressions, comme si la femme qui choisit de fonder une famille devenait automatiquement moins compétente aux yeux des autres.

Il y eut aussi des divergences entre les réactions des hommes et des femmes. Celles-ci perçurent la personne stimulus comme plus compétente, lui attribuant plus de caractéristiques positives lorsqu'elle parlait de ses objectifs familiaux, et plusieurs d'entre elles considéraient le conflit de la femme moins comme un exercice intellectuel qu'un problème réel qu'il leur fallait résoudre elles aussi. Les femmes perçurent la personne stimulus d'un oeil plus favorable lorsqu'elle fit part de son désir de poursuivre des objectifs professionnels, d'une part parce qu'elles s'identifiaient à elle au niveau du conflit des rôles et, d'autre part à cause de leur engagement social dans le mouvement féministe.

En revanche, les hommes réagirent plus favorablement à la personne stimulus "familiale": ils la trouvèrent plus féminine, plus large d'esprit, plus sincère, plus intelligente, plus douce, mieux adaptée, plus sensible, plus chaleureuse, plus déterminée. C'était là, avouèrent-ils, une femme fort sympathique qu'ils auraient aimé connaître davantage. Ces constatations peuvent être interprétées de plusieurs façons. Il se peut qu'une femme de carrière soit plus ou moins menaçante pour les hommes, particulièrement si elle est aussi compétente et qu'elle a autant de succès que notre personne stimulus. Ou bien, qu'elle soit perçue, à cause de ses engagements professionnels, comme étant potentiellement moins capable de pourvoir aux besoins de l'homme. Elle serait donc moins féminine et moins désirable. Par contre, une femme qui décide de renoncer à une carrière pour rester au foyer est perçue comme plus compréhensive, mieux adaptée aux stéréotypes sexuels habituels, et probablement comme moins menaçante. Bref, notre personne stimulus fut perçue par les hommes autant comme femme stéréotypée (chaleureuse, sensible, douce) que comme personne à l'esprit large, bien adaptée, tout comme eux.

Une chose semble évidente: même aux yeux d'étudiants de niveau universitaire — des gens donc qui, pour la plupart, se considèrent comme ayant l'esprit large et étant bien conscients des effets préjudiciables des stéréotypes sexuels —, la femme professionnelle est toujours victime d'un dilemme où les dés sont jetés d'avance, de quelque côté qu'elle se tourne. Si elle opte pour sa carrière, elle est considérée, surtout par les hommes, comme moins féminine, moins sympathique, moins désirable; si elle opte pour le foyer, elle est perçue comme moins compétente.

Le dilemme de la femme professionnelle : une source d'épuisement

À mesure que changent les rôles des femmes et que l'influence des mouvements féministes prend de l'ampleur, de plus en plus de femmes perçoivent leur carrière comme partie intégrante de leur vie. Ce changement est encore plus évident dans le nombre toujours croissant des femmes actives sur le marché du travail: entre 1920 et 1978, le pourcentage des effectifs féminins de la main-d'oeuvre américaine est passé de 20 à 40 p. cent[19].

Il y a eu aussi un changement qualitatif de cette participation active des femmes; de plus en plus d'entre elles optent pour des professions plutôt que pour de simples emplois[20], lesquels n'offrent généralement que des rémunérations financières et relativement peu de défis, alors qu'une carrière exige une éducation soutenue et un plus grand engagement. Ce changement dans l'orientation professionnelle a d'importantes conséquences parce que comme ces femmes s'engagent plus dans leur travail, elles le considèrent davantage comme partie essentielle de leur existence.

Lorsqu'elles décident de fonder une famille, beaucoup de ces femmes se retrouvent déchirées entre leurs deux rôles. Leur engagement professionnel redéfinit en quelque sorte leurs rôles au foyer et au travail, entraînant parfois des modifications dans leur liste des priorités — le rôle professionnel se retrouve à pied d'égalité avec le rôle familial, alors que, traditionnellement, ce dernier était considéré comme prioritaire. Ce conflit engendre chez la femme épuisement et lassitude[21], la poussant même, dans les cas extrêmes, à l'effondrement émotionnel et au suicide. Par exemple, dans certains groupes professionnels, comme les médecins et les psychologues, le taux de suicide est plus élevé chez les femmes que chez les hommes, alors que c'est l'inverse partout ailleurs.

Pour éviter ce conflit, un nombre toujours croissant de femmes décident de renoncer complètement à fonder une famille. D'autres résolvent ce dilemme en accordant plus d'importance à leur rôle au foyer lorsqu'il entre en conflit avec leur rôle professionnel. Certes, il existe d'autres options (travail à temps partiel, partage des tâches, etc.) de plus en plus répandues et qui rendent plus praticable le choix de certaines femmes de mener leur vie sur deux fronts, famille et carrière.

Certaines professionnelles résolvent leur conflit en souscrivant à outrance aux stéréotypes sexuels au foyer. Elles refusent de se retrancher, comme le font la plupart des hommes, derrière leur fatigue au bureau pour s'excuser de ne pas faire plus à la maison. Conséquemment, elles s'imposent d'énormes exigences qui, dans les moments de frustration, raniment leur culpabilité et leur angoisse de ne pouvoir s'acquitter de toutes leurs obligations. Pour ces femmes, il ne suffit pas d'être une ''super-professionnelle''; il faut être aussi une ''supermère'' et une ''superménagère''.

C'est une triste réalité que celle de la femme qui est encore forcée d'assumer le fardeau du conflit de ses rôles professionnel et familial et, de plus, doit expier le prix ultime de son choix — épuisement et lassitude — car, en fait, ce conflit alimente le stress physique, mental et émotionnel si caractéristique de ces syndromes.

Deux emplois à temps plein: la réalité

En plus du stress lié à l'occupation, dont les hommes sont autant victimes que les femmes, celle qui travaille à l'extérieur du foyer subit aussi le stress généré par sa féminité, ceux dus à divers préceptes sociaux, internes et externes, comme celui voulant que la femme soit ou bien féminine (désirable), ou bien compétente et capable de réussite (non féminine, non désirable). Conséquemment, la professionnelle se retrouve souvent face à un dilemme normatif, sans recevoir le moindre support d'une grande partie de la société.

Le stress est le prix que paie chaque femme qui tâche de bien partager son activité entre le bureau et la maison. Du moment qu'elle décide de travailler à l'extérieur du foyer, elle doit s'acquitter de deux emplois à temps plein: d'une part ses occupations professionnelles, d'autre part ses principales responsabilités d'épouse et de mère[22]. Conséquemment, chaque travailleuse dispose de moins de temps pour elle-même. On a souvent décrit la travailleuse-ménagère-mère comme une personne se démenant frénétiquement pour vaquer simultanément à toutes ses fonctions[23]. Elle est probablement la première à se lever le matin pour préparer le petit déjeuner de la famille. Le midi, elle voit aux diverses commissions, et le soir, en rentrant du travail, elle fait les emplettes, puis, alors que le mari et les enfants se détendent, elle prépare le souper. Le soir et les week-ends, elle s'occupe du ménage, de la lessive et des besoins émotifs du conjoint et des enfants.

De plus, les routines quotidiennes de la femme comportent beaucoup plus d'interruptions domestiques que celles des hommes[24]. C'est généralement la mère qui accompagne les enfants chez le médecin ou qui reste à la maison lorsqu'ils sont malades. C'est généralement la mère qui rencontre les professeurs de ses enfants à la remise des bulletins ou qui est appelée à se rendre à l'école pour discuter de leurs problèmes. Et, souvent, elle n'a pas d'autre choix que d'y voir elle-même, au détriment de sa vie professionnelle.

La majorité des difficultés auxquelles la femme de carrière doit faire face procèdent des entraves sociales qui l'empêchent de mettre en oeuvre ses aptitudes professionnelles[25]. Certaines de ces entraves sont dues aux mêmes stéréotypes sexuels et professionnels qui sont à l'origine de son conflit famille-carrière. Nous avons constaté, lors de nos recherches sur les femmes, une forte corrélation entre, d'une part, le conflit des rôles et les distractions à la maison et au travail et, d'autre part, le niveau de lassitude: plus de conflit et de distractions, plus de lassitude[26]. La mère qui travaille à temps plein à l'extérieur du foyer est d'habitude la femme la plus surchargée, la plus harcelée, la plus accablée de culpabilité. C'est une personne qui ne peut pas se permettre de tomber malade, ni de se consacrer un peu de temps, ni même de s'effondrer. De plus, elle est beaucoup plus prédisposée que l'homme professionnel-père à la fatigue chronique; elle est donc le candidat idéal pour l'épuisement et la lassitude.

Possibilités de remédier aux antécédents de l'épuisement et de la lassitude

Dans l'étude sur les trois générations de femmes profession-nelles, nous avons constaté des similarités dans la satisfaction de la vie, le plaisir qu'elles tiraient de leur rôle de femme et la qualité de leurs relations familiales — autant de facteurs inversement proportionnels à la lassitude: plus une femme est satisfaite de sa vie, plus elle se plaît dans son rôle de femme, plus ses relations familiales sont bonnes et moins elle est susceptible de souffrir de lassitude.

Nous avons aussi remarqué que le niveau de lassitude croît en proportion directe avec certaines variables: la surcharge d'obli-gations sociales, les conflits à l'extérieur du milieu de travail entre vie professionnelle et vie personnelle, les préoccupations au travail dues aux problèmes domestiques et les préoccupations à la maison dues aux obligations professionnelles sont toutes des variables génératrices de stress et, conséquemment, des antécédents de la lassitude chez la femme professionnelle.

Les ouvrages scientifiques perçoivent le conflit des rôles comme une source majeure de stress, et non seulement chez la femme. Il y a conflit des rôles du moment qu'une personne assumant un rôle particulier se retrouve déchirée entre des exigences conflictuelles. Le plus souvent, cela se produit lorsque la personne est prise entre deux ou plusieurs groupes exigeant chacun un comportement différent. Le conflit des rôles a des con-séquences graves sur l'expérience subjective du stress et la per-formance de l'individu[27]. Certaines recherches ont déjà prouvé que plus une personne est accablée par le conflit des rôles, moins elle prend plaisir à son travail et plus elle est affligée par les tensions professionnelles[28]. On a aussi constaté que l'insatis-faction au travail, due au conflit des rôles, et la tension physique sont proportionnelles au niveau d'autorité des personnes qui "transmettent" les messages conflictuels sur ces rôles. De plus, le conflit des rôles affecte aussi la compétence professionnelle de la femme et, parfois, la pousse même à démissionner[29]. Enfin, nous

132

avons remarqué que le niveau de lassitude croît à mesure que croît l'ampleur du conflit des rôles[30].

Au cours de nos recherches, nous avons découvert que les pressions domestiques contribuent autant que les pressions subies à l'extérieur du foyer au conflit des rôles et au stress des femmes professionnelles[31]. D'autres recherches ont démontré que les rôles d'épouse et de mère sont les plus susceptibles, et celui de travailleuse le moins susceptible, d'être perçus comme conflictuels[32]. Au cours d'une autre recherche, nous avons remarqué une forte corrélation entre le chevauchement du stress personnel et professionnel et le niveau de lassitude[33].

Une recommandation aux femmes professionnelles: séparez autant que possible votre vie professionnelle de votre vie personnelle, particulièrement en ce qui a trait aux problèmes; au travail, concentrez-vous sur vos tâches professionnelles et évitez de penser à la maison et aux problèmes domestiques. De même, ne laissez pas le travail envahir votre vie privée et évitez d'aborder vos problèmes professionnels durant les heures que vous consacrez à votre vie familiale. Bien entendu, c'est plus facile à dire qu'à faire. Une façon de vous y prendre: accordez-vous un temps de relaxation, de "décompression", entre le travail et la maison, pour vous alléger d'une source de stress avant d'en affronter une autre. Une de nos répondantes nous dit que pour se décompresser, elle faisait du lèche-vitrine après le travail. Une autre s'assoyait tout simplement à l'arrêt d'autobus et regardait les bus passer. Certaines femmes se promènent ou font du jogging, d'autres font de la méditation ou écoutent de la musique. Ce type de compartimentation permet de circonscrire les diverses sources de stress dans le temps et l'espace et, par le fait même, d'atténuer les conflits et la lassitude.

Quoique le conflit des rôles compte parmi les sources majeures de lassitude, le niveau de celle-ci ou l'ampleur du conflit ne sont pas nécessairement proportionnels au nombre des rôles. Divers rôles peuvent servir d'autant de moyens permettant à la femme de s'exprimer et de s'actualiser — plutôt que de l'angoisser, ils l'aideront à tirer plus de satisfaction de sa vie. D'où cette autre recommandation: servez-vous de vos activités domestiques et professionnelles comme de sources alternatives de satisfaction. Le jour où vous vous sentez faillir à votre rôle de mère et de ménagère, tournez-vous vers votre travail pour rehausser

133

votre estime de vous-même et votre sens de réussite. Lorsque les choses se gâtent un peu au travail, vous avez toujours votre foyer pour vous servir d'excuse. Les femmes les plus heureuses sont celles qui sentent qu'elles sont compétentes et qu'elles réussissent dans les deux rôles. Elles savent puiser un sens de diversité et d'accomplissement dans chaque activité de leurs rôles multiples. Chaque rôle leur offre l'occasion d'exprimer une facette différente de leur personnalité et de leurs aptitudes. Elles seront, certes, beaucoup plus occupées, mais elles mèneront une vie pleine et stimulante. Sylvia représente bien ce type de femme à deux carrières qui s'acquitte avec bonheur de ses activités domestiques et professionnelles.

Sylvia était une travailleuse sociale à la clinique périnatale d'un hôpital pour enfants. Plutôt que de se laisser abattre par le stress émotif généré par ses fonctions auprès d'enfants prématurés et de leurs mères, elle voyait dans son travail une sorte d'évidence qui, tous les jours, lui rappelait l'importance de la vie et de la santé et lui faisait apprécier sa bonne fortune. Se sachant incapable d'entreprendre une carrière à temps plein alors que son enfant était encore tout petit, elle ne travaillait qu'à temps partiel. Elle se donnait tout entière à son travail. Aussitôt qu'elle rentrait chez elle, elle essayait de ne pas penser aux tragédies de ses clients. Après deux années de travail social, elle décida de participer à un projet de recherche pour se distancier de son travail. Elle sentait le besoin d'intellectualiser plusieurs des problèmes de ses clients car elle s'y était trop impliquée. Elle se familiarisa avec les diverses méthodes de recherche, expérience qu'elle trouva fort enrichissante. Sylvia aimait son travail et sentait qu'elle réussissait bien. Elle était très satisfaite d'elle-même comme mère et comme épouse, mais aussi, très consciente des risques d'épuisement inhérents à sa profession, et elle faisait de son mieux pour les éviter.

"Nous sommes prédestinés, mais nous avons quand même un choix"

Il y a des ménagères épuisées comme il y a des ménagères heureuses. Il y a des travailleuses surmenées et harcelées comme il y a des travailleuses épanouies et satisfaites. Il y a des femmes aussi bien à l'endroit qu'à l'envers de chacune des nombreuses contradictions de la femme moderne. Si selon les anciens philosophes hébreux "Nous sommes prédestinés, mais nous avons le choix final", le choix dont disposent les femmes est aussi leur plus grand avantage, un avantage dont beaucoup d'entre elles ne se rendent pas compte.

Une femme peut choisir de fonder ou de ne pas fonder une famille. Tout comme elle peut opter pour ou contre une carrière. Il est très important toutefois qu'elle prenne sa décision en pleine connaissance des conséquences probables. Chaque décision doit être fondée sur ses besoins, désirs et aptitudes, et influencée le moins possible par les diverses pressions sociales, car chaque décision entraîne des conséquences quasiment irréversibles. Il est difficile pour une femme de carrière de décider à quarante-cinq ans d'avoir quatre enfants. Il est tout aussi difficile pour une ménagère de se lancer à quarante-cinq ans dans une brillante carrière scientifique. Et ces conséquences à grande portée compliquent énormément ce choix initial.

Voici pourquoi la décision doit être prise en pleine connaissance de cause et, une fois prise, acceptée sans être regrettée ensuite tous les jours. Mais aussi, quelque soit sa décision, la femme aura à faire face à diverses pressions sociales assez fortes. Pour cela, elle doit évaluer à l'avance sa capacité de résister ou de s'adapter à ce type de stress. Elle doit être bien consciente qu'elle aura à lutter quotidiennement pour maintenir ses priorités temporelles et énergétiques. La femme professionnelle-mère doit définir les objectifs de chacun de ses rôles et répartir en conséquence son énergie mentale, physique et émotionnelle. Partager son activité entre famille et carrière implique également certains compromis. Et c'est à la femme de décider comment elle transigera, aussi bien entre ses rôles qu'à l'intérieur de chacun.

La répartition consciente et soutenue des ressources entre les divers rôles réduit le stress et le conflit de la femme. Cette répartition n'est pas uniquement une mesure préventive contre l'épuisement et la lassitude: elle peut, si elle tient compte aussi des besoins de la femme, servir de tremplin à son épanouissement.

Notes

1. R.D. Arvey et R.H. Gross, "Satisfaction Levels and Correlates of Satisfaction in the Homemaker Job", *Journal of Vocational Behavior*, 1977, vol. 10: 13-24.

2. *Ibid.*

3. M. Marx Ferree, "The Confused American Housewife", *Psychology Today*, 1976, vol. 10, no 4: 76-80.

4. *Ibid.*: 76.

5. *Ibid.*

6. Jessie Bernard, une chercheuse scientifique de la faculté de sociologie, à l'université de l'État de Pennsylvanie, est l'auteur de *The Future of Marriage, The Future of Motherhood* et plusieurs autres ouvrages sur les rôles sexuels, le couple et la famille.

7. A. Oakley, *The Sociology of Housework*, Pantheon, New York, 1975.

8. Arvey et Gross, "Satisfaction Levels".

9. Rapporté par Carol Tavris dans "Women's Work Isn't Always the Answer", *Psychology Today*, 1976, vol. 10, no 4: 78.

10. Nous avions parmi nos divers échantillons de recherche un groupe de 32 femmes au foyer. Nous avons aussi travaillé avec des ménagères dans nos divers ateliers sur l'épuisement.

11. Oakley, *Sociology of Housework*.

12. L'étude fut menée en collaboration avec Joy Stapp et Trudy Solomon, puis décrite en détail dans les publications suivantes: A. Pines, "The Influence of Goals on People's Perceptions of a Competent Woman", *Sex Roles*, 1979, vol. 5, no 1: 71-76. A. Pines et T. Solomon, "The Social Psychological Double Bind of the Competent Woman", *Research in Education*, février 1979; J. Stapp et A. Pines, "Who Likes Competent Women?", *Sex Roles, Human Behavior*, 1975, vol. 5, no 1: 49-50.

13. Pour un compte rendu plus détaillé de cette étude, voir A. Pines et D. Kafry, "The Experience of Life Tedium in Three Generations of Professional Women", *Sex Roles*, sous presse.

14. Pour un compte rendu plus détaillé de cette étude, voir A. Pines et D. Kafry, "Tedium in the Life and Work of Professional Women as Compared with Men", *Sex Roles*, sous presse.

15. M. Henning et A. Jardim, *The Managerial Woman*, Doubleday, New York, 1976.

16. La corrélation entre la lassitude et l'actualisation de soi était de $r = -0,18$ pour les hommes, $r = -0,29$ pour les femmes, et statistiquement significative ($p < 0,05$) seulement pour les femmes. La cor-

rélation entre la lassitude et l'expression de soi était de $r=-0,01$ pour les hommes, de $r = -0,42$ pour les femmes, et statistiquement significative ($p<0,05$) seulement pour les femmes. La corrélation entre la lassitude et les relations personnelles était de $r = -0,42$ pour les femmes, $r = -0,21$ pour les hommes.

17. Voir la note 16 ci-dessus.

18. Voir la note 12 ci-dessus.

19. R.J. Schiffler, ''Demographic and Social Factors in Women's Work'', *Emerging Women Career Analysis and Outlook*, éd. S.H. Osipow, Charles E. Merill, Columbus, Ohio, 1975.

20. R. Rapoport et R.N. Rapoport, ''Further Considerations on the Dual Career Family'', *Human Relations*, 1971, vol. 24: 519-533.

21. Nous enquêtâmes sur le conflit entre le travail et la vie comme corrélatif à la lassitude dans huit de nos échantillons. Les corrélations variaient entre 0,24 et 0,38, et étaient toutes statistiquement significatives.

22. Tavris, ''Women's Work''.

23. Oakley, *Sociology of Housework*.

24. *Ibid.*

25. S.H. Osipow, ''Concepts in Considering Women's Careers'', *Emerging Women: Career Analysis and Outlook*, éd. S.H. Osipow, Charles E. Merill, Columbus, Ohio, 1975.

26. Cette recherche fut décrite en détail dans les publications suivantes: A. Pines, ''Burnout and Life Tedium in Three Generations of Professional Women'', une étude présentée au congrès de l'Association américaine de psychologie, à San Fransisco, les 26-30 août 1977; Pines et Kafry, ''The Experience of Life Tedium''; Pines et Kafry, ''Tedium in the Life and Work of Professional Women''.

27. C.L. Cooper et J. Marshal, ''Occupational Sources of Stress: A Review of the Literature Relating to Coronary Heart Disease and Mental Ill Health'', *Journal of Occupational Psychology*, 1976, vol. 49: 11-28.

28. R.L. Kahn, D.M. Wolfe, R.P. Quinn, J.D. Snoek et R.A. Rosenthal, *Organizational Stress*, Wiley, New York, 1964.

29. D.T. Hall, ''Pressures from Work, Self and Home in the Life Stages of Married Women'', *Journal of Vocational Behavior*, 1975, vol. 6: 121-132.

30. Dans l'étude impliquant 424 femmes citée au début du chapitre, la corrélation entre la lassitude et le conflit travail/vie était de $r = 0,34$ ($p<0,001$).

31. La corrélation entre la lassitude et les distractions au travail était de

$r = 0,36$; entre la lassitude et les distractions à la maison, $r = 0,35$. Toutes deux sont significatives au niveau 0,001.

32. Hall, "Pressures from Work, Self and Home".

33. L'étude fut menée auprès de 563 personnes, avec la collaboration de Steve Weinberg et les membres du programme de formation administrative de l'université de l'Alabama. La corrélation entre le chevauchement vie/travail en termes de stress et la lassitude était de $r = 42$ ($p < 0,01$).

Troisième partie

Comment combattre
l'épuisement et
la lassitude

Chapitre 6

Les stratégies thérapeutiques au travail

Notre première .recherche visait à étudier l'épuisement chez les employés de garderie, plus précisément chez quatre-vingt-trois moniteurs travaillant dans douze garderies différentes[1]. Nous avons constaté que: 1) plus le rapport moniteur-enfant était disproportionné, plus les moniteurs étaient surchargés sur le plan cognitif, sensoriel et émotif; 2) les garderies où les moniteurs étaient appelés à travailler le plus d'heures comptaient aussi l'incidence la plus élevée de stress et d'attitudes négatives; 3) plus la structure du programme pédagogique était souple, plus les moniteurs souffraient de troubles émotifs; 4) les garderies où l'on comptait le plus faible taux d'épuisement et le plus haut niveau de satisfaction au travail étaient celles aussi où l'on tenait le plus souvent des réunions offrant aux employés l'occasion de se connaître, de s'entraider, de se conseiller, d'éclaircir leurs objectifs et d'influencer les politiques de l'institution.

Les conclusions de notre recherche instiguèrent à diverses modifications. Les moniteurs avaient à répondre à un questionnaire sur l'épuisement visant à déterminer les caractéristiques de leurs fonctions, leurs attitudes et leur stress. Or, leurs réponses suffirent, dans un premier temps, pour les persuader de réévaluer leurs fonctions et de modifier leur approche face à leur travail avec les enfants. Dans une certaine garderie, on organisa même une série de rencontres pour discuter des con-

141

clusions de notre recherche et entreprendre, par la suite, des changements structurels dans le fonctionnement du centre. Un suivi a été fait six mois plus tard pour évaluer les changements, en observant l'application quotidienne du nouveau programme et en interviewant les moniteurs[2]. Nous vous présentons ci-dessous les résultats de cette garderie particulière, comme une étude de cas, afin de vous démontrer comment s'appliquent les conclusions d'une recherche et les moyens dont dispose une institution pour combattre l'épuisement.

L'étude d'un cas sur les changements d'organisation

La garderie avant les changements

La garderie était située dans un centre résidentiel pour étudiants mariés et ne desservait que ces derniers. Son programme pédagogique n'avait ni structure formelle ni orientation particulière; le crédo en était un de permissivité. Les fonctions des employés consistaient à fournir le matériel de jeu, lire des histoires, organiser des jeux et s'occuper des divers problèmes sans toutefois influencer les activités des petits.

Le centre était une coopérative formée par les parents qui pouvaient y amener leurs enfants à n'importe quel moment de la journée entre 8h et 15h. En retour, chaque parent devait contribuer 3 heures par semaine comme aide-moniteur. Le centre recevait en tout 61 enfants: 8 bébés (18 à 24 mois), 18 marmots (2 à 3 ans), 27 enfants d'âge préscolaire (3 à 5 ans), et 8 en maternelle (5 à 6 ans). Mais comme les enfants arrivaient à différentes heures, il y avait, en tout temps, au plus 45 enfants. Le centre fonctionnait à pleine capacité entre 10h et 15h, les enfants étant moins nombreux en début de matinée et en fin d'après-midi.

La garderie était située dans une bâtisse ressemblant à un garage et les plafonds hauts amplifiaient le moindre bruit. L'intérieur était divisé, par des cloisons de la taille d'un enfant, en trois salles pour les petits, une salle de repos pour le personnel, une cuisine et une grande salle de jeu. Il y avait aussi, attenant au bâtiment central, un petit gymnase intérieur, une salle de bains pour les enfants, un vestiaire et une pièce pour la sieste. On y avait aussi installé, dans une cour extérieure, des échaffaudages de jeu, des balançoires, un carré de sable et divers autres jeux de plein air. Les salles des petits étaient vaguement délimitées en chambre pour bébés, chambre pour marmots et chambre pour "grands enfants", ayant chacune son moniteur ou sa monitrice en chef, assisté(e) de quelques autres, pour un total de douze adultes. Quoique l'espace fût divisé, les enfants avaient libre accès à toutes les salles, et les moniteurs se partageaient toutes les tâches et toutes les salles, peu importe le nombre d'enfants qui s'y trouvaient. En plus des parents et des moniteurs, la garderie employait aussi des étudiants volontaires qui assistaient ces derniers en retour de quelques crédits universitaires. Bref, si l'on compte tous les moniteurs, parents et volontaires, le rapport adulte-enfant était de 1 pour 3.

La garderie était caractérisée par une absence de toute structure pédagogique, un va-et-vient continuel, une forte incidence de bruit et d'agressivité. Mais cette grande permissivité laissait beaucoup à désirer comme politique pédagogique; on peut dire qu'elle était plutôt inopérante, voire préjudiciable. Si la tolérance présente, en apparence, certains avantages, une trop grande souplesse structurelle engendre bien des situations déplaisantes, comme ce continuel va-et-vient à toute heure de la journée dans notre garderie. Les parents arrivaient et repartaient, pour amener ou reprendre leurs enfants, ou bien s'acquitter de leurs obligations d'aide-moniteurs; les enfants arrivaient et repartaient à différentes heures; et les étudiants volontaires passaient faire leur devoir quand ils avaient un moment de libre. Selon un moniteur, tous les jours, il communiquait avec une centaine d'individus, y compris tous les enfants, tous les parents, tous les volontaires, tous les administrateurs. Puis, à cause de toute cette circulation et des heures irrégulières des enfants, les activités ne pouvaient être que flexibles et spontanées — impossible donc d'instituer quelque programme pédagogique régulier que ce soit. Pis, les enfants arrivant et repartant continûment, on ne savait jamais d'avance qui viendrait à la garderie, et à quel moment. Ainsi le moniteur qui projetait certaines activités pouvait s'attendre à la participation aussi bien de tous les enfants que d'aucun. De même, un moniteur pouvait se retrouver chargé de la garde de tous les enfants âgés de 2 à 6 ans participant à une activité quelconque, alors qu'un autre ne s'occupait que d'un seul bébé.

Puis, vu que tous les groupes d'âge se mêlaient les uns aux autres, les moniteurs devaient être constamment sur leurs gardes pour protéger les plus petits ou les plus faibles. Pas de programme défini donc, mais pas d'espace défini non plus. Il y avait, en plus des trois salles principales, une grande salle vide où les enfants pouvaient courir et jouer "agressivement pour libérer leur énergie". Conséquemment, ils se sentaient libres d'utiliser et parfois d'abuser de n'importe quel jouet et de n'importe quelle salle.

Les moniteurs avaient beau aimer et être affectueux avec les enfants, tout en prenant à coeur leurs devoirs de pédagogues, il n'empêche qu'ils se sentaient vidés à la fin de chaque journée, et développaient de plus en plus des attitudes négatives face aux petits et à leur travail. Souvent, ils s'accordaient des congés où ils s'adonnaient à des activités solitaires, éprouvant vivement le besoin de se couper des gens, particulièrement des enfants. Une des monitrices qui rêvait jadis d'avoir huit enfants, n'était plus certaine de vouloir même devenir mère. En fait, tous les moniteurs et monitrices se sentaient extrêmement stressés et insatisfaits de leur travail.

Les changements entrepris dans la garderie

Après avoir participé à notre recherche et examiné les conclusions de notre étude, les employés de la garderie décidèrent de modifier leur programme. Les modifications furent axées autour de deux facteurs considérés comme sources d'épuisement: le rapport moniteur-enfant et la structure du programme. En fait, ces moniteurs furent particulièrement étonnés de découvrir qu'il y avait un rapport entre un programme non structuré et la fatigue des éducateurs. Ils étaient bien conscients, certes, de leur fatigue physique, mentale et émotionnelle, mais ils n'avaient jamais fait la corrélation entre cette fatigue et la politique pédagogique de tolérance et de non-ingérence du centre. Au contraire, ils la considéraient plutôt comme une vertu et ils en étaient bien fiers.

Les moniteurs décidèrent donc d'entreprendre deux changements majeurs: une nouvelle répartition physique de l'espace du centre d'une part et, d'autre part, une nouvelle répartition de leurs tâches. Dans un premier temps, ils redistribuèrent l'espace en six salles: une pour les bébés, deux pour les marmots, deux pour les "grands enfants" et une pour ceux en maternelle. Deux moniteurs furent assignés à chaque salle occupée, elle, par un groupe spécifique d'enfants. Cela permit aux moniteurs de consacrer plus de temps à chaque enfant et de préparer des activités spécifiques pour chaque groupe. Ce premier changement fut étayé par les modifications structurelles du programme. Plutôt que de permettre aux enfants d'arriver et de repartir à toute heure, on accorda à chacun un certain nombre d'heures. De même, on assigna un horaire et une salle spécifiques à chaque parent et à chaque volontaire, et, à son tour, chaque salle se voyait attribuer ses moniteurs, ses enfants, ses jouets et son matériel de jeu.

L'évaluation à court terme
des changements

Six mois après la mise en oeuvre de ces changements, nous sommes retournés à cette même garderie pour interviewer presque tous les moniteurs et monitrices qui y avaient travaillé avant et après les changements, surtout pour savoir comment ils en évaluaient l'efficacité autant pour les enfants que pour eux-mêmes, et ce qu'ils ressentaient maintenant vis-à-vis de leur travail. Ils nous avouèrent que les changements institués dans la garderie avaient eu un profond impact sur les enfants qui, grâce aux nouveaux regroupements, connaissaient mieux maintenant leur salle, leurs moniteurs et leurs camarades. Aucun enfant ne "se perdait plus dans la mêlée" car chacun appartenait à un groupe particulier. Et cette identité de groupe leur procurait un sentiment de sécurité et d'appartenance. Ils n'avaient accès aux jouets et aux jeux de chaque salle que lorsqu'ils désiraient jouer, ce qui avait beaucoup réduit les dégâts. Bien plus, les jeux étant maintenant plus constructifs, les enfants en tiraient, selon les moniteurs, un plus grand sentiment d'accomplissement. Chez les plus jeunes, chaque enfant recevait plus d'attention. Les comportements négatifs — brimades, pitreries, etc. — accusèrent une forte baisse. Bref, les moniteurs étaient tous d'accord: les enfants semblaient plus heureux et plus à l'aise avec leurs camarades et avec les surveillants. Même ceux qui ne s'étaient jamais auparavant adressé la parole développaient maintenant des liens serrés. Les nouveaux regroupements avaient aussi, de toute évidence, réduit le nombre de bagarres, et comme les groupes étaient composés d'enfants du même âge, ils avaient chacun des activités qui convenaient à leurs intérêts et à leurs aptitudes.

De plus, chaque moniteur ayant maintenant moins d'enfants à sa charge, il pouvait établir avec eux des liens plus intimes. Il savait où chaque enfant se trouvait, quels étaient ses sentiments et ses activités. Conséquemment, les moniteurs se sentaient moins dispersés, moins confus, moins fatigués, et beaucoup d'entre eux avouèrent qu'ils commençaient enfin à sentir qu'ils s'occupaient plus efficacement du développement émotionnel de chaque enfant et à disposer du temps nécessaire pour voir aux besoins personnels de chacun d'eux.

Les changements eurent aussi une influence positive sur les relations entre moniteurs et parents. Étant donné que chaque moniteur ou monitrice s'occupait maintenant d'un plus petit nombre d'enfants, il ou elle avait à rendre compte à moins de parents, ce qui lui permettait de mieux connaître chacun d'eux, soit aux rencontres professeurs-parents, soit durant les heures de service de ces derniers et, conséquemment, de mieux connaître aussi le cadre familial de chaque enfant et d'en parler plus ouvertement avec les parents.

De l'avis des moniteurs, ces changements eurent aussi une influence très positive sur leur travail et leur attitude face à leurs fonctions. Comme chacun d'eux était assigné à un groupe spécifique et à un espace bien défini, il en tirait un plus profond sentiment d'ordre, de sécurité et d'appartenance. Aussi, en s'établissant une routine moins souvent interrompue par des événements imprévus, chaque moniteur pouvait mieux planifier et mettre en oeuvre chaque projet. Il se sentait davantage responsable pour les divers matériaux de sa salle, et il lui était plus facile de tenir compte de ses jouets, livres et jeux. Conséquemment, il consacrait moins de temps à y remettre de l'ordre à la fin de chaque journée. Ces changements présentaient un autre avantage: de l'avis de beaucoup de moniteurs, ils arrivaient maintenant à mieux s'épanouir comme éducateurs.

Les moniteurs remarquèrent aussi une amélioration dans leurs relations avec leurs collègues. Ils travaillaient en équipe pour préparer et entreprendre les diverses activités; ils communiquaient entre eux plus librement; ils se sentaient plus disposés à offrir leur aide, leur support émotionnel, leur amitié; ils participaient tous aux débats des diverses réunions du personnel qui leur permettaient, dirent-ils, de résoudre leurs désaccords et leurs problèmes, de planifier leurs stratégies pédagogiques et de mieux se concentrer, si le cas se présentait, sur les problèmes d'un enfant.

Mais l'amélioration des relations entre moniteurs était due aussi au fait qu'ils pouvaient maintenant discuter ouvertement de leur épuisement et y faire face de façon efficace. À elle seule, cette expérience de participation stimula autant le développement de la communication entre individus que leur identité de groupe. Toutefois, les moniteurs attribuèrent une grande partie de cette amélioration aux modifications apportées au rapport moniteur-enfant et à la structure de leur programme, modifications qui influencèrent directement leurs rapports personnels.

Les nouveaux problèmes

Même si les moniteurs étaient enthousiasmés par les changements entrepris dans la garderie, ils remarquèrent quand même certains effets négatifs. Certains se dirent chagrinés d'avoir été séparés de quelques enfants auxquels ils s'étaient beaucoup attachés. Aussi, une structure pédagogique plus rigide leur imposait quelques exigences supplémentaires. En assumant la responsabilité du programme d'un groupe, le moniteur se voyait relever aussi un défi — "faire marcher son programme". Il lui fallait donc établir des objectifs plus précis, s'organiser et se préparer davantage. Selon certains moniteurs, ce défi risquait de déclencher les conséquences les plus pernicieuses des changements: la rivalité entre moniteurs, et la répartition du centre en six unités indépendantes pouvait créer des conflits d'intérêt entre les diverses équipes de moniteurs.

Mais il existe plusieurs façons d'éviter ce type de rivalité. L'une d'elles consiste à organiser des activités (projection de films, excursions, etc.) auxquelles tout le monde peut participer. Tous pourraient aussi célébrer ensemble diverses fêtes. Par exemple, dans le cas de notre garderie, étant donné que les enfants étaient de diverses nationalités, on décida d'y célébrer plusieurs fêtes internationales autant pour se divertir que pour renforcer l'unité du groupe. Les moniteurs furent encouragés à participer aux réunions du personnel, à organiser des rencontres sociales, à s'inscrire à des cours pour adultes, autant d'occasions qui leur permettraient de renforcer leurs objectifs communs comme éducateurs, de résoudre tout conflit interpersonnel et de s'établir un vaste réseau d'entraide sociale et de stimulation intellectuelle.

Conclusion et brève analyse du cas

En résumé, les réactions des moniteurs face aux changements furent très positives. À leur avis, les modifications d'organisation instituées dans la garderie pour faire échec à leur épuisement avaient amélioré énormément le programme pédagogique et rendu leur travail plus facile, plus agréable et plus stimulant. Même si leurs fonctions généraient encore un certain stress émotionnel, son niveau avait été considérablement réduit. Comme le dit l'un d'eux: "Les changements ont été extrêmement salutaires. Jamais je n'aurais pu passer au travers d'une autre année comme la dernière." Selon un autre: "Dans le passé, je me sentais toujours vidé. Maintenant je me plais beaucoup dans mon travail. Tout va mieux. Je suis plein d'optimisme." Quelque temps après la mise en oeuvre des changements, les moniteurs votèrent tous pour maintenir le nouveau programme. Personne ne voulut retourner à l'ancienne routine.

Au point de vue stratégie thérapeutique contre l'épuisement et la lassitude, le cas de cette garderie démontre clairement les effets que les changements d'organisation peuvent avoir sur l'état psychologique des employés. Il est très important aussi que ces changements soient amorcés et entrepris par les employés eux-mêmes. Nous sommes convaincus que la participation active des moniteurs au processus décisionnel a rehaussé leur sentiment d'autonomie et de contrôle et a amélioré les communications interpersonnelles. Aussi, de se concentrer sur leurs objectifs personnels, sur ceux des enfants et du centre, leur a permis d'en retirer une plus grande autovalorisation. En planifiant et en instituant eux-mêmes leur programme pédagogique, ils ont pu ressentir un plus profond sentiment de défi et d'actualisation de soi. À leur tour, ces sentiments réduisent le stress et rehaussent les récompenses de n'importe quel emploi, réduisant, par le fait même, l'incidence d'épuisement.

Les stratégies d'organisation contre l'épuisement et la lassitude

Certaines structures favorisent plus que d'autres l'épuisement et la lassitude. Même les institutions identiques au point de vue objectifs, structure et fonctionnement ne présentent pas toutes le même taux de renouvellement de la main-d'oeuvre, le même niveau de démoralisation chez les employés, ou les mêmes autres symptômes d'épuisement et de lassitude. En fait, lors d'une étude menée auprès de 724 employés de 14 institutions pour retardés mentaux se trouvant dans 11 états américains différents, nous avons remarqué d'un endroit à l'autre d'importantes disparités dans le niveau moyen de lassitude[3].

Lors d'une autre étude auprès de 137 infirmières israéliennes travaillant dans six cliniques différentes du même centre hospitalier[4], on a constaté un énorme écart dans la corrélation entre diverses caractéristiques du travail et l'épuisement. Par exemple, si dans la clinique de cardiologie la diversité semblait avoir une corrélation négative avec l'épuisement (plus de diversité, moins d'épuisement), tel n'était pas le cas à la clinique des pathologies internes. De même, la complexité n'était pas aussi étroitement liée à l'épuisement à la clinique de gériatrie qu'aux soins intensifs. Il est difficile, à moins d'une observation très détaillée, de connaître la raison exacte de ces divergences et leurs causes. Mais il suffit pour le moment de souligner le fait qu'il existe parfois dans les divers départements d'une même institution d'énormes divergences au niveau des causes et des effets de l'épuisement.

Toutefois, nos recherches nous ont démontré qu'il existe dans chaque milieu de travail certains facteurs qui déterminent à l'avance si oui ou non les employés souffriront d'épuisement, et si oui ou non ils pourront surmonter le stress inhérent à leurs fonctions. Ces facteurs sont plus précisément: le rapport employé-client; la possibilité de "prendre un peu de relâche" durant les périodes de stress; le temps passé dans des circonstances stressantes; la gravité des problèmes présentés par les clients; la souplesse de l'organisation; la formation professionnelle de l'employé; les conditions de travail positives; et la valorisation par le travail. Nous discuterons en détail de chaque facteur.

Un rapport réduit

Dans les services sociaux et de santé, le nombre d'individus assistés ou soignés par chaque professionnel influe beaucoup sur la qualité de leurs relations, car à mesure que croît ce nombre, croît aussi la surcharge cognitive, sensorielle et émotionnelle du professionnel. Lors de notre recherche sur des garderies[5], nous en avions étudié douze où le rapport moniteur-enfant variait entre 1 pour 4 et 1 pour 12. Bien sûr, les moniteurs des garderies où le rapport était de 1/12 passaient plus de temps en contact direct avec les enfants et disposaient de moins de périodes de repos durant les heures de travail. Ce qui, entre autres, pousse les moniteurs à souscrire plus prestement à divers moyens pour faire taire les enfants, comme les siestes obligatoires pour tous et les tranquillisants pour les enfants hyperactifs. En outre, ces moniteurs sentaient qu'ils n'avaient presque aucun contrôle de leur travail et, en général, ils s'y plaisaient beaucoup moins que les moniteurs des garderies où le rapport moniteur-enfant était moins disproportionné.

Lors d'une étude sur le milieu des institutions d'hygiène mentale, menée auprès de cliniques d'hygiène mentale de diverses dimensions et ayant divers rapports employé-patient[6], on a remarqué que plus ce rapport était disproportionné, moins les employés se plaisaient dans leur travail et plus ils essayaient de le séparer des autres sphères de leur vie. Aussi, beaucoup d'entre eux se disaient prêts à changer de travail aussitôt qu'une occasion se présenterait. Ils ne recherchaient dans leur travail ni épanouissement ni rapports sociaux; la seule chose qui les intéressait était le salaire. En revanche, lorsque le rapport employé-patient est moins disproportionné, chaque employé est assigné à moins de patients, ce qui lui permet de s'intéresser davantage à chacun d'eux. Il dispose de plus de temps pour connaître les aspects positifs et non problématiques de la vie de chacun, et se sent moins pressé de se concentrer sur leurs problèmes immédiats ou leurs symptômes.

Malheureusement, dans la majorité des institutions des services sociaux et de santé, on a tendance à imposer un grand nombre de bénéficiaires ou de patients à chaque employé, soit à cause des restrictions budgétaires, soit à cause d'un manque de personnel. Nous tenons toutefois à rappeler aux institutions que les coûts occasionnés par l'épuisement doivent être, eux aussi, inclus dans leur budget. Si, à court terme, la surcharge de travail en général et les rapports disproportionnés en particulier réussissent à épargner de l'argent à l'institution, à long terme, ils s'avèrent extrêmement onéreux pour tout le monde[7].

La possibilité de "prendre un peu de relâche"

S'il est important qu'un individu puisse se retrancher d'une situation stressante où il subit des pressions mentales, ça l'est encore plus lorsque ces pressions sont *émotionnelles*. Le concept de "périodes de relâche" touche tout travail générant beaucoup de stress émotionnel, mental ou physique. En fait, nous avons maintes fois constaté qu'il existe une forte corrélation entre la disponibilité de périodes de relâche et la faible incidence de lassitude[8].

Les "périodes de relâche" s'avèrent particulièrement bénéfiques pour quiconque travaille avec le public. On a constaté par ailleurs, lors de diverses recherches sur les employés de garderie[9] et ceux d'institutions d'hygiène mentale[10], qu'un des moyens de prévention contre l'épuisement était la possibilité, en cas de stress et de tension, de se distancier des enfants ou des patients. Ces périodes de relâche qui, d'après nos observations, présentent la forme la plus positive de distanciation, ne consistent pas tout simplement en brèves périodes de repos comme les pause-café. Elles offrent plutôt à l'employé l'occasion de vaquer à des tâches moins stressantes pendant que ses camarades s'acquittent de ses fonctions plus stressantes. Autrement dit, l'employé se retire de tout contact direct avec le public pour s'occuper de la paperasse administrative, de l'entretien ou de la préparation des repas. Ainsi il pourra, en prenant un peu de relâche, continuer à servir l'institution tout en se remontant.

Dans le cas des garderies, les périodes de relâche étaient le plus souvent disponibles dans les centres où il y avait des employés en nombre suffisant, un système de partage des tâches, des politiques de travail flexibles et, surtout, un choix de tâches offert à chaque moniteur. Dans les garderies où il était impossible de prendre un peu de relâche, les relations professionnelles étaient pénibles et les employés se disaient impatients, irritables et retranchés psychologiquement. Dans le cas des institutions d'hygiène mentale, les employés qui disposaient de périodes de relâche avaient des attitudes plus positives face à leurs patients et à leurs chances de guérison que ceux qui ne disposaient pas d'une telle option.

Cette forme de distanciation est plus positive que celles auxquelles recourent souvent les professionnels pour se protéger, car le patient continue à recevoir des soins même si certains employés prennent un peu de relâche émotionnelle. À défaut de périodes de relâche, les professionnels se sentent davantage piégés par leurs obligations envers les clients, et ne peuvent se retrancher temporairement sans s'en sentir coupables. Dans ce cas, la distanciation se fait souvent au détriment du client puisque personne d'autre ne prend la relève. Il est important donc que chaque politique institutionnelle accorde de telles périodes de relâche volontaires. En permettant à l'employé de vaquer à des tâches où il n'aura pas à communiquer directement avec la clientèle, ces distanciations temporaires n'affectent nullement les services dispensés si la structure de l'organisation permet aussi à d'autres employés de prendre la relève et de s'occuper de la clientèle.

La réduction d'heures de travail stressant

Le nombre d'heures que chaque individu accorde au travail est généralement relatif à sa capacité de subir la fatigue, la surcharge, l'ennui et le stress. On peut donc conclure que plus les heures de travail sont longues, plus on est susceptible de s'épuiser et de se lasser. En fait, on a constaté chez les professionnels des services humains une corrélation entre les longues heures de travail d'une part et, d'autre part, le stress et les sentiments négatifs[11]. Autrement dit, plus les journées de travail sont longues, moins le professionnel se plaît dans son travail, moins il s'engage envers ses clients et moins il a l'impression d'avoir du contrôle sur les choses. Pourtant ce n'est pas tant le nombre d'heures lui-même qui affecte le professionnel que le nombre d'heures passées en contact direct avec les bénéficiaires de ses services. Dans le cas des garderies[12], les longues heures de travail étaient corrélées à une incidence plus élevée de stress et d'attitudes négatives, surtout quand les longues heures étaient consacrées aux enfants. L'incidence de réactions négatives et d'épuisement était beaucoup moins faible lorsque les longues heures

152

étaient consacrées aux tâches administratives. Les employés qui passaient plus d'heures avec les enfants finissaient par développer des attitudes négatives envers eux, puis, durant leurs congés, ils tenaient absolument à se distancier de tout enfant et de toute activité associée aux enfants. Après leur travail, ils étaient moins tolérants, moins satisfaits de leur performance, moins créateurs et plus maussades que les moniteurs qui passaient moins d'heures avec les enfants. Il est possible pourtant, autant pour l'administration que pour l'individu, d'évaluer le nombre d'heures que chacun peut consacrer à son travail sans infirmer son rendement. Selon le psychanalyste Herbert Freudenberger, les pratiques courantes des doubles quarts de travail et des fréquents quarts de nuit sont suicidaires sur le plan émotif et peuvent conduire à l'épuisement de toute une institution[13].

Les effets négatifs d'un contact direct soutenu avec la clientèle sont d'autant amplifiés que les problèmes des clients sont graves. Il est beaucoup plus stressant de côtoyer durant de longues heures des enfants gravement malades ou souffrant de troubles émotifs que de les passer avec des enfants en santé et bien adaptés. En fait, on a constaté dans les institutions d'hygiène mentale que plus il y a de schizophrènes parmi les malades, plus les employés s'épuisent[14]. En outre, ces derniers sont moins conscients de leurs objectifs, passent plus de temps à vaquer à des tâches administratives, tirent moins de satisfaction de leur travail et souhaitent davantage démissionner. Lors d'une étude sur la lassitude liée à l'occupation dans un département des services sociaux, nous avons constaté que travailler à temps plein avec des clients difficiles était la fonction la plus stressante reliée aux niveaux les plus élevés de lassitude morale[15]. D'autres études ont démontré que si les fonctions d'une personne consistent exclusivement en interventions dans les cas critiques ou en travail dans une salle d'urgence, elles s'avèrent à la longue extrêmement exigeantes.

Il est possible toutefois de limiter la durée de ces travaux. Lorsqu'une personne débute dans un emploi réputé stressant, on pourrait restreindre sa période de travail à un certain nombre d'heures. Aussi, l'alternance dans les tâches stressantes atténuerait les sentiments de culpabilité et d'échec tout en réduisant les coûts occasionnés à l'institution par l'épuisement de l'employé. Par exemple, on a constaté que les prêtres engagés dans certains programmes communautaires pour une période maximale de cinq ans sont moins susceptibles de s'épuiser que ceux qui ne se fixent pas une telle échéance. Plutôt que de succomber au stress de leurs fonctions, ces prêtres se retirent des programmes en sentant qu'ils y ont donné toute leur mesure et qu'ils sont prêts maintenant pour un changement. Par contre, on a constaté que les enseignants des centres urbains qui n'arrivaient plus à tenir le coup, et auxquels on refusait tout transfert, développaient des troubles physiologiques et psychologiques qui s'aggravaient incessamment jusqu'à handicaper beaucoup d'entre eux[16]. En limitant la durée de ses tâches stressantes, l'employé pourra mieux s'y dévouer car il saura qu'il n'aura pas à y vaquer indéfiniment[17].

Dans les services sociaux et de santé, le stress dû aux longues heures passées en contact direct avec les clients est aussi intense que celui des longues heures consacrées aux situations les plus stressantes de tout autre métier. Et les stratégies thérapeutiques recommandées pour combattre la lassitude valent autant pour l'un que pour l'autre. L'administration doit, par exemple, tenir compte des effets qu'ont les tâches stressantes sur l'employé et limiter les heures de travail qui leur sont consacrées. Pour y arriver, on peut, entre autres, établir de plus brefs quarts de travail, accorder plus de périodes de repos et de congés spéciaux, créer des postes à temps partiel. Chaque emploi consisterait aussi en autant de tâches non stressantes que de tâches stressantes. L'administration peut également réduire le nombre d'années consacrées par chaque employé aux fonctions stressantes en établissant une politique d'alternance d'emplois, de transferts latéraux et de retraite progressive. Elle peut en outre instituer des postes à temps partiel et un système de partage des tâches. L'alternance et le partage des tâches n'atténuent pas seulement la pression que subit chaque employé, mais rendent aussi chaque poste plus diversifié, intéressant et stimulant. Diverses recherches l'ont maintes fois démontré: plus les tâches sont partagées, moins elles sont stressantes pour l'individu et plus son attitude est positive[18].

La flexibilité organisationnelle

Il est possible d'assouplir suffisamment toute structure pour accommoder l'individu plutôt que de le contraindre à s'accommoder à l'organisation structurelle. Pour y arriver, il faut surtout tenir compte des différences individuelles qui existent entre les travailleurs. Si certains préfèrent assumer des fonctions décisionnelles, d'autres sont plutôt portés aux contacts communautaires, et beaucoup ne souhaitent que servir les clients. En permettant à chaque employé de choisir les tâches où il se plaît le plus, on réduit son épuisement et sa lassitude, améliorant, par le fait même, le fonctionnement de l'institution et la qualité de ses services. Nous avons rencontré dans un département des services sociaux une femme qui aimait s'occuper des cas d'inceste et dont les interventions s'avéraient particulièrement efficaces. Par contre, elle répugnait à travailler avec les alcooliques; elle se savait incapable de les aider. Grâce à la souplesse d'organisation de son département, elle réussissait à s'occuper de tous les cas d'inceste. Peu de temps après, elle devint experte en la matière et on l'invita à donner des conférences et à entraîner d'autres travailleurs. Bien plus, elle ne subissait pas la frustration d'avoir à travailler avec des clients qui, à son avis, pouvaient être beaucoup mieux desservis par d'autres travailleurs.

Certes, beaucoup d'institutions refusent d'accéder aux besoins de leurs employés. Comme dans le cas de cette anesthésiologiste qui, en dépit du déplaisir qu'elle éprouvait à voir des bébés dans une salle d'opération, était contrainte par la direction de l'hôpital à continuer à les anesthésier. Et après chaque intervention chirurgicale impliquant un enfant, elle était tourmentée par des cauchemars et sombrait dans la dépression. Elle subit une grave chute d'épuisement et quitta son poste pendant une année. Quand elle y retourna, les règlements n'avaient guère changé: chaque employé devait soigner les patients qui lui étaient assignés. L'institution se refusait carrément à changer quoi que ce soit pour l'accommoder.

Ces deux cas illustrent bien la façon dont l'organisation peut ou bien faciliter ou bien infirmer le rendement de l'individu. À notre avis, la flexibilité est une politique d'organisation beaucoup plus bénéfique, en termes de coût/bénéfice, pour l'institution car elle réduit l'épuisement des employés. Mais toute souplesse d'organisation doit, avant tout, reconnaître et faire montre de sollicitude envers les besoins de l'individu. Il doit être accordé une certaine liberté dans le choix des clients et des tâches, et suffisamment d'autonomie pour établir son propre horaire et s'acquitter de ses fonctions à sa façon. Une telle politique qui permet à l'employé de travailler dans des circonstances qui amélioreront son rendement ne peut être que bénéfique pour l'institution.

Aussi, une institution peut être suffisamment flexible pour permettre à ses employés de s'épanouir et de se transformer. Lorsque l'un d'eux manifeste des symptômes de lassitude en vaquant à certaines tâches, on devrait pouvoir lui attribuer d'autres responsabilités. Malheureusement, dans beaucoup d'institutions, lorsqu'on remarque qu'un employé s'acquitte bien de certaines tâches, on lui demande d'y vaquer "indéfiniment". Pourtant, la routine peut conduire n'importe qui à l'épuisement et à la lassitude, même si au tout début il tirait beaucoup de satisfaction de son travail. (Johnny Carson, animateur d'une des émissions de télévision les plus populaires, expliqua à ses employeurs sa décision de démissionner en ces mots: "Je n'arrive plus à offrir à l'émission tout ce que j'aimerais y mettre de moi-même. Après 17 ans, je suis fatigué au niveau mental et émotif.") Plutôt que d'assigner continuellement les mêmes tâches aux mêmes employés, ceux-ci devraient pouvoir alterner de fonctions.

Mais beaucoup d'administrations ont tendance actuellement à pousser certains employés quasiment à l'épuisement en assignant toujours les tâches difficiles et en imposant des échéances à la "seule" personne — qui est toujours la plus occupée — capable de s'en acquitter à temps. Dans ce genre de routine, la diversité est un excellent moyen d'atténuer le stress.

Certains psychologues industriels enquêtant sur le stress lié à l'occupation appellent l'attention sur la capacité préventive de la sélection, même si les moyens dont on dispose pour choisir les candidats aux postes complexes sont équivoques et que le processus d'interview laisse beaucoup à désirer comme moyen de sélection[19]. Beaucoup de directeurs du personnel nous ont demandé s'il y avait quelque moyen de déterminer dès la première interview la propension à l'épuisement de chaque candidat, et si nous pouvions leur établir un test quelconque qui les aiderait à prévoir qui sombrera dans l'épuisement et à quel moment. Le motif de toute cela était, bien sûr, de pouvoir reconnaître et embaucher les individus qui ne s'épuisent pas ou qui ne se laissent pas gagner par la lassitude. Notre réponse: même si un tel test existait, nous ne le recommanderions jamais. La raison en est bien évidente. Comme nous l'avons déjà mentionné, ce sont les individus qui, par leur idéalisme et leur sollicitude, offrent le plus à une institution qui sont aussi les plus vulnérables à l'épuisement. Conséquemment, un tel "triage" priverait une institution de ses employés potentiels les plus précieux. En fait, si nous avions la charge d'une administration, nous embaucherions les employés les plus idéalistes, les plus attentionnés, les plus engagés, et nous les aiderions par la suite à se créer un environnement qui minimiserait l'épuisement. Un fait qui vient indirectement à l'appui de cette hypothèse: le renouvellement de la main-d'oeuvre dû à l'épuisement est en grande partie volontaire (l'employé choisit lui-même de démissionner), alors qu'une mauvaise sélection au départ entraînerait un renouvellement involontaire de la main-d'oeuvre (le licenciement des employés)[20]. Étant donné que l'épuisement et la lassitude sont en grande partie une fonction inéluctable des caractéristiques du système, il serait plus pratique de réexaminer l'organisation d'une institution plutôt que de sélectionner les individus qui l'accommoderont.

La formation professionnelle

On devrait inclure dans toute formation professionnelle certains cours destinés à minimiser les risques d'épuisement et de lassitude. Souvent, ceux qui possèdent une formation supérieure choisissent de faire carrière dans leur profession parce que c'est là qu'ils pensent pouvoir le mieux s'épanouir. Au départ, ils sont pleins d'espérance, autant pour eux-mêmes que pour leur travail, mais ils ne tardent pas à sombrer dans l'épuisement. Toute formation professionnelle, particulièrement dans les services sociaux et de santé, tend à créer chez l'étudiant de grandes espérances de par l'importance qu'elle accorde à l'expression de soi et à l'authenticité, à l'expérimentation et à la quête de nouveau et de stimulant. Autant d'espérances frustrées lorsque le professionnel se rend à l'évidence qu'il n'est qu'un simple rouage d'une immense machine bureaucratique ou lorsqu'il se voit vaquer à des occupations monotones. À notre avis, il est très important de préparer l'étudiant, qui se propose de faire carrière dans les services humains, aux stress qu'il aura à affronter dans son travail, et de lui présenter une image plus réaliste et équilibrée des relations professionnel-client. L'étudiant devrait savoir dépister les antécédents d'une imminente chute d'épuisement autant chez lui que chez les autres, et apprendre à se soigner lorsqu'il souffre de stress. Tout aussi importants sont ces cours où il apprendra également à fonctionner dans une bureaucratie.

Tous les professionnels devraient en fait apprendre à circonscrire le stress mental et physique. Dans le cas où une formation universitaire n'offre pas de tels cours préventifs, la responsabilité en incombe à l'administration pour qui l'individu travaille. Elle devrait familiariser chaque nouvel employé avec le stress lié à l'occupation, avec les antécédents de l'épuisement et de la lassitude, et avec les diverses stratégies thérapeutiques; elle devrait également lui expliquer clairement les exigences de chaque poste afin qu'il décide lui-même s'il est à la hauteur de ses fonctions ou s'il devrait démissionner.

Tout aussi utile est la formation continue dans le milieu de travail. Les séminaires, les conférences et les ateliers sont autant de moyens pour réduire les risques de lassitude et d'épuisement. Bien plus, ils offrent à l'employé l'occasion de se distancier de son travail, d'en examiner les pressions, d'éclaircir ses objectifs et de considérer les diverses stratégies thérapeutiques dont il dispose mais qu'il n'utilise pas.

La formation du personnel peut également offrir à l'individu l'occasion de se développer des aptitudes relatives à ses fonctions: aptitudes administratives, connaissances en informatique, capacité de diagnostic, aptitudes d'intervieweur, etc. Les programmes efficaces de formation et une tutelle stimulante sont deux des moyens dont dispose toute administration pour aider ses employés à acquérir des aptitudes et à améliorer celles qu'il a déjà.

Des conditions de travail positives

Il y a une forte corrélation entre les pressions environnementales (bruit, bureaux inconfortables, températures extrêmes) et la lassitude: plus il y a de pressions environnementales, plus on souffre de lassitude[21]. En effet, nous avons constaté qu'un environnement physique confortable, agréable et conçu pour répondre aux goûts, besoins et préférences du travailleur, produit beaucoup moins de lassitude qu'un environnement déplaisant. Pour beaucoup d'employés, il est particulièrement frustrant de vouloir se concentrer, interviewer ou dispenser des soins thérapeutiques dans un bureau bruyant ou inadéquat. Un environnement intime,

tranquille et de bon goût est, de l'avis de plusieurs, une caractéristique positive du milieu du travail. Bien plus, c'est une marque
de considération de la part de l'administration pour le bien-être
psychologique de ses employés. Toutefois, d'après Albert
Mahrabian, professeur de psychologie à l'université de Californie, à Los Angeles, le même environnement ne convient pas
nécessairement à tous[22]. Il est tout aussi absurde de forcer tout
le monde à vivre et à travailler dans le même type d'environnement que de leur imposer la même pointure de soulier. Les
milieux de travail et résidentiels doivent accommoder autant que
possible les besoins et les préférences de l'individu et être aussi
personnalisés que possible.

Les conditions de travail incluent également le degré d'ingérence bureaucratique; en d'autres mots, jusqu'où l'administration peut-elle se permettre de s'ingérer dans la réalisation des
objectifs de chaque travailleur, et combien de désagréments
administratifs (paperasse, fonctionnarisme, problèmes de communication, etc.) peut-elle lui imposer. En fait, nous avons constaté une forte corrélation entre, d'une part, l'ingérence bureaucratique et les désagréments administratifs et, d'autre part, la
lassitude[23]. Chaque administration peut réduire les pressions
environnementales et rendre l'environnement physique du travailleur aussi agréable que possible. Quelques solutions: cloisons
de séparation pour augmenter l'intimité et réduire le bruit, cou-
leurs agréables, plantes, éclairage indirect, permettre à chaque
employé de décorer son propre bureau. L'administration peut
également combattre la lassitude en simplifiant certaines entraves
bureaucratiques, comme les formulaires complexes, les réseaux
de communication enchevêtrés, les procédures de travail inutilement compliquées.

La valorisation par le travail

Il est difficile pour une personne de croire qu'elle a une
influence quelconque lorsqu'elle ne voit jamais l'aboutissement de
ses efforts. Par exemple, le professionnel qui, dans les services
sociaux ou de santé, ne s'occupe que des interviews, est beaucoup moins privilégié que le thérapeute qui voit en peu de temps
le progrès de ses clients. De même, le travailleur qui, dans une
usine, ne s'occupe que de poser les pare-chocs des automobiles,
tire beaucoup moins de gratification que ceux qui, travaillant en

équipe, assemblent toute une voiture. Malheureusement, beaucoup de travaux à la chaîne et d'emplois de service en relations humaines n'offrent à l'individu aucun sentiment d'accomplissement.

Il est très important, dans ces cas, que l'administration fournisse à ses employés l'occasion de puiser dans leur travail un sentiment d'accomplissement. Dans ses écrits sur l'innovation du milieu de travail comme mesure préventive contre l'aliénation des travailleurs, R.E. Walton fait mention de certaines techniques innovatrices mises en oeuvre avec bonheur à l'usine de General Foods de Topeka, au Kansas[24], où l'administration accorda à des groupes autonomes de travailleurs la responsabilité collective de divers stades de la production, pour qu'ils puissent se partager les tâches et tirer plus de satisfaction de leur travail.

Un des moyens dont dispose toute administration pour aider le travailleur à ressentir un sentiment d'accomplissement de ses fonctions consiste à établir des objectifs institutionnels précis et réalisables, et à réviser périodiquement les progrès individuels et institutionnels dans la poursuite de ces objectifs. Ces derniers consistent autant en objectifs institutionnels internes qu'en objectifs plus généraux — dispenser de meilleurs services au public, atteindre une certaine excellence professionnelle, etc.

La rétroaction est un autre moyen de rehausser la valorisation de l'employé par son travail. La rétroaction et la critique constructive engagées par les supérieurs doivent être spécifiques et directement reliées à des innovations réalisables. Une telle rétroaction permet à chaque travailleur d'améliorer sa performance et de renforcer ses sentiments de valorisation et de réussite. Bien plus, elle rehausse également le moral de toute l'institution.

Les récompenses dispensées par l'administration rehaussent, elles, l'estime de soi de chaque travailleur. Elles consistent, entre autres, en rémunérations financières; en avantages extrinsèques comme les bénéfices, la sécurité et les possibilités de promotion; en avantages intrinsèques comme les marques d'appréciation et de reconnaissance. En fait, nous avons constaté une forte corrélation entre l'absence de récompenses et la lassitude[25]. Les psychologues institutionnels affirment qu'en rehaussant la qualité du travail, on renforce aussi la motivation et la valorisation du travailleur en plus de lui fournir l'occasion de s'épanouir psychologiquement[26].

Chaque institution se doit de reconnaître le besoin d'accomplissement, de récompense, d'appréciation et de valorisation. Lorsqu'ils sont satisfaits, ces besoins servent de puissants tampons contre l'épuisement et la lassitude.

Notes

1. C. Maslach et A. Pines, "The Burnout Syndrome in the Day Care Setting", *Child Care Quarterly*, été 1977, vol. 6, no 2: 100-113.

2. Vous trouverez une description détaillée de cette étude de cas dans A. Pines et C. Maslach, "Combatting Staff Burnout in a Day Care Center: A Case Study", *Child Care Quarterly*, 1980, vol. 9, no 1: 5-16.

3. Cette étude fut menée avec la collaboration de Steve Weinberg et de l'équipe du Programme de formation administrative de l'université de l'Alabama. Les niveaux moyens de lassitude s'échelonnaient entre $\bar{x} = 2{,}9$ et $\bar{x} = 3{,}4$ ($p < 0{,}0004$).

4. E. Eldar, "Burnout in Hospital Nurses and Its Association with Objective Measures of Department Characteristics". Thèse de maîtrise en Sciences administratives et comportement organisationnel, présentée à la faculté des études administratives de l'université de Tel Aviv, en Israël. Un des objectifs de cette étude était de fournir une analyse détaillée, basée sur l'observation, qui pourrait expliquer ces divers modèles.

5. Maslach et Pines, "Burnout Syndrome".

6. A. Pines et D. Maslach, "Characteristics of Staff Burnout in Mental Health Settings", *Hospital and Community Psychiatry*, 1978, vol. 29, no 4: 233-237.

7. Par exemple, Mitzi Duxbury, professeur de nursing à l'université du Minnesota, a documenté le rapport qui existe entre l'épuisement et le renouvellement de la main-d'oeuvre en étudiant diverses cliniques périnatales à travers les États-Unis. John W. Jones, psychologue de l'université De Paul de Chicago, en Illinois, a constaté que l'épuisement était fortement corrélé à des réactions telles que le renouvellement de la main-d'oeuvre, l'absentéisme, les retards fréquents, l'indiscipline et l'alcoolisme.

8. Lors d'une étude auprès de 205 professionnels, la corrélation entre la lassitude et la disponibilité de périodes de relâche était de $r = -0{,}18$ ($p < 0{,}05$). La corrélation chez 85 étudiants était de $r = -0{,}35$ ($p < 0{,}05$).

9. Maslach et Pines, "Burnout Syndrome".

10. Pines et Maslach, "Characteristics of Staff Burnout".

11. Maslach et Pines, "Burnout Syndrome".

12. Maslach et Pines, "Burnout Syndrome".

13. H.J. Freudenberger, "The Staff Burnout Syndrome in Alternative Institutions", *Psychotherapy: Therapy Research and Practice*, printemps 1975, vol. 12, II: 73-82.

14. Pines et Maslach, "Characteristics of Staff Burnout".

15. A. Pines et D. Kafry, "Occupational Tedium in a Social Service Organization" (Rapport de recherche, Berkeley, Californie, 1979). Le niveau moyen de lassitude du travail avec des cas problèmes était de 5,1; dans les services d'information au public, de 3,1; dans les services d'enquête, de 3,1; dans les services d'orientation technique, de 2,7; dans les tâches administratives, de 2,2.

16. A.M. Block, "Combat Neurosis in Inner City Schools", étude présentée à la 130e assemblée annuelle de l'Association américaine de psychiatrie, en mai 1977.

17. E. Walster et E. Aronson, "The Effect of Expectancy of Task Duration on the Experience of Fatigue", *Journal of Experimental Social Psychology*, 1967, vol. 3: 41-46.

18. Maslach et Pines, "Burnout Syndrome"; Pines et Maslach, "Characteristics of Staff Burnout".

19. Par exemple, R. Kahn, "Job Burnout, Prevention and Remedies", *Public Welfare*, printemps 1978: 61-63.

20. Entretien privé, Mitzi Duxbury, École de Nursing, université du Minnesota. R. Van Der Merwe et S. Miller, "The Measurement of Turnover", *Labor Turnover and Retention*, éd. par B.O. Pettman, Wiley, New York, 1975: 3-30.

21. Par exemple, dans une étude menée auprès de 205 professionnels, la corrélation entre la lassitude et les pressions environnementales dans le milieu de travail était de $r = 0,27$ ($p < 0,001$); alors que celle entre la lassitude et le confort physique de l'environnement était de $r = -0,29$ ($p < 0,001$).

22. A. Mehrabian, *Public Spaces Private Places*, Basic Books, 1976.

23. Par exemple, dans l'étude menée auprès de 205 professionnels, la corrélation entre la lassitude et l'ingérence bureaucratique et celle entre la lassitude et les désagréments administratifs étaient de $r = 0,20$ ($p < 0,05$).

24. R.E. Walton, "Alienation and Innovation in the Work Place", *Work and the Quality of Life*, éd. par J. O'Toole, MIT Press, Cambridge, Mass., 1974: 227-245.

25. Dans l'étude des 205 professionnels, la corrélation entre la lassitude et un système adéquat de récompenses au travail était de $r = -0,33$ ($p<0,001$).

26. F. Herzberg, *Work and the Nature of Man*, World Publishing, Cleveland, 1966.

Chapitre 7

Les réseaux d'entraide sociale

Aucun homme n'est une île se suffisant à elle-même; chaque homme constitue une partie du continent'', proclamait au XVIe siècle le poète John Donne. Poètes et psychologues se sont depuis longtemps rendus à l'évidence: l'humain est un être social dont le besoin d'intimité, comme celui de solidarité avec ses semblables, constituent l'essence même de sa nature. Nous savons tous que le nourrisson ne saurait survivre longtemps sans les soins, nourriciers et autres, de cette tranche du système social qu'est la famille. Il en va de même pour l'adulte: sa vie se définit en fonction de son appartenance à un réseau social complexe sans lequel il ne saurait survivre en tant qu'être humain. Les facteurs sociaux jouent un rôle capital autant comme sources que comme moyens thérapeutiques de l'épuisement et de la lassitude. Ce chapitre est consacré au rôle de ces facteurs sociaux.

Les réseaux sociaux

Kurt Lewin, un des fondateurs de la psychologie sociale, a beaucoup insisté sur l'importance des facteurs sociaux, comme l'appartenance à un groupe, dans presque tout comportement humain: par exemple, le choix d'objectifs que se fixe l'individu est influencé par les standards sociaux des groupes auxquels il appartient ou désire appartenir[1]. Selon Lewin, chaque individu est généralement membre de plusieurs groupes qui se chevauchent: par exemple, il peut appartenir simultanément à un groupe professionnel, à un parti politique et à un club récréatif. Mais tous les groupes n'influencent pas de la même façon le comportement de l'individu. Pour certaines personnes, les affaires ont priorité sur la politique; pour d'autres, le parti politique a priorité sur tout. Aussi, l'influence des divers groupes varie à divers moments: par exemple, lorsqu'il est chez lui, l'individu subit une plus grande influence de sa famille que lorsqu'il est au bureau. Le groupe auquel appartient l'individu est une des composantes majeures "du sol qui le soutient": "L'élan et la détermination de chaque acte, les motifs déterminants qui nous poussent à lutter ou à abdiquer sont quelques-unes des caractéristiques fondamentales de notre comportement qui dépendent de la fermeté du sol qui nous soutient[2]."

Selon Marc Pilisuk, professeur à l'université de Californie, durant une grande partie de l'histoire de l'humanité, le réseau social dont chaque individu faisait partie toute sa vie était constitué d'environ 15 à 150 personnes[3].

Nous appartenons pour la plupart à une famille, dont nous sommes les enfants, et à une autre où nous assumons le rôle d'époux ou de parent. Nous appartenons également à une famille extensive où nous sommes grands-parents, petits-enfants, membres d'une belle-famille, tantes ou oncles, nièces ou neveux. Sans oublier qu'au cours de notre vie nous développerons aussi des réseaux d'amis. Certains d'entre nous maintiennent toute leur vie adulte des rapports très spéciaux avec leurs amis d'enfance. D'autres changent souvent d'amis et développent des liens avec leurs voisins ou avec d'autres personnes partageant les mêmes intérêts. Certains voisins et certains membres d'un groupe ou l'autre deviennent des amis intimes; d'autres resteront toujours de simples connaissances. En plus des réseaux sociaux composés de la famille, des amis et de la communauté, nous appartenons également à des réseaux sociaux dans le milieu de travail, composés, ceux-ci, de supérieurs et de subalternes, de camarades de travail et de clients, ainsi que de collègues oeuvrant dans d'autres milieux et groupes professionnels.

Chaque réseau auquel nous appartenons implique des exigences inhérentes au rôle que nous y tenons. Par exemple, on s'attend à certaines choses spécifiques d'un "père", d'une "épouse" ou d'un "associé", et quiconque enfreint ces exigences risque le ridicule ou la réprobation. Dans les cas extrêmes, la transgression de ces règles peut conduire au divorce, au licenciement ou aux poursuites judiciaires. Enfin, chaque réseau implique aussi certains stress et récompenses qui lui sont uniques et d'autres qui le sont moins.

Donc, vu l'importance fondamentale de ce système complexe de réseaux sociaux et des bénéfices et exigences qui leur sont concomitants, il n'est pas étonnant d'apprendre que 1) les exigences conflictuelles des divers réseaux ou l'ambiguïté de ces exigences constituent une source majeure d'épuisement, et 2) l'emploi efficace et créateur d'un réseau d'entraide sociale compte parmi les plus efficaces stratégies thérapeutiques contre l'épuisement.

L'identification des pressions imposées par les réseaux sociaux

Nous avons constaté qu'il est très utile pour chaque individu de déterminer précisément le temps qu'il consacre aux exigences imposées par ses divers réseaux sociaux. Au cours de nos ateliers, nous demandions aux participants de nous faire la liste des réseaux sociaux qui leur étaient les plus importants (famille nucléaire, famille extensive, travail), puis d'énumérer les exigences imposées par chacun d'eux. Par exemple, Philippe: il enseigne la biologie dans une université, a 34 ans et est père de trois jeunes enfants. Pour lui le travail était la sphère de sa vie qui lui imposait le plus d'exigences. Entre autres:

1. Entreprendre beaucoup de recherches personnelles;
2. Publier ces recherches;
3. Enseigner à ses étudiants de 2e cycle comment entreprendre des recherches;
4. Donner des cours stimulants et divertissants à une classe nombreuse de 1er cycle;
5. Conseiller des dizaines d'étudiants à propos des cours, carrières, etc.;
6. Mettre ses ressources à la disposition de ses collègues;
7. Siéger à d'innombrables comités universitaires (et impressionner les autres membres par son intelligence);
8. Être un "bout en train" aux réunions sociales organisées par le doyen de sa faculté;

167

9. Laisser tomber ici et là, durant les conversations avec des collègues plus âgés, des citations littéraires afin de leur montrer qu'il n'a pas l'esprit "étroit".

En énumérant de cette façon les exigences qui nous sont imposées, puis en examinant cette liste, il est plus facile de déterminer dans quelle mesure chaque exigence est essentielle, actuelle, légitime et raisonnable. Par exemple, de l'avis de Philippe, toutes ces exigences étaient importantes, et il devait déployer d'énormes efforts pour les satisfaire s'il tenait à obtenir une chaire permanente à la faculté, chose qui le préoccupait plus que toute autre.

Lorsqu'on les compare aux exigences imposées par sa famille nucléaire, on se rend vite compte que celle-ci est particulièrement accommodante. Bien sûr, Philippe devait gagner un certain revenu pour subvenir aux besoins de sa femme et de ses jeunes enfants. De plus, un après-midi par semaine, il restait à la maison pour garder les petits et permettre à sa femme d'aller à ses cours de céramique. Il l'aidait également à discipliner les enfants, il leur racontait occasionnellement des histoires à l'heure du coucher, les emmenait parfois se ballader en auto pendant le week-end, et ainsi de suite.

Fait assez intéressant, Philippe était davantage dépité par les exigences relativement menues que lui imposait sa famille que par celles, lourdes, qui procédaient, selon lui, de son travail. Pourtant, selon lui, sa famille avait priorité sur son travail. Ce n'est qu'en rédigeant une telle liste que Philippe s'est rendu compte à quel point il était injuste envers sa famille. Bien plus, en examinant attentivement et honnêtement la liste des exigences qu'il considérait comme imposées par son poste universitaire, il s'est rendu compte que plusieurs d'entre elles étaient imposées par *lui-même* et non par le système. En d'autres mots, cet examen attentif lui a permis de voir que les exigences qu'il s'imposait en tant que professeur, chercheur et collègue, l'emportaient de loin sur celles imposées par la faculté et usurpaient du temps et de l'énergie qu'il aurait pu investir de façon plus productive dans les autres réseaux qu'il jugeait, d'après son échelle de valeurs, prioritaires.

Nous recommandons donc à chaque lecteur et lectrice de faire leur propre liste et de bien l'examiner. Il est très important, répétons-le, d'éclaircir toute ambiguïté qui existerait entre une exigence réelle imposée par un réseau particulier et une exigence imposée par soi-même. Un autre exemple: la mère de David aimerait bien qu'il l'appelle de temps à autre, mais David se fait un devoir de lui téléphoner trois fois par semaine. Avec le temps, il finira par percevoir cette sentence de "trois fois par semaine" comme émanant de sa mère. Il faut absolument savoir faire la différence entre, d'une part, les exigences réelles et, d'autre part, l'interprétation qu'on leur donne et les exigences qu'on s'impose. Parfois, il est possible de mettre cela à l'essai: Philippe décidera de conseiller moins d'étudiants et de siéger à moins de comités; David se limitera à un appel téléphonique par semaine — et tous deux verront par la suite si leurs décisions auront de graves répercussions.

Chaque réseau social n'est pas seulement une source d'exigences, mais aussi la source de certaines de nos plus importantes récompenses. Et l'une d'elles, qui représente aussi une des fonctions majeures de tout réseau social est l'entraide.

Les réseaux d'entraide sociale

Telle que définie par le Dr Sidney Cobb, de l'université Brown, l'*entraide sociale* est un *signal informant* l'individu qu'il est aimé et affectionné, estimé et valorisé, et qu'il appartient à un réseau de communication et d'obligations mutuelles[4]. Le Dr Cobb base cette assertion sur une riche documentation: les relations d'entraide protègent les individus contre les effets physiologiques du stress de la vie. Il appert aussi, d'après cette même étude, que l'entraide sociale est capable, en temps de crise, de protéger l'individu contre divers états pathologiques: d'une naissance prématurée jusqu'à la mort, de l'arthrite à la tuberculose, la dépression, l'alcoolisme et l'effondrement social. Bien plus, l'entraide sociale peut réduire la posologie des médicaments requis et accélérer la récupération. Que l'entraide sociale protège l'individu est un fait solidement prouvé par les diverses transitions du cycle de la vie, de la naissance à la mort.

Gerald Caplan, qui a entrepris des travaux approfondis dans le domaine des réseaux d'entraide sociale, définit ceux-ci comme des *liens interpersonnels* viables que l'individu établit avec des groupes sur lesquels il peut compter pour recevoir, en cas de besoin, support émotionnel, aide, ressources et rétroaction, et

169

avec lesquels il partage les mêmes valeurs et standards[5]. Selon une définition plus pratique, un réseau d'entraide est un groupe de personnes qui, bon an mal an, aident l'individu, et vers lequel celui-ci peut se tourner pour épancher ses peines et ses sentiments sans craindre la réprobation. Il y a plus: l'aide émotionnelle et l'encouragement que nous offrons à autrui mobilisent en nous les ressources psychologiques qui nous aideront à surmonter nos propres conflits émotifs. Et, bien sûr, en dispensant une aide tangible, des ressources, de l'information et des conseils cognitifs, nous aidons les autres à acquérir des aptitudes qui leur permettront de surmonter leurs situations stressantes. Selon Caplan, chaque individu appartient, idéalement, à plusieurs groupes d'entraide, dans la vie privée comme au travail, dans ses activités paroissiales ou récréatives, car chaque réseau d'entraide sociale lui sert de tampon et l'aide à maintenir au fil des années son bien-être psychologique et physique.

Nous avons constaté à travers nos recherches que l'emploi créateur des réseaux d'entraide sociale offre un moyen efficace de prévention contre l'épuisement et la lassitude. Nous avons également constaté que la majorité des gens n'utilisent pas adéquatement les réseaux potentiels d'entraide sociale. Ils gaspillent plutôt cette précieuse ressource car ils ignorent l'importance des réseaux d'entraide sociale, leurs diverses fonctions et la meilleure façon de les utiliser.

Les fonctions d'un réseau d'entraide sociale

Les fonctions d'un réseau d'entraide sociale sont nombreuses. Voici pourquoi nous les avons classifiées en six catégories principales: prêter l'oreille, offrir une aide technique, un défi technique, une aide émotionnelle, un défi émotionnel et, enfin, une réalité sociale. L'individu qui compte dans son entourage des personnes remplissant toutes ces fonctions est bien protégé contre l'épuisement et dispose de moyens viables pour alléger le stress de sa vie et de son travail.

Il est extrêmement important que chacun sache distinguer entre les diverses fonctions de l'entraide sociale. Souvent, l'individu qui traverse des situations très propices à l'épuisement a la vague impression qu'il ne reçoit pas suffisamment d'entraide sociale, et finit, le plus souvent, par être déçu par tous ses proches (par exemple, le conjoint) parce que ces derniers ne l'aident pas suffisamment, *même lorsque l'aide spécifique dont il a besoin est tout à fait hors de portée de leurs rôles habituels*. Certes, il a terriblement tort d'être déçu d'une personne qui ne lui apporte pas une aide qu'elle est tout simplement incapable d'offrir. Et vous comprendrez pourquoi une telle déception est injuste lorsque nous décrirons les diverses fonctions des réseaux d'entraide sociale. Disons, pour le moment, que cette classification des six fonctions n'est pas juste un simple exercice intellectuel ni une façon de conceptualiser le problème. Au contraire, elle a des applications pratiques et immédiates: par exemple, elle vous enseigne, dans un premier temps, à distinguer entre les diverses fonctions pour que vous puissiez déterminer celles dont vous disposez et celles qu'il vous reste à satisfaire. Puis, lorsque vous aurez appris à distinguer parmi toutes ces fonctions, vous saurez également déterminer de façon réaliste quels membres de votre entourage sont les plus aptes à remplir les fonctions concernant vos besoins insatisfaits.

L'écoute active

Nous avons tous connu des moments où nous avions besoin d'une ou de plusieurs personnes qui nous écouteraient *activement* en s'abstenant de nous donner des conseils ou de porter des jugements. Nous avons tous besoin d'une personne avec qui nous pouvons partager les joies de nos réussites et le déplaisir et la frustration de nos échecs. Nous avons tous besoin d'une personne avec qui nous pouvons partager autant nos conflits que les incidents ordinaires du quotidien. Quiconque travaille dans un milieu stressant a besoin, de temps à autre, d'épancher ses peines. Un bon auditeur actif sait écouter avec discernement et compassion. Un mauvais auditeur peut gaffer de bien des façons. Un exemple: dans une école de ghetto, où les conditions de travail sont pénibles, un professeur de neuvième année, qui vient de passer un mauvais quart d'heure avec un élève, entre dans la salle des professeurs, se plaignant de l'indocilité et de l'agressivité de son élève. Ce dont le professeur a besoin, c'est de quelqu'un qui l'écoutera attentivement, qui fera montre d'intérêt et de discernement et peut-être même de compassion. Ce dont le professeur *n'a pas* besoin, c'est de quelqu'un qui se mettra aussitôt à le conseiller ou qui jouera au "J'en connais des pires!" Qui dirait, en fait: "Tu crois que *ça* c'est écoeurant! Eh bien, écoute donc ce qu'un de *mes* élèves a fait." Une autre chose dont le professeur *n'a pas* besoin, c'est de quelqu'un qui serait insensible à son besoin de s'épancher un peu, de quelqu'un qui concluerait illico que notre professeur se fiche de ses élèves ou qu'il ne les comprend pas. Évidemment, il n'est pas aussi facile que ça en a l'air de se trouver un bon auditeur actif — ou même de l'être pour autrui. En effet, plutôt que de simplement écouter, la majorité des membres de chaque groupe sont toujours pressés de donner des conseils ou de porter des jugements. Et les conseils gratuits, les jugements ou les interventions du genre "J'en connais des pires" ne font habituellement qu'aiguiser l'épuisement.

L'appréciation technique

Nous avons tous besoin de recevoir des marques d'appréciation pour le travail que nous accomplissons, de voir nos efforts reconnus lorsque nous menons une tâche à terme. Mais, pour pouvoir offrir une appréciation technique ou une affirmation de compétence, nous devons satisfaire deux conditions: être experts en la matière, et que le sujet ait confiance en notre intégrité et honnêteté. Autrement dit, nous devons connaître suffisamment la complexité des tâches exécutées par le sujet, et avoir suffisamment de courage pour engager une rétroaction honnête. Lorsque ces deux conditions sont satisfaites, notre aide sera alors jugée comme sincère. Voici pourquoi, par exemple, une mère n'est pas la personne idéale pour remplir un tel rôle: d'ordinaire, une mère n'est pas une experte technique, ni suffisamment objective pour juger de façon positive et "digne de foi". La mère, le conjoint et les amis non experts *peuvent* encourager de façon générale; mais pour être efficace, l'encouragement technique doit provenir d'une personne qui sait apprécier la complexité technique de notre travail. Cette capacité de fournir une appréciation technique est particulièrement efficace et profitable lorsqu'elle provient d'un supérieur bien informé.

Le défi technique

Il est peut-être réconfortant de faire partie d'un groupe où l'on est le seul expert et dont aucun autre membre n'est en mesure de remettre en question cette expertise. Une situation d'autant plus utile et souhaitable si on est affligé par le stress. Malheureusement, trop de confort de ce genre conduit à l'épuisement: à défaut de défi, on court le risque de s'embourber graduellement dans le marasme et l'ennui. Un comédien qui présente le même spectacle d'une boîte de nuit à l'autre s'en tirera bien, en racontant toujours les mêmes farces, en autant que son public change d'un endroit à l'autre. Toutefois, il court le risque de s'épuiser en deçà d'une année. Par contre, s'il a une émission hebdomadaire à la télévision, il est forcé de changer de numéro car le public reste le même, semaine après semaine. Certes, il aura à travailler davantage, mais cet effort lui évitera de stagner; la télévision lui offre donc un défi technique qui le contraint à développer continuellement de nouvelles routines — un défi qui conduit à l'épanouissement.

Le contact avec des collègues ayant autant ou plus d'expérience nous évite des efforts excessifs ou superflus. Provenant d'un collègue, la critique défie notre mode de pensée, nous dégourdit et nous encourage à nous épanouir davantage, nous poussant, par ce fait même, à être plus créateur, plus stimulant, à nous engager davantage dans notre travail. Quiconque voudrait remplir ce rôle de *challenger* doit posséder ces deux caractéristiques: il doit connaître suffisamment le métier pour pouvoir déterminer lesquels de ses aspects peuvent être améliorés, et il doit être digne de confiance. Autrement dit, il est important de savoir que nos collègues ne nous critiquent ni pour nous humilier ni pour flatter notre ego au détriment de notre vie professionnelle. Les bons collègues sont ceux qui se font mutuellement confiance tant dans leur rôle d'appréciateur que dans celui de *challenger*.

L'aide émotionnelle

Une importante fonction de tout réseau d'entraide qui se veut efficace est l'aide ou l'appréciation émotionnelle. Ce que nous entendons par là, c'est la volonté de prendre le parti d'un individu traversant une situation difficile même si on n'approuve pas entièrement ce qu'il fait. Nous avons pour la plupart besoin d'avoir quelqu'un qui serait prêt à nous fournir un support inconditionnel, du moins occasionnellement. Cela est d'autant plus vital que notre travail est stressant. Il suffit d'avoir une seule personne de notre côté; bien sûr, ce serait merveilleux si nous en

173

avions quatre ou cinq. Et si ce support n'existe pas ou est impossible à obtenir dans le milieu de travail, il faut l'avoir dans la vie privée. À l'encontre de l'aide et du défi techniques, où le pourvoyeur se doit d'être expert en la matière, l'aide émotionnelle peut provenir de n'importe quel membre de son groupe intime — parent, conjoint, ami. Nul besoin d'être expert technique pour offrir une aide émotionnelle; il suffit de s'intéresser davantage au sujet en tant qu'être humain qu'à la position particulière qu'il occupe présentement, au travail qu'il vient d'exécuter (et qui n'est pas peut-être son meilleur), ou même à sa mauvaise humeur. C'est surtout en période de stress que nous apprécions particulièrement ceux qui, au travail ou à la maison, nous offrent leur soutien, quelles que soient les circonstances.

Le défi émotionnel

Il nous arrive à tous de nous faire croire que nous faisons de notre mieux même si tel n'est pas le cas. Il est réconfortant de nous imaginer que nous avons tout essayé, même lorsqu'il nous reste encore bien des avenues à explorer. Parfois aussi, il est plus facile d'attribuer à d'autres le blâme de certains problèmes ou crises plutôt que d'en assumer la responsabilité. Ces mécanismes de défense sont parfois utiles car ils nous empêchent de nous imposer des pressions émotionnelles excessives. Mais attention: si nous en abusons, nous finirons par entraver notre épanouissement émotionnel et nuire à un déploiement plus efficace de nos énergies. C'est là que les amis peuvent aider en remettant en question nos prétextes.

Pour nous ''dégourdir'', les amis peuvent nous défier en contestant l'allégation selon laquelle nous faisons de notre mieux pour réaliser nos objectifs ou pour surmonter les obstacles. Ici aussi, à l'encontre du défi technique, le défi émotionnel n'exige pas que l'ami soit expert dans un domaine particulier pour qu'il puisse nous aider à nous épanouir sur le plan émotif. Il n'a qu'à dire: ''Tu es sûr que tu fais de ton mieux?'' Et, ici aussi, la confiance est une condition préalable.

Il y a des situations où l'individu est tellement engagé au niveau émotif qu'il n'arrive plus à penser rationnellement ou logiquement, alors que le problème qui l'afflige exige une solution rationnelle. Parfois cette solution saute aux yeux; mais l'émotivité nous voile la vue. Dans ce cas, nul besoin d'être expert pour offrir un défi émotionnel; il suffit de faire appel à la logique pour aider l'autre à percer son émotivité et arriver à une solution rationnelle. En voici un exemple.

Un de nos amis, que nous appellerons Joshua, nous a raconté un incident où un ancien compagnon de chambre, du temps où il étudiait à l'université, vint le voir dans un état de détresse évidente. En fait, ce compagnon traversait une grave crise conjugale et avait besoin d'aide. Troublé et confus, il n'arrivait pas à décider s'il devait ou non divorcer. Joshua se retrouva face à une situation fort délicate: certes, il aimait bien son ancien compagnon de chambre, mais au cours des dix dernières années, il ne l'avait revu qu'à quelques rares occasions, et de plus, il connaissait à peine sa femme. Bref, il n'était pas du tout qualifié pour juger de la situation conjugale de son ami. Mais plus il l'écoutait, plus il se rendait compte que celui-ci était surtout troublé par certains comportements persistants de sa femme qu'il considérait inadmissibles. Enfin, Joshua posa deux questions: primo, y avait-il le moindre espoir que la femme modifie ses comportements? La réponse de l'ami fut un non catégorique. Secundo, y avait-il le moindre espoir que l'ami apprenne à tolérer ces comportements? De nouveau, c'était un non catégorique. Et, du coup, l'ami perçut clairement ce qui lui restait à faire. Joshua n'eut pas à offrir le moindre conseil. Tout ce qu'il eut à faire, c'était d'aider son ancien compagnon à percevoir la conclusion logique qu'il tira lui-même suite aux données fondamentales de la situation en question.

Le partage de la réalité sociale

La sixième fonction consiste à tester et à partager la réalité sociale: c'est la pierre de touche de la réalité sociale. Il existe deux sortes de réalités: la réalité physique et la réalité sociale. Une réalité physique: la pluie qui vous fait sortir votre parapluie ou votre pardessus. La réalité sociale est beaucoup moins tangible. C'est là qu'un(e) ami(e) peut nous aider à interpréter cette réalité et à décider quelle est la chose la plus raisonnable à faire, surtout lorsque nous nous sentons perdre toute capacité de comprendre ce qui se passe autour de nous. Un exemple: vous participez à une réunion où vous entendez quelqu'un raconter ce qui vous semble être des absurdités. Vous regardez les autres — ils l'écoutent attentivement. Et vous vous dites: "Mon Dieu, qu'est-ce qui m'arrive? Comment se fait-il que je sois la seule personne qui n'est pas impressionnée?" Pourtant il suffit que votre regard croise celui d'une autre personne dans la salle, d'une seule personne dont vous respectez le jugement, et que vous échangiez un regard complice et soudain vous relaxez, convaincu maintenant que le type en question est, en effet, en train de dévider des bêtises et que même si les autres semblent l'approuver ou l'appuyer pour des raisons personnelles, vous n'avez pas à remettre en question vos propres perceptions. Tout ce qu'il a fallu, c'était l'accord tacite d'une autre personne, et non de la majorité des gens présents dans la salle.

Lorsque nous traversons une période de stress ou de confusion et que nous avons besoin de conseils fiables, il est très utile d'avoir quelqu'un qui partage nos priorités, nos valeurs, nos opinions car, en fait, c'est la personne avec qui nous partageons notre réalité sociale qui nous conseillera probablement le mieux.

Évidemment, chaque personne peut remplir plusieurs de ces fonctions, mais il est très peu probable que qui que ce soit puisse les remplir toutes. Il faut diverses personnes pour remplir différentes fonctions. Nous sommes tous capables d'assumer le rôle de l'auditeur actif, que nous soyons ou non familiers avec notre interlocuteur et son problème. Pour ce qui est des fonctions d'aide et de défi émotionnels, il nous faut quelqu'un qui nous connaisse bien et en qui nous avons confiance, mais il n'est pas nécessaire qu'il soit expert dans le domaine dont il est question. Pour ce qui est de l'aide et du défi techniques, il nous faut une personne qui s'y connaît bien en la matière, mais il n'est pas indispensable qu'elle soit parmi nos proches. Pour que l'aide apportée soit vraiment efficace comme pierre de touche de notre réalité sociale, la personne doit partager notre vision du monde et nos valeurs.

La distinction entre les fonctions d'entraide

Nous avons présenté les six fonctions fondamentales de tout réseau d'entraide sociale. Certes, il en existe probablement des variantes, mais, à notre avis, ces six fonctions sont essentielles. Comme nous l'avons déjà dit, il est important de savoir distinguer une fonction de l'autre et de percevoir l'entraide sociale non pas comme une entité mais comme un ensemble de fonctions séparées: chaque membre de notre entourage peut remplir certaines d'entre elles et non d'autres. Parfois, sans nous en rendre compte, nous nous attendons à ce que nos amis ou notre conjoint les remplissent toutes — et cela est presque impossible. Malheureusement, la majorité des gens ne font pas d'effort, surtout lorsqu'ils sont affligés par le stress, pour distinguer les diverses fonctions que chaque membre de leur réseau d'entraide sociale est en mesure de remplir, et ils finissent par se convaincre qu'ils ne reçoivent pas l'appui dont ils ont besoin. Souvent, plutôt que d'exprimer cette déception, on s'empresse de l'imputer à sa vie familiale. Et le remords et la déception ne tarderont pas à saper le ménage et la famille, conduisant à l'épuisement au foyer.

Il est très utile, donc, de déterminer combien de ces six fonctions nous nous attendons à ce que chaque personne de notre entourage remplisse, et lesquelles lui sont les plus appropriées. Pour ce faire, nous pourrions, par exemple, établir une liste de deux ou trois personnes à la maison et au travail qui remplissent ou qui pourraient remplir une de ces fonctions. (Voir le tableau.) Si nous connaissons une personne qui serait capable de remplir une fonction mais que nous hésitons à communiquer avec elle, nous devons noter la source de cette hésitation. Par exemple: nous connaissons un collègue qui est un excellent critique technique, mais nous hésitons à l'approcher pour engager une rétroaction critique. Dans un cas pareil, il nous faut connaître précisément les raisons qui nous empêchent de l'approcher. Ce n'est qu'alors que nous pourrons développer les moyens qui nous permettront de surmonter notre blocage.

Nous connaissons tous quelque établissement où l'environnement social est affreusement stérile en entraide. Personne ne s'intéresse à ce que les autres ont à dire; personne ne montre la moindre appréciation technique pour le travail d'autrui, et plutôt que d'offrir un défi technique, tout le monde s'échange des critiques destructives et blessantes autant par leur intention que par leurs effets. Mais, de temps à autre, nous tombons sur certains milieux de travail où le système d'entraide sociale fonctionne à merveille; chaque individu prête l'oreille à l'autre; tous sont généreux en marques d'appréciation *sincères* pour le

Tableau 7.1
Les fonctions de l'entraide sociale

Nous avons établi les questions suivantes pour vous aider à distinguer entre les six fonctions d'un réseau d'entraide sociale et à examiner quels membres de votre entourage remplissent ou pourraient remplir ces fonctions pour vous. Quelle importance accordez-vous aux fonctions d'un réseau d'entraide? Servez-vous de l'échelle ci-dessous pour évaluer les six fonctions:

```
        1    2    3    4    5    6    7
     aucune        plus ou moins     extrêmement
   importance       importante       importante
```

1. Écoute _____ 2. Aide technique _____ 3. Défi technique _____
4. Aide émotionnelle _____ 5. Défi émotionnel _____ 6. Partage de la réalité sociale _____.

Pour chaque fonction, notez le nom de la personne ou des personnes qui remplissent cette fonction pour vous. Précisez quelles sont vos relations avec cette personne (conjoint, ami, collègue, etc.) et, en vous basant sur l'échelle ci-dessous, dans quelle mesure elle satisfait votre attente:

```
        1    2    3    4    5    6    7
   à peine         plus ou moins      parfaitement
```

1. Écoute:
2. Aide technique:
3. Défi technique:
4. Aide émotionnelle:
5. Défi émotionnel:
6. Partage de la réalité sociale:

---

travail bien fait; et chacun défie l'autre de façon constructive et productive.

D'où cette question: comment peut-on transformer un environnement de travail stérile en un milieu d'entraide? Parfois, il suffit, pour y arriver, que deux ou trois personnes prennent l'initiative et offrent aux autres appréciation et défi. Les conséquences d'un tel comportement sont si plaisantes qu'il devient contagieux. Cependant, il y a des individus affamés d'appréciation ou de défi qui sont trop timides pour les solliciter et, préoccupés par leurs propres besoins, ils ne se rendent pas compte que d'autres membres de leur entourage pourraient bénéficier de l'appréciation et du défi qu'ils sont, eux, capables d'offrir.

Nous avons déjà parlé, au début de ce livre, d'une certaine institution où beaucoup d'employés souffraient de lassitude due, en partie, à leur frustration de ne recevoir aucune marque d'appréciation provenant des échelons supérieurs de leur administration. Pourtant il aurait été presque impossible d'instaurer un tel système d'appréciation sans entreprendre une réorganisation d'envergure. Et, comme vous vous rappelez, notre intervention consista à enseigner à ces employés comment valoriser et respecter l'appréciation et le défi offerts par leurs camarades et, comment s'offrir les uns aux autres ce genre d'appréciation et de défi.

Il serait présomptueux de notre part d'indiquer à chaque lecteur et lectrice quelles démarches entreprendre pour s'établir un tel réseau d'entraide sociale puisque nous ne connaissons rien de leur vie ou de leur travail. Cependant, nous pouvons suggérer certaines façons de solliciter cette aide de leurs collègues les plus estimés et, en retour, de l'offrir à ceux qui en ont besoin. Il est possible pour chacun d'instiguer la transformation d'un environnement de travail non coopératif en un milieu d'entraide.

Les réseaux d'entraide sociale en tant que défense contre la lassitude: conclusions de la recherche

Pour voir dans quelle mesure les réseaux sociaux protègent l'individu contre la lassitude, nous avons mené des recherches auprès de 290 étudiants et 241 professionnels, dont les âges s'échelonnaient entre 17 et 87 ans. Nous avons donc demandé à ces 531 sujets de nous décrire leurs relations sociales: famille, travail, amis, collègues, connaissances. Les résultats indiquent que toutes ces relations sont corrélées négativement et significativement à la lassitude morale: le niveau de lassitude était inversement proportionnel à la qualité des relations sociales. Les plus fortes corrélations étaient celles concernant leurs collègues et leurs amis[6]. Nous avons également demandé à nos sujets s'ils connaissaient quelqu'un vers qui ils pouvaient se tourner pour demander conseil et solliciter de l'aide en cas de difficultés au travail ou à la maison. Une fois de plus, la corrélation entre la disponibilité d'entraide en période de besoin et la lassitude était négative et significative: plus d'entraide, moins de lassitude[7]. Nous leur avons aussi demandé: "Vous sentez-vous souvent isolé?" Constatation: la fréquence du sentiment d'isolement était fortement corrélée à la lassitude, à la médiocrité des relations sociales (particulièrement dans les amitiés), et à l'absence d'entraide en temps de besoin[8].

On peut alors considérer les réseaux d'entraide sociale comme des variables médiatrices qui agissent comme des tampons et des soutiens dans chaque environnement social. Des variables médiatrices qui, en fait, atténuent les effets des stress environnementaux et ralentissent, conséquemment, le cycle de la lassitude.

Les *relations professionnelles* forment un réseau social qui mérite une attention toute particulière. La nature des relations avec le patron, les subordonnés et les collègues peut devenir une source majeure de stress dans le milieu de travail. Les bonnes relations professionnelles qui existent entre les divers membres d'un groupe jouent un rôle capital dans la santé de l'individu comme dans celle de l'entreprise[9]. De même, les contacts sociaux sont presque toujours une des sources principales de la satisfaction retirée du travail[10]. Il est très important pour le bon fonctionnement de toute institution de créer un environnement sécurisant et prévoyant: un réseau efficace d'entraide est indispensable si l'on veut combattre l'épuisement. Pourtant, les travailleurs ont souvent tendance à se préoccuper tellement des routines quotidiennes qu'ils se négligent les uns les autres. Les compliments, le soutien moral et l'appréciation des efforts d'autrui ne sont échangés ni assez souvent ni assez sincèrement[11].

Plusieurs études démontrent que le niveau d'épuisement est plus faible chez ceux qui font partie d'un réseau social efficace ou qui disposent au travail d'un système d'entraide[12]: lorsque les relations professionnelles sont bonnes, l'individu souffrant de stress se tourne souvent vers les autres pour recevoir conseils et réconfort, pour alléger sa tension et solliciter l'aide qui lui permettra de se distancier d'une situation particulière ou de l'intellectualiser, et, par ce fait même, de partager ses responsabilités. En fait, les chutes d'épuisement sont moins graves dans les institutions qui permettent aux employés d'exprimer leurs sentiments, de recevoir des autres rétroaction et support, et d'établir de nouveaux objectifs pour leur clientèle, que dans celles où tout cela est impossible.

On a constaté, lors d'une étude impliquant 76 professionnels d'institutions d'hygiène mentale[13], un rapport direct entre les relations professionnelles et les attitudes des employés face à leur travail, à l'institution et aux patients. Lorsque les relations entre employés étaient bonnes, ceux-ci étaient davantage portés à discuter avec leurs collègues de leurs problèmes, à développer des attitudes positives face à l'institution, à se plaire dans leur travail, et à en retirer un sentiment de réussite. De fait, lorsque les relations professionnelles étaient bonnes, les employés rapportaient plus de "bonnes journées" et beaucoup moins de "mauvaises journées".

On a constaté également une corrélation positive entre la qualité des relations employés-patients et l'idée que se faisaient les employés de l'institution, de leurs collègues, de leur travail et de leurs patients. Lorsque les relations étaient bonnes, les employés se plaisaient dans leur travail, en tiraient des sentiments de réussite et d'actualisation de soi. Ils appréciaient davantage leurs collègues et discutaient plus souvent avec eux que ne le faisaient ceux oeuvrant dans des milieux où les relations patients-employés étaient mauvaises. Bien plus, ils estimaient davantage l'institution, décrivaient leurs patients de façon positive et se sentaient engagés autant envers ces derniers qu'envers l'institution.

Une conclusion fort étonnante de cette étude: plus les réunions de personnel étaient fréquentes, plus les employés développaient des attitudes négatives face à leurs patients. Il semblerait que les employés qui participaient fréquemment à ces réunions accordaient plus d'importance aux informations concernant un patient provenant de sa famille ou de l'interview psychiatrique qu'à celles données par le patient lui-même; ils étaient plus pessimistes quant aux chances de guérison des patients; ils avaient tendance à poursuivre des objectifs centrés sur la carrière plutôt que sur eux-mêmes ou sur les patients; ils passaient plus de temps avec leurs collègues afin de se distancier de leurs patients plutôt que de chercher à résoudre les problèmes qu'ils avaient avec ces derniers ou à s'entraider. Ce type de fréquentation entre employés dans le seul but d'éviter tout contact avec les patients reflète indubitablement un certain épuisement.

Pourtant dans les autres professions des services de santé et sociaux, les réunions de personnel remplissaient plusieurs fonctions importantes[14]. Elles permettaient aux employés de mieux se connaître, de s'entraider, de discuter de leurs problèmes, de préciser leurs objectifs et d'influencer directement les politiques de leur institution. La fréquence des réunions du personnel était corrélée négativement à l'épuisement: plus on se réunissait, moins on souffrait d'épuisement. Par contre, dans les institutions psychiatriques, la fréquence des réunions était corrélée positivement à l'épuisement: plus on se réunissait, plus on souffrait d'épuisement.

À notre avis, cela était dû surtout au fait que les réunions des employés étaient consacrées en grande partie à la présentation et à l'étude de divers cas. Chaque employé décrivait le patient selon sa pathologie mentale, recourant pour l'identifier à une terminologie médicale, ce qui lui permettait aussi de se distancier du patient. Pour ce qui était des problèmes des employés, on s'en occupait rarement.

Les réunions de personnel:
un réseau d'entraide

Les réunions de personnel peuvent s'avérer efficaces comme tampons contre l'épuisement et la lassitude au travail. Pour cela, elles doivent remplir plusieurs fonctions: entre autres, offrir aux employés l'occasion de s'exprimer et d'influencer les politiques de l'institution, ce qui leur permettra de contrôler dans une certaine mesure leurs fonctions et de se sentir plus engagés envers l'institution. De plus, on devrait accorder aux employés le temps de discuter durant ces réunions autant du stress lié à leur occupation que des problèmes de leurs clients: l'intérêt pourrait être partagé entre les tâches institutionnelles et l'entraide émotionnelle des employés. Une fois que seraient satisfaits les besoins émotionnels du travailleur, ces réunions pourraient continuer à servir de rempart contre le cycle de l'épuisement.

Les réunions de personnel sont également un forum où les employés discutent de leurs problèmes interpersonnels. En fait, les plaintes sont plus facilement admissibles quand elles sont amenées sous forme de recommandations positives. Une approche: chaque plainte doit être suivie d'une résolution. Une approche alternative, suggérée par le psychologue industriel

Norman Maier, consiste à diviser en plusieurs étapes le processus menant de la plainte à la résolution[15]. Dans un premier temps, les employés formulent leurs plaintes et épanchent leurs peines au cours d'une séance plus ou moins turbulente. Ils devraient pouvoir exprimer également tous leurs sentiments et leur colère sans la moindre inhibition. La deuxième étape est celle de la définition du problème, qui exige une attitude différente: on devrait pouvoir présenter chaque solution sans s'attirer de critiques, de jugements ou de moqueries. La dernière étape consiste à choisir la meilleure solution parmi les diverses alternatives.

Le pouvoir est une autre des fonctions de tout réseau professionnel d'entraide que l'on peut satisfaire pleinement lors des réunions du personnel en offrant aux employés l'occasion de déterminer quels sont les aspects institutionnels où ils pourraient exercer plus d'autonomie et de contrôle. Ces réunions permettent également aux employés de juger les plaintes individuelles dans une perspective plus globale où ils se donneront tous la main pour les résoudre. Ils peuvent identifier les divers aspects stressants de leur travail et développer des moyens pour en alléger la pression. En s'organisant, les employés renforcent leur pouvoir, leur contrôle et leur autonomie — trois facteurs qui sont corrélés négativement à l'épuisement et la lassitude. Les réunions de personnel offrent aux employés l'occasion de renforcer ces moyens. Périodiquement, les réunions pourraient consacrer un peu de temps à l'évaluation des aptitudes et des déficiences des employés. En se penchant sur les possibilités d'acquérir de nouvelles aptitudes et sur les autres moyens qui leur permettent de s'épanouir autant sur le plan professionnel que personnel, les employés renforcent par ce fait même les possibilités d'entraide dans le milieu de travail et réduisent conséquemment les risques d'épuisement.

Lorsqu'elles stimulent l'épanouissement, les relations avec les supérieurs peuvent, elles aussi, servir de tampon contre l'épuisement. En engageant avec leurs subalternes une rétroaction directe, spécifique et encourageante, les superviseurs leurs procurent par ce fait même un sentiment de valorisation, de réussite et de défi. Ils peuvent également réduire l'impact du stress en s'engageant envers les travailleurs de façon régulière, plutôt que de limiter leurs interventions aux temps de crise, en faisant montre de sollicitude, plutôt que de suspicion, et en assumant un rôle de médiateur entre l'individu et l'institution. Les superviseurs peuvent également sensibiliser les employés aux objectifs à longue et courte échéance de l'institution et partager leurs problèmes d'organisation et de finances. Tout cela aidera les employés à se familiariser davantage avec l'institution et à mieux s'engager envers elle. Certes, ce genre d'aptitudes administratives exige une certaine formation, mais les bénéfices qu'en tirera l'institution sont tels qu'ils justifient amplement toute dépense additionnelle.

Les obstacles à la création de réseaux d'entraide sociale

Selon Cary Cherniss, professeur de psychologie à l'université du Michigan, il y a six obstacles qui empêchent la création de réseaux d'entraide sociale dans les institutions des services sociaux et de santé[16].

1. Les divergences dans l'orientation théorique et les valeurs personnelles peuvent créer certains problèmes, comme ces conflits qui existent, par exemple, dans une clinique d'hygiène mentale où certains professionnels poursuivent une orientation psychanalytique alors que d'autres insistent sur une approche comportementale.

2. Souvent les inégalités au niveau des ressources, du statut et du pouvoir engendrent des conflits. Parfois les employés vivent la compétition: les plus jeunes avec leurs aînés, les femmes avec les hommes, les noirs avec les blancs et ainsi de suite. Une bataille peut être menée pour avoir le plus grand bureau, pour obtenir l'approbation du supérieur, etc.

3. Parfois c'est la structure des rôles qui gêne le développement des réseaux d'entraide. Par exemple, lorsqu'un professionnel est appelé à travailler la plupart du temps à l'extérieur, il a moins d'occasions de connaître ses camarades de travail et d'établir des relations sociales et professionnelles. La surcharge peut, elle aussi, entraver les relations sociales lorsqu'elle se fait si accablante qu'elle force l'individu à travailler seul, pour se rattraper, autant durant les heures de bureau qu'après.

4. Les intérêts personnels, l'engagement familial, les amis, les politiques et les loisirs sont autant de facteurs qui limitent le temps et l'énergie émotionnelle que chaque individu est prêt à investir dans les aspects sociaux de son travail, particuliè-

remént lorsque ces aspects exigent un certain engagement
après les heures de bureau. Là-dessus, nous ne souscrivons
pas aux écrits du professeur Cherniss car nous recommandons
la chose même qu'il considère, lui, comme un obstacle. Nous
recommandons au professionnel de séparer son travail de sa
vie familiale et de s'impliquer dans des activités et intérêts personnels qui lui serviront, à notre avis, de moyen de prévention
contre l'épuisement.

5. Les normes officieuses peuvent limiter les échanges entre
   divers groupes d'une même institution, groupes qui pourraient
   autrement former des réseaux d'entraide. Ces normes peuvent
   également empêcher le dialogue entre professionnels, dialogue
   qui pourrait être stimulant et enrichissant.

6. La forte incidence du renouvellement de la main-d'oeuvre, phénomène particulièrement fréquent dans beaucoup de services sociaux et de santé, empêche les sentiments de cohésion
   et d'appartenance à un groupe de se développer. Puisque tout
   le monde démissionnera tôt ou tard, l'employé est moins porté
   à investir ses efforts pour établir des rapports avec ses collègues.

Pour faire échec à ces obstacles et pour développer des
réseaux d'entraide sociale, Cary Cherniss suggère: d'évaluer la
situation, d'identifier lesquels des six obstacles sont présents et,
une fois qu'ils sont identifiés, de les confronter directement. Sa
recommandation pour les nouvelles entreprises: mettre en oeuvre
des mécanismes qui empêcheront la création de ce genre de problèmes: par exemple, instituer une structure de rôles et un environnement de travail qui encouragent l'interaction entre les
travailleurs.

Un réseau d'entraide
dans la pratique privée

Comme nous l'avons souvent répété à travers ce livre,
beaucoup de gens oeuvrant dans les professions de service souffrent d'épuisement car ils donnent beaucoup plus d'eux-mêmes
dans l'exercice de leurs fonctions qu'ils ne reçoivent en retour: en
aidant leurs clients, ils investissent beaucoup plus d'efforts et
d'énergie qu'ils ne reçoivent de marques d'appréciation. Le problème est moins critique chez ceux qui ont accès à d'efficaces
réseaux d'entraide où ils trouvent rétroaction, appréciation et

défi. Il devient particulièrement grave chez tous ceux qui, dans leur pratique privée, ne disposent pas d'un tel système d'entraide.

Par exemple, comme nous l'avons dit au premier chapitre, chaque dentiste travaille d'habitude dans un milieu où aucun collègue ne peut lui offrir appréciation ou défi techniques. Il ne reçoit pas non plus de rétroaction ou d'appréciation significatives de ses patients car ils ne peuvent voir ce qu'il fait, n'ont pas les connaissances nécessaires pour évaluer son travail et souvent sont si angoissés qu'ils ne pensent qu'à repartir au plus vite. S'ils le rappellent par la suite, c'est que quelque chose a mal tourné et parce que le dentiste est toujours supposé bien faire son travail. Si cette tendance à la rétroaction négative est quasiment inhérente à la majorité des professions de service, elle est particulièrement éprouvante pour ceux qui travaillent seuls et qui ne font pas partie d'un groupe professionnel où ils pourraient partager avec leurs collègues leurs sentiments de réussite et d'échec.

Notre recommandation pour ceux qui travaillent seuls: établir un réseau d'entraide sociale avec des collègues travaillant dans les mêmes conditions. Cela vaut autant pour les médecins en pratique privée que pour les directeurs de n'importe quelle institution. Certains individus occupant le haut pavé d'une administration se font parfois une idée romanesque du solitaire autonome, une image de "loup solitaire" fort attrayante peut-être mais qui n'immunise pas contre l'épuisement. De fait, "si Lone Ranger galopait bravement encore sur son fidèle Silver, nous aurions là un cow-boy qui souffrirait diablement d'épuisement...[17]"

Donc, autant pour les médecins en pratique privée que pour les directeurs d'institution, les meilleures ressources dont ils disposent pour établir un groupe d'entraide sont leurs collègues qui travaillent dans les mêmes conditions mais dans des milieux différents. Menacé par une crise imminente d'épuisement, le professionnel saura trouver qui détient le même poste dans les institutions identiques à la sienne et il communiquera avec lui — une communication qui générera de nouvelles ressources et des idées innovatrices qui lui permettront de s'épanouir dans son milieu de travail. Un réseau d'entraide composé de collègues professionnels peut fournir un forum où on se partage autant ses triomphes que ses conflits, où on offre et on reçoit de la rétroaction, du réconfort, de l'appréciation et de la compréhension.

L'entraide sociale chez les hommes et chez les femmes

Lors d'une étude menée auprès de 96 hommes professionnels et 95 femmes professionnelles, nous avons tâché de voir dans quelle mesure le sexe d'une personne influence sur sa lassitude, d'établir et les antécédents et les corrélatifs de celle-ci[18]. Nous avons constaté que les relations professionnelles et autres réseaux d'entraide influent davantage sur le niveau de lassitude des femmes. Par exemple, les relations qu'entretenaient les femmes avec leurs supérieurs, leurs subordonnés et leurs collègues avaient une corrélation négative et significative avec la lassitude: la qualité de la relation était inversement proportionnelle au niveau de lassitude. Chez les hommes, les relations avec les supérieurs et les subalternes n'étaient pas corrélées à la lassitude, et leurs relations avec leurs collègues, quoique significatives, l'étaient moins que dans le cas des femmes. Chez ces dernières, les relations avec l'époux, la famille et les amis étaient également corrélées de façon négative et significative avec la lassitude, alors que chez les hommes, seules les relations avec les amis et l'épouse étaient corrélées significativement à la lassitude et, là aussi, beaucoup moins que dans le cas des femmes.

Cela s'expliquerait peut-être par le fait que les femmes, plus que les hommes, considèrent "les gens" comme une source de stress au travail, ou bien par celui voulant qu'elles soient plus sensibles aux aspects sociaux de leur vie et de leur travail. Une autre explication: la présence disproportionnée de femmes dans les services sociaux et de santé, professions qui impliquent plus de stress "humain". Les femmes se sentaient davantage surchargées au niveau émotif aussi bien au travail que dans la vie privée; par contre, elles recevaient plus de support, elles partageaient davantage avec les autres, autant au travail que dans les autres sphères, et, à leur avis, elles recevaient plus d'aide inconditionnelle en période de besoin.

Les mêmes divergences sexuelles ont été constatées lors d'une autre étude examinant, celle-ci, les stratégies thérapeutiques[19]. Plus de femmes que d'hommes recouraient aux réseaux d'entraide sociale et les considéraient efficaces. Les femmes semblaient, plus que les hommes, aptes à partager leur stress de travail en discutant de ses sources et en parlant ouvertement de leurs doutes, problèmes et échecs.

La manière de ne pas saboter votre propre réseau d'entraide sociale

Comme nous l'avons souvent répété au cours de ce chapitre, un des moyens les plus efficaces pour éviter ou pour réduire l'épuisement consiste à s'établir un réseau viable d'entraide. Pourtant peu de gens disposent d'un réseau adéquat d'entraide sociale. Les raisons en sont nombreuses; nous discuterons dans ces dernières pages de deux fortes tendances chez les gens, qui les empêchent de se servir pleinement d'un réseau d'entraide sociale.

Une mauvaise attribution des causes

Il est tout à fait naturel de toujours vouloir chercher la cause d'un événement. Chaque fois que nous sommes témoins d'un incident, nous lui attribuons une cause. Nous regardons notre équipe favorite livrer un match de football et soudain le quart arrière manque une passe facile derrière le but. Les causes d'une telle gaffe peuvent être nombreuses: il se peut que le joueur manque tout simplement de talent; il a peut-être bu un peu trop la veille; il est peut-être troublé parce que son enfant est malade; ou même il essaie peut-être de faire perdre intentionnellement son équipe car il a gagé sur l'autre. Comme vous voyez, les possibilités sont nombreuses. Et nos sentiments envers une personne dépendent des causes auxquelles nous attribuons son comportement. Revenons à notre joueur de football: nous n'éprouverons pas les mêmes sentiments à son égard si nous attribuons sa gaffe au souci qu'il se fait pour la santé de son enfant que s'il avait parié en faveur de l'équipe adverse.

Il existe deux sortes d'attributions: une de disposition et une de situation. Il y a attribution de disposition lorsque la cause d'un événement est attribuée à la personnalité du sujet. Il y a attribution de situation lorsque la cause est attribuée à un facteur circonstanciel. Les recherches sur les attributions démontrent que les gens ont tendance à expliquer leur propre comportement en termes de situation et celui des autres en termes de disposition. Un exemple:

"Lorsqu'un étudiant réussissant mal aux études discute de son problème avec un conseiller de la faculté, souvent leurs opinions divergent profondément. En essayant de comprendre et d'expliquer sa piètre performance, l'étudiant est généralement porté à l'attribuer à des entraves environnementales (un programme trop chargé), à un stress émotionnel temporaire (il appréhende le service militaire), ou à une confusion passagère maintenant résolue face aux buts de sa vie. Le conseiller opinera de la tête, essaiera peut-être même de croire l'étudiant, mais au fond il est en complet désaccord. En fait, il est convaincu que la mauvaise performance de l'étudiant n'est due ni à son environnement ni à quelque état émotionnel transitoire mais plutôt à des traits caractériels permanents: manque de talent, paresse incurable, inaptitude névrotique[20]."

Cette divergence dans les attributions peut avoir de lourdes conséquences sur les relations interpersonnelles, surtout que les occasions de corriger les mauvaises attributions une fois qu'elles sont faites sont généralement rares. Par exemple, un de vos collègues est expert dans son domaine et possède un excellent sens critique. Pourtant vous hésitez à vous tourner vers lui, car vous l'avez déjà vu à une ou deux occasions se comporter de manière agressive, ce qui vous a amené à conclure qu'il a une nature fondamentalement agressive. Une fois que vous avez attribué les motifs de son comportement à sa personnalité, vous êtes convaincu que vous avez toutes les raisons du monde de l'éviter. Mais supposons que ce collègue ne soit pas vraiment de "nature agressive"; que lorsque vous l'avez observé, il était particulièrement irrité parce qu'il souffrait d'insomnie, ou qu'il avait des conflits conjuguaux, ou encore qu'il avait des soucis financiers. Bref, il n'est pas *vraiment* une *personne* agressive mais plutôt un gars qui se comporte agressivement lorsqu'il subit certains stress de situation.

Vu l'importance des réseaux d'entraide sociale, il est capital de réévaluer périodiquement les jugements que nous avons déjà portés sur nos collègues et connaissances, afin de nous éviter d'éliminer par erreur certaines ressources humaines fort précieuses.

En effet, nous gagnons généralement à interpréter le comportement d'autrui en termes de situation plutôt que de disposition. Une attribution de disposition infirme notre capacité d'influer sur une relation. Par contre, une attribution de situation nous offre la possibilité de changer la situation. Ce sentiment de pouvoir est extrêmement utile dans la lutte contre l'épuisement même lorsque les options de changement sont limitées. La conviction que tout environnement est malléable est importante en elle-même.

Les projections trompeuses

Nous sommes pour la plupart capables de nous comporter intelligemment ou stupidement, gracieusement ou maladroitement, gentiment ou rudement. Il va de soi, d'ailleurs, que si notre entourage nous traite comme une personne gracieuse, il nous encouragera à nous comporter gracieusement plutôt que maladroitement. Ce postulat fut brillamment démontré lors d'une expérience menée par Mark Snyder, psychologue social à l'université du Minnesota. Voici la description d'une des expériences de sa recherche[21].

On invita des étudiants à participer à ce qu'ils croyaient être une recherche visant à déterminer les diverses façons dont les gens se prennent pour faire connaissance. On forma des couples d'hommes et de femmes qui ne se connaissaient pas en leur disant qu'ils devaient engager une conversation téléphonique. On distribua aux hommes des clichés qui, croyaient-ils, étaient la photo de la femme avec qui ils devaient parler. Cependant, les clichés n'étaient pas ceux des participantes, mais des photos de femmes choisies pour leur beauté ou leur manque de charme, et on les distribua au hasard parmi les hommes. Les femmes ne reçurent aucune photo et ignoraient qu'on en avait distribuées aux hommes. Enfin chaque couple conversa pendant dix minutes au moyen d'un système de microphones et d'écouteurs branchés à un magnétophone où chaque voix était enregistrée sur une bande séparée du ruban. Les évaluateurs pouvaient entendre *seulement* la bande contenant la voix des femmes et ils devaient l'évaluer selon les critères suivants: animation, enthousiasme, intimité, amabilité.

Les données recueillies révélèrent que les femmes perçues comme attrayantes se comportèrent de façon beaucoup plus amicale et sympathique que celles qui conversèrent avec des hommes qui les croyaient trop peu attrayantes.

Il y va de même dans la vie de tous les jours; si on croit qu'une certaine personne est froide et distante, on se comportera d'une façon qui encouragera cette personne à être froide et distante. Alors qu'en d'autres circonstances sociales, cette même personne pourrait être chaleureuse et amicale. Il est donc important de s'abstenir de biffer de sa liste certaines personnes à moins que l'évidence accumulée contre elle soit accablante.

Notes

1. K. Lewin, *Resolving Social Conflicts, Selected Papers on Group Dynamics*, Humpe and Brothers, New York, 1945: 94-95.

2. *Ibid.*

3. M. Pilisuk et S. Hillier Parks, *Networks of Social Support: A Review*. Manuscrit inédit, université de la Californie, Davis, 1980.

4. S. Cobb, "Social Support As a Moderator of Life Stress", *Psychosomatic Medicine*, vol. 5, no 38: 300-314.

5. G. Caplan, *Support Systems and Community Mental Health*, Behavorial Publications, New York, 1974.

6. La corrélation entre la lassitude morale et les divers réseaux d'entraide sociale était: famille, $r = -0,18$; travail, $r = -0,22$ amis, $r = -0,23$; camarades de travail, $r = -0,25$; connaissances, $r = -0,17$. Toutes les valeurs de p sont égales ou inférieures à 0,001.

7. La corrélation entre l'aide inconditionnelle et la lassitude était de $r = -0,21$ ($p < 0,001$).

8. La corrélation entre la fréquence des sentiments d'isolement et la lassitude morale était de $r = 0,47$; et les relations familiales, $r = -0,23$; et les relations professionnelles, $r = -0,26$; et les relations avec les amis, $r = -0,32$; et les relations avec les camarades de travail, $r = -0,26$; et les relations avec les connaissances, $r = -0,28$; et l'aide inconditionnelle, $r = -0,33$. Toutes les valeurs de p sont égales ou inférieures à 0,001.

9. C.L. Cooper et J. Marshall, "Occupational Sources of Stress: A Review of the Literature Relating to Coronary Heart Disease and Mental Health", *Journal of Occupational Psychology*, 1976, vol. 49: 11-28.

10. M. Marx Ferree, "The Confused American Housewife", *Psychology Today*, avril 1976, vol. 10: 76-80.

11. H.J. Freudenberg, "The Staff Burnout Syndrome", *Alternative Institutions Psychotherapy: Theory Research and Practice*, 1975, vol. 12, no 1: 72.

12. Voir, par exemple, C. Maslach et A. Pines, "Burnout: The Loss of Human Caring", *Experiencing Social Psychology*, Random House, New York, 1979: 245-252.

13. A. Pines et C. Maslach, "Characteristics of Staff Burnout in Mental Health Settings", *Hospital and Community Psychiatry*, 1978, vol. 4, no 29: 233-237.

14. Maslach et Pines, "Burnout".

15. N.R.F. Maier, *Problem Solving Behavior vs. Frustration Behavior, Psychology in Industrial Organizations*, Boston: Houghton Miffin, 1973.

16. C. Cherniss, "Social Support Networks", *Burnout in the Helping Professions*, éd. par K. Reid, Western Michigan University Press, 1980.

17. Du film *Burnout*, MTI Teleprograms Inc., 4825 North Scott Street, Schiller Park, Illinois.

18. A. Pines et D. Kafry, "Tedium in the Life and Work of Professional Women as Compared with Men", *Sex Roles*, sous presse.

19. D. Kafry et A. Pines, "Coping Strategies and the Experience of Tedium", étude présentée au congrès annuel de l'Association américaine de psychologie, à Toronto, Canada, en août 1978.

20. E.E. Jones et R.E. Nisbet, "The Actor and the Observer: Divergent Perceptions of the Causes of Behavior", *Attribution: Perceiving the Causes of Behavior*, éd. par E.E. Jones *et al.*, General Learning Press, Morristown, N.J., 1971: 79-94.

21. M. Snyder, E.D. Tanke et E. Berscheid, "Social Perception and Interpersonal Behavior: On the Self-Fulfilling Nature of Social Stereotypes", *Journal of Personality and Social Psychology*, 1977, vol. 35: 656-666.

Chapitre 8

Les stratégies
thérapeutiques
interpersonnelles

Au cours des premiers chapitres de cet ouvrage, nous avons démontré que l'épuisement dans les services sociaux et de santé est dû à un contact soutenu avec des gens dans des circonstances très exigeantes sur le plan émotif. Dans les bureaucraties, la lassitude est due au fait que l'on a à travailler dans une institution complexe caractérisée par un excès de surcharge d'une part et, d'autre part, par un manque d'autonomie, d'entraide et d'appréciation. Les femmes de carrière qui travaillent aussi à la maison sont plus vulnérables à l'épuisement et à la lassitude créés par leurs conflits de rôles. Bref, l'épuisement et la lassitude ne sont pas causés par un vilain caractère ni par une déficience de la personnalité, mais plutôt par des situations stressantes.

Les variables environnementales positives

Tout comme il existe des conditions stressantes qui provoquent l'épuisement et la lassitude, il existe également des conditions environnementales positives qui les atténuent ou leur font échec. Ces aspects environnementaux positifs encouragent l'individu à développer certaines tendances qui réduisent sa propension à l'épuisement. Par exemple, un environnement qui encourage l'individu à s'instruire ou qui lui inspire le sentiment que son travail est significatif et valorisant réduit les risques d'épuisement et augmente les possibilités d'épanouissement. Nous avons identifié six variables de ce type et nous discuterons de chacune d'elles au cours de ce chapitre. Ces variables sont: 1) la possibilité de s'instruire; 2) la possibilité de tirer un sens et une valorisation de son travail; 3) la réussite et l'accomplissement; 4) la diversité; 5) les expériences fluides; et 6) le pouvoir de s'actualiser.

L'instruction

La vie nous offre une multitude d'occasions d'enrichir notre existence. L'activité humaine est motivée primordialement par deux désirs fondamentaux: apprendre et comprendre. Le désir d'apprendre, souvent qualifié de "curiosité", est inné. Même les animaux sont motivés en grande partie par une curiosité envers tout ce qui les entoure. Nous savons, par exemple, que l'animal est prêt à recourir à des comportements difficiles ou déplaisants pour se nourrir. C'est naturel. Ce qui est étonnant, ce sont les résultats des expériences menées par le célèbre psychologue naturaliste Robert A. Butler, démontrant que les singes recourent parfois à des comportements difficiles ou déplaisants pour le seul "privilège" de satisfaire la curiosité... de regarder à travers une petite fenêtre [1]! La curiosité de l'enfant est une de ses caractéristiques universelles que tous les parents remarquent occasionnellement. Certains adultes ont le bonheur de posséder une curiosité d'enfant. "Mon travail scientifique n'est motivé que par une seule chose, a dit Albert Einstein. Un profond désir de pénétrer les secrets de l'univers." Pourtant, nous nous laissons pour la plupart envahir par les vétilles du quotidien, étouffant notre curiosité et négligeant, par ce fait même, notre éducation et notre développement.

Certaines institutions offrent à l'individu l'occasion d'enrichir son esprit et de sensibiliser sa conscience par le biais de cours pour adultes, de séminaires ou de cours de formation dans le milieu de travail. Malheureusement, ces entreprises éclairées sont rares, mais, même lorsque ces moyens sont mis à leur disposition, beaucoup d'employés n'en profitent pas. Toutefois, nos entretiens avec des professionnels nous ont menés à conclure que l'individu qui profite des diverses ressources éducatives disponibles dans son milieu de travail ou ailleurs, peut influer sur son niveau de lassitude. Mais tout environnement éducatif est quelque peu subjectif: ceux qui partagent le même environnement ne voient pas de la même façon les possibilités de s'instruire. Voici un exemple qui illustre bien ce point.

Nous avons rencontré deux hommes qui détenaient le même poste dans la même librairie de province, près d'une université. L'un souffrait de lassitude: "Ma job est tellement ennuyante que j'en ai plein le dos. Tout ce que je fais, c'est vendre des livres ou aider les clients à les trouver. Et même là je m'y prends mal puisque je ne sais même pas où trouver ces livres. Il y a des moments où c'est mort, et tout ce que je fais c'est attendre la fin de la journée." Son compagnon nous a peint une image tout autre de son travail. "Je tiens absolument à connaître la majorité des titres qui arrivent au magasin. Je lis les couvertures, j'essaie même de lire certains bouquins de la première à la dernière page, chez moi ou au travail quand il n'y a pas de clients. Je sens que j'apprends sans cesse sur les livres et les gens. Parfois je discute avec les clients et j'aime bien noter quel genre de livres ils achètent. Je suis toujours occupé et je ne m'ennuie pas un seul instant."

Deux personnes, donc, évoluant dans le même milieu mais dont les environnements intérieurs divergeaient considérablement: l'une s'ouvrait à toute nouvelle expérience, l'autre pas. Il en va de même dans beaucoup de professions; le désir de s'instruire et les démarches qu'entreprennent les gens pour s'enrichir l'esprit varient d'un individu à l'autre. Ceux chez qui ce désir est primordial ont tendance à rechercher des environnements qui pourront le satisfaire et profitent de la moindre occasion pour évoluer intellectuellement.

Vous avez sûrement deviné où nous voulons en venir: nul besoin d'évoluer dans une institution d'enseignement pour s'instruire et s'épanouir. Il suffit d'une ouverture d'esprit face aux nouvelles expériences pour absorber continuellement de nouvelles informations. Pour ceux qui s'intéressent aux gens, chaque voyage en train, chaque visite au musée, chaque promenade est une expérience stimulante. Ceux qui s'intéressent à la nature ou à la technologie sont eux aussi exposés incessamment aux nouvelles idées. C'est par la volonté d'être plus réceptif aux connaissances et de reconnaître que la vie est riche en nouvelles expériences qu'on arrive à mieux se blinder contre l'épuisement.

Un sens et une valorisation

C'est dans sa capacité de questionner le sens de sa vie que l'humain diffère des animaux. Cette thèse est centrale dans l'oeuvre de Viktor Frankl, l'éminent représentant de l'école d'analyse existentielle[2]. Certes, c'est à l'âge adolescent que l'individu conteste le plus le sens de la vie; cela ne l'empêche pas toutefois de la remettre en question à n'importe quel autre moment, surtout à la suite de quelque épreuve bouleversante. La détresse morale et les crises existentielles d'une personne mature cherchant à donner un sens à son existence n'ont rien de pathologique. Toutefois, une résolution négative de cette quête génère un sentiment d'ennui ou de "lassitude existentielle". En d'autres mots, lorsqu'un individu n'arrive pas à donner un sens à son travail ou à sa vie personnelle, il devient apathique. Ce concept de Frankl ressemble beaucoup à l'aspect mental ou moral de la lassitude que nous avons déjà décrit. En fait, nos recherches démontrent que la perte du sens et de la valorisation de la vie est une des sources majeures de lassitude et d'épuisement, et elle se manifeste, entre autres, par l'apathie[3].

La "névrose existentielle" est étroitement liée à la fatigue mentale. Selon la définition de Salvatore Maddi, psychologue à l'université de Chicago, la névrose existentielle est la conviction que la vie n'a plus de sens, et les principaux symptômes en sont l'apathie, l'ennui et l'aliénation face à soi-même et à la société[4]. Pour Maddi, le prototype du névrotique existentiel est Meursault, le protagoniste du roman *L'Étranger* d'Albert Camus. Meursault est convaincu que sa vie est dénuée de sens et arbitraire. Il n'éprouve qu'ennui et apathie. Le tournant du roman survient lorsque, durant une promenade sur la plage, Meursault tue un Arabe. Normalement, cet acte de violence commis par un bureaucrate de la classe moyenne, ce qu'est Meursault, serait attribué à un sérieux traumatisme émotionnel. Pourtant ce qui est vraiment étrange dans cet homicide, c'est la façon apathique, presque banale, dont il est commis. Meursault tue avec apathie, sans la moindre provocation ou réaction. C'est un geste aussi aléatoire que tous ses autres. Son existence est une mort psychologique, un état de non-être. Le roman se termine lorsque Meursault est conduit à la guillotine se répétant que "rien n'avait d'importance".

On pourrait considérer le cas de Meursault comme en étant un d'extrême lassitude morale. L'individu qui souffre d'une lassitude plus modérée continue à éprouver certaines émotions, quoique celles-ci soient généralement les moins plaisantes: ennui, angoisse, mélancolie, etc. Lorsqu'il sombre dans un état aigu de lassitude et d'épuisement, l'individu apathique n'a plus grand énergie. Son apathie lui retire également tout espoir, autant face à son travail qu'à sa capacité de changer quoi que ce soit. Si on lui offre l'occasion d'inverser ces symptômes, il est trop apathique pour la saisir. Par exemple, lorsque nous organisons des ateliers destinés à aider l'individu à surmonter son épuisement, ce sont ceux qui en souffrent le plus qui déclinent notre invitation car ils sont envahis par l'apathie et le désespoir.

Le sociologue israélien Aaron Antonovsky propose une nouvelle approche sur le plan "santé, stress et thérapie"[5], centrée sur ce qu'il appelle "le sentiment de cohérence": c'est une attitude envers la vie en général caractéristique de ceux qui jouissent toujours d'une bonne santé, du sentiment que le monde est compréhensible, que la vie a un sens, un ordre, qu'elle est raisonnablement prévisible et que l'on est plus ou moins maître de sa destinée.

Comme nous l'avons déjà mentionné, lorsque la vie ou le travail sont dénués de sens, l'individu souffre de lassitude morale. Ce besoin de donner un sens est particulièrement pressant dans certains métiers qui n'offrent aucun sentiment d'accomplissement ou d'efficacité, une situation fort affligeante qui accable aussi bien le professionnel qui ne voit ses clients que brièvement et qui ne peut leur assurer un bon suivi, que le travailleur qui fabrique une petite partie d'un produit et n'arrive jamais à en voir le résultat final[6].

Certaines fonctions sont par leur nature même plus valorisantes que d'autres. Par exemple, le travail du chirurgien neurologue est certes plus important que celui d'un vendeur d'automobiles usagées. Cependant, il peut arriver à un chirurgien neurologue de sombrer parfois dans l'apathie, convaincu que son travail est insignifiant, comme à un vendeur de voitures de se sentir valorisé par son travail. Tout comme dans le cas des deux commis dans la librairie, chaque individu peut donner un certain sens à ses activités professionnelles ou ignorer le sens qui leur est inhérent. Il n'existe pas de liste universelle des valeurs importantes de la vie et du travail, d'autant plus que ce qui est important pour l'un ne l'est pas nécessairement pour l'autre. Cependant, la façon de transformer la "lassitude existentielle" en "délire existentiel" (la fureur de vivre) est, elle, universelle.

La réussite et les accomplissements

Les accomplissements et la réussite sont indispensables à toute société; ils rehaussent le développement économique, l'épanouissement culturel et le bien-être individuel. David C. McClelland, un psychologue de Harvard qui a étudié la motivation de l'accomplissement, a démontré que plus le désir d'accomplir est puissant, mieux on réussit dans son travail, particulièrement dans le monde des affaires[7]. Tel que défini par McClelland, le syndrome de l'accomplissement comporte des stratégies modérément aventureuses: les superaccomplisseurs ne sont ni trop aventureux ni trop prudents. De même, plus l'individu désire accomplir de choses, plus il fait montre de vigueur instrumentale dans la poursuite de ses objectifs, plus il est enclin à assumer personnellement la responsabilité de ses actes, plus il recherche à connaître l'aboutissement de ses actions, et plus il a tendance à projeter à long terme. Et d'après nos propres recherches, les professionnels qui recourent à ces stratégies, surtout ceux qui travaillent dans les institutions bureaucratiques, sont beaucoup moins vulnérables à l'épuisement.

Nos recherches démontrent également que le sentiment de réussite et d'accomplissement est corrélé négativement à la lassitude et à l'épuisement[8]. Ceux qui réussissent dans leur profession ont tendance à se faire une image plus positive d'eux-mêmes et à se laisser moins gagner par la lassitude. Inversement, plus on est frustré par ses échecs, plus on est vulnérable à la lassitude. Mais la corrélation négative entre la réussite et l'épuisement n'implique pas une causalité. Il se peut que l'échec conduise à l'épuisement; il est également possible que l'épuisement conduise à un sentiment d'échec ou même que certains attributs de caractère ou de situation encouragent l'épuisement *et* les sentiments d'échec.

On ne peut pas toujours évaluer la réussite et l'échec selon des critères objectifs absolus. Parfois, l'idée que se font les gens de leurs réalisations n'a presque rien à voir avec la réalité objective absolue. Un exemple: lorsqu'un étudiant de niveau universitaire répond correctement à 92% des questions d'un examen, on peut dire qu'il réussit très bien. Cependant, si ses trois meilleurs amis ont obtenu 97% au même examen, il pourrait se considérer comme un raté. Ce que certains jugent, d'après leurs standards, être une réussite, d'autres le considèrent comme un échec car ils se comparent à quelqu'un qui les dépasse en aptitudes et en réalisations. C'est dommage car, au niveau émotif, ils sont incapables de savourer l'effet positif du véritable succès, surtout lorsqu'on sait que chaque réussite peut les blinder un peu plus contre l'épuisement et la lassitude. Conséquemment, il est très important d'apprendre à reconnaître et même à savourer chacune de ses réussites avant de relever de nouveaux défis. Il existe toutefois certaines pressions qui font échec à ce plaisir si bénéfique que l'on tire d'une réussite. La compétition, par exemple.

Comme dans le cas de l'étudiant, quiconque se laisse entraîner dans une compétition vorace n'évalue plus ses réalisations d'après ses capacités ou ses efforts mais d'après le degré de réussite d'autres personnes. Il ne compare pas, pour l'évaluer, ce qu'il accomplit à ses réalisations antérieures ou à ses espérances, mais aux réalisations d'autrui. Un avocat qui réussissait bien dans son domaine nous a dit un jour: "Cette année, mon revenu sera de 20 p. cent supérieur à celui de l'année dernière. Mais mes associés gagnent beaucoup plus que moi." Un psychologue chercheur nous a dit, lui: "J'ai déjà publié pas mal de titres et j'ai bon espoir de décrocher une chaire à la faculté. Mais un de mes amis, qui a fini ses études en même temps que moi, s'est déjà bâti une solide réputation scientifique internationale. Jamais je ne pourrai l'égaler." Ce genre de comparaison peut s'avérer autodestructrice: l'individu n'arrive pas à savourer pleinement ses réalisations car elles se dévaluent aussitôt qu'il les compare à celles d'autres qui ont, eux, plus à leur actif. L'obsession de la compétition est un stress que certains n'arrivent jamais à surmonter. Lorsque nous persistons à comparer nos succès financiers, notre célébrité ou notre excellence professionnelle non pas à nos propres aspirations et besoins mais plutôt à ceux d'autrui, aucun degré de réussite ne pourra jamais nous satisfaire. Pis, nous nous imposons indéfiniment des pressions qui conduisent à l'épuisement.

Cependant, le désir d'accomplir peut, lui aussi, devenir autodestructeur lorsqu'il envahit tout l'être, comme l'indique cet aveu d'un directeur ulcéré d'un certain âge:

"Pendant des années, j'ai été complètement pris par ma carrière, travaillant nuit et jour, les fins de semaine et les congés, pour mettre sur pied puis développer mon entreprise et pour gagner plus d'argent. Puis un jour, je me rends soudainement compte que je ne connais ni ma femme ni mes enfants. Je n'ai pas de véritables amis parce que toutes nos activités sociales sont axées autour de clients potentiels ou d'associés. J'ai l'impression que la vie m'a filé sous le nez alors que j'étais tout préoccupé par les mauvaises choses."

Cette préoccupation engendre une double pression: le désir de toujours vouloir accomplir davantage et une carence des autres gratifications de la vie.

Ceux qui sont particulièrement obsédés par la réussite où l'avenir n'associent presque jamais leur réussite au bonheur, mais à la déception. Tel ce scientifique qui avait travaillé dur pour atteindre son poste éminent et qui fit un jour une découverte qui le rendit soudainement célèbre. Et, tout aussi vite, il sombra dans la dépression. Comme s'il se disait: "C'est ça? Est-ce vraiment pour ça que j'ai travaillé toutes ces années?" Lorsqu'on ne vit qu'en fonction du futur, la réussite ne satisfait que momentanément, et ce moment est douloureux car il nous fait découvrir la rançon qu'il faut payer pour le succès.

En résumé, la réussite et l'accomplissement sont deux des aspects positifs de la vie capables d'alléger la lassitude et de nous procurer un sentiment d'actualisation de soi. Mais étant subjectives, ces expériences ne reflètent pas nécessairement la réalité. Lorsque la poursuite de la réussite envahit complètement l'individu, elle peut devenir une source de stress et un antécédent de la lassitude. Afin de mener nos réussites à un dénouement positif plutôt que négatif, nous devons apprendre à nous offrir du temps pour nous détendre et savourer nos réalisations, et incorporer chaque expérience à notre vie avant de relever un nouveau défi.

La diversité

Une grande partie de notre vie est consacrée à des routines, des activités répétitives et brèves qui sont, pour la plupart, des sources de stress lorsqu'elles occupent toute notre attention pendant de longues périodes de temps. Toutefois, il nous arrive parfois de les préférer aux activités non routinières lorsqu'elles viennent interrompre de longues périodes de surcharge. Ainsi le policier ou l'infirmière qui sont surchargés de travail le jour optent parfois pour des quarts de nuit qui sont beaucoup plus paisibles et "sous-chargés". Cependant, une routine procède autant du nombre des activités que de leur nature. Si nous vaquons à de nombreuses activités répétitives, nous pourrions souffrir d'ennui et de surcharge.

Nos recherches révèlent que ceux qui vaquent à des activités monotones sont plus prédisposés à souffrir de lassitude, alors que ceux dont les activités diversifiées leur permettent de faire valoir leurs capacités souffrent rarement de lassitude[9]. Ceci vaut autant pour les activités professionnelles que non professionnelles. Chez beaucoup, l'ennui généré par leurs routines fait partie du quotidien. Pourtant ces routines peuvent servir à mettre de la variété dans le quotidien. Une personne peut se plaire beaucoup dans une activité créatrice et stimulante, mais choisir de temps à autre, pour se détendre, de vaquer à des tâches routinières. La diversité et l'intérêt ne dépendent pas nécessairement d'une stimulation extérieure; leurs racines se trouvent en grande partie chez l'individu.

On pourrait attribuer les effets qu'a la diversité sur le comportement et le bonheur à divers ensembles théoriques; entre autres, l'activation physiologique ou les systèmes de stimulation[10]. Un individu fonctionne à son mieux lorsqu'il atteint un niveau optimal d'activation. Les niveaux particulièrement élevés d'activation génèrent de l'anxiété et de la tension, et les niveaux les plus faibles conduisent à l'ennui et à la colère. Diverses études sur la privation sensorielle (un environnement ou une situation qui restreint gravement la stimulation visuelle, auditive et tactile de l'individu) démontrent qu'elles provoquent le fléchissement des capacités cognitives et motrices, une irritation, une régression émotionnelle et même des hallucinations[11]. Accusé d'espionnage par les autorités françaises, Christopher Burney dut passer dix-huit mois en prison cellulaire. Il écrivit par la suite: "Je me suis vite rendu compte que la diversité est bien plus que le sel de l'existence; elle en est l'essence[12]."

La diversité et l'intensité de la stimulation affectent les réactions de chaque individu. Il faut, semble-t-il, un certain niveau de stimulation pour satisfaire la complexité psychologique de l'organisme[13]. Si ce niveau n'est pas atteint ou s'il est dépassé, soit par un manque ou un excès de stimulation, l'individu réagira négativement. Si la stimulation est toute nouvelle et variable, il tâchera ou bien de limiter son attention ou bien d'absorber la stimulation par étapes analytiques. Si le degré et la diversité de la nouveauté sont trop faibles, ou bien il éprouvera de l'ennui, ou bien il tâchera de modifier son environnement en recherchant de nouveaux événements dans son environnement physique ou social, ou en lui-même.

Même le travail le plus stimulant peut devenir avec le temps ennuyeux de par sa routine et la monotonie de ses problèmes qui finissent par gruger n'importe quelle résistance. Une façon de circonvenir ces réactions démoralisantes consiste à alterner périodiquement les fonctions des employés. Notre recommandation: rechercher la diversité et le défi autant dans la vie qu'au travail plutôt que de répéter tout simplement ce qu'on fait le mieux. On peut bien se permettre quelques gaffes lorsqu'on expérimente avec de nouvelles idées, de nouvelles aptitudes, de nouvelles approches.

Il existe toutefois certaines professions où les possibilités d'innovation sont minimes. Dans ce cas, c'est à l'individu de se rendre intéressant car dans notre unicité nous sommes tous une source riche en diversité. Cela peut être une caractéristique de travail positive plutôt que négative, particulièrement dans les services humains où le professionnel choisit généralement de faire carrière pour pouvoir travailler avec des gens. Rappelez-vous la recommandation faite aux dentistes au premier chapitre: consacrer plus de temps aux patients pour mieux les connaître puisqu'il est si facile pour un dentiste de s'ennuyer à force de plomber et d'aurifier une dent après l'autre. Ça peut devenir ennuyant, les dents. Mais un dentiste travaille d'abord avec des gens et non tout juste sur des dents. Et lorsqu'il saura reconnaître le caractère unique de chaque client et son besoin d'être rassuré, traité ou abordé de façon particulière, chaque rendez-vous deviendra, lui-aussi, une expérience unique. Nous sommes tous capables de raviver continuelllement notre intérêt et notre sentiment de diversité — en humanisant chaque situation, en différenciant chaque personne et en présentant à chacune une facette différente de notre personnalité.

Une alternative pour rehausser la diversité dans certains milieux professionnels: le transfert latéral. Une autre: le transfert radical — l'abandon définitif d'une profession. Mais avant d'y souscrire, il faut d'abord s'assurer qu'on a épuisé toutes les ressources de diversité et les possibilités de transfert latéral dont on dispose dans son milieu de travail. Lorsqu'on n'a plus d'autre choix que de changer de métier, on gagnerait davantage à aller "vers" les nouveaux défis plutôt que "d'éviter" les problèmes. Sol Landau, un rabin de Miami[14], a étudié ce type de changement positif de carrière entre deux âges ou, comme il l'a surnommé, le fait de "recommencer à mi-chemin". Landau a interviewé des individus qui s'étaient lancés dans une nouvelle carrière entre l'âge de 35 et 54 ans. Les sujets provenaient de divers milieux socio-économiques et possédaient divers niveaux d'éducation, mais tous avaient bien réussi financièrement dans leur première carrière. "Je m'intéressais à ceux qui avaient décidé d'entreprendre des changements à un certain âge pour satisfaire quelque besoin personnel et non parce qu'ils avaient échoué dans leur première carrière." Landau a remarqué que la majorité des sujets étaient "confiants" et "autonomes", que "ce n'étaient pas des types qui changeaient souvent ou impulsivement." Pour eux, le changement était plutôt "une quête pour se renouveler", une fuite de l'ennuyeuse routine qu'était devenu leur travail quotidien. Landau a constaté également que la deuxième carrière était considérée d'autant plus satisfaisante qu'elle différait de la première: par exemple, un fournisseur de matelas devenu courtier à la bourse, un pilote militaire devenu physicien, un cadre devenu conseiller-hypnotiste, un photographe devenu sociologue.

Il est capital, pour alléger l'épuisement et la lassitude, de donner libre cours à ses intérêts et à ses talents. Comme l'a dit Bertrant Russell: "Le secret du bonheur consiste en ceci: étendez autant que possible le champ de vos intérêts et réagissez aux choses et aux personnes qui vous intéressent de façon aussi amicale que possible plutôt qu'hostile[15]."

Les expériences fluides

Ceux qui oeuvrent dans les domaines créateurs sont souvent considérés comme moins enclins à l'épuisement que les autres travailleurs. Mikalyi Csikszentmikalyi décrit ces individus dans un livre paru récemment en ces mots: des gens aux "expériences totales", motivés intérieurement et engagés dans des activités autant récréatives que professionnelles — joueurs d'échecs, alpinistes, danseurs, chirurgiens, compositeurs, joueurs de basket-ball, etc.[16] Czikszentmikalyi a cherché à déterminer les points communs de ces expériences, de leur raison d'être et de leur potentiel de plaisir. Ce qu'il a en fait trouvé, c'est que ces gens, plus que d'autres, s'engagent dans des activités "autotéliques", auxquelles ils s'adonnent pour le plaisir qu'elles leur offrent et non dans le but d'en retirer des récompenses concrètes. Ces activités permettent au sujet d'explorer ses limites et de développer ses aptitudes. La majorité des répondants ont décrit leur expérience autotélique comme étant, entre autres, une sorte d'exploration créatrice — une expérience qui se situe au niveau optimal entre l'ennui et l'angoisse, et le sentiment éprouvé durant ces activités autotéliques est une "expérience fluide", un engagement total où s'efface presque toute distinction entre la personne et l'environnement, et entre le passé, le présent et le futur.

Cette fluidité est bien manifeste dans certaines activités comme les échecs et les sports. On la trouve également dans les arts, les sciences et les activités spirituelles. Selon Csikszentmikalyi, ces expériences ont en commun une certaine fluidité intérieure où l'activité envahit tout l'être, générant un état d'âme si plaisant que le sujet est prêt à renoncer à tous les conforts pour la poursuivre. L'ultime manifestation de cette "fluidité" serait la fusion entre le geste et la conscience: le sujet est conscient du geste mais non de la conscience, laquelle est axée autour de l'activité et non sur la performance. Une autre caractéristique de ces expériences fluides, c'est que le sujet centre tout son intérêt sur l'activité, se coupant de tout stimulus environnemental. Nikolai Krogius, le grand maître russe des échecs rapporte cet incident survenu durant un tournoi d'échecs: un pichet d'eau tomba avec grand fracas sur le plancher; tout le monde sursauta à l'exception du maître anglais Burn, qui continua à fixer l'échiquier, avouant plus tard qu'il n'avait rien entendu[17]. On relève parmi les autres caractéristiques de l'expérience fluide: la dissipation du moi ou l'abnégation de soi, qui n'implique pas toutefois une perte chez le sujet de la conscience de sa propre réalité physique; le contrôle des gestes sans toutefois être activement conscient de ce contrôle ni du souci d'un manque de contrôle; des exigences cohérentes et non conflictuelles pour l'action avec une rétroaction précise pour ces gestes; nul besoin d'avoir des objectifs ou des récompenses externes.

Mikaly Csikszentmikalyi s'est penché également sur les activités "micro-fluides" du quotidien. Lorsqu'il a demandé à ses répondants d'énumérer leurs activités plaisantes, mais non nécessairement celles auxquelles ils vaquaient habituellement, plus de la moitié des activités rapportées tombaient sous deux catégories principales: 1) les mouvements corporels: toucher, frotter, manipuler des objets, marcher, courir, etc.; et 2) les divers schémas d'interaction sociale: parler, plaisanter avec autrui, fêter, étreindre, embrasser, faire l'amour, etc. Ces constatations reflétaient deux approches différentes de l'expérience, et ceux qui souscrivaient à l'une s'engageaient moins souvent dans l'autre et vice-versa. On a conclu donc que les préférences individuelles pour les activités diffèrent d'une personne à l'autre autant que les sources de valorisation et le besoin d'instruction et de diversité.

Les expériences fluides comptent parmi les moments les plus heureux de la vie et leur souvenir peut influer profondément sur la perception qu'a chaque individu du bonheur. "Ce sont les points culminants de la vie qui décident de son sens. Un seul instant peut rétroactivement donner un sens à toute une existence. Demandez à un alpiniste qui a déjà vu le soleil se coucher entre les cimes et qui était tellement ému par la splendeur de la nature qu'il tressaillait de la tête aux pieds, si, après une telle expérience, sa vie sera jamais complètement dénuée de sens[18]."

De toute évidence, les expériences fluides sont à l'opposé de la lassitude. De fait, certaines constatations préliminaires indiquent que ceux qui s'engagent dans une activité jusqu'à la "fluidité" manifestent moins de lassitude[19]. Nous pouvons tous reconnaître les expériences qui nous offrent une telle fluidité, en déterminer la fréquence et tâcher consciemment de l'augmenter. Certes, c'est plus facile à dire qu'à faire. Mais on ne perd rien à explorer, dans un premier temps, les conditions requises pour déclencher ces expériences et essayer de les reproduire autant au travail que dans la vie. Comme l'a dit Csikszentmikalyi, il existe certains types d'activités qui sont plus propices que d'autres aux expériences fluides. Si ces activités font partie de votre vocation, vous êtes vraiment privilégié. Sinon, il vous faut faire deux choses. D'abord, essayez d'intégrer ces activités à vos occupations: par exemple, déterminez les activités qui vous plaisent, comme l'alpinisme, la danse ou la peinture, et qui vous permettront de ressentir cette "fluidité"; puis, tâchez d'en augmenter la fréquence. Mais, direz-vous, la majorité des gens passent presque la moitié de leur état de veille au travail. Pour ceux-là, il est encore plus pressant de trouver ces aspects de leur travail qui se prêtent aux expériences fluides. Ils sont rares ceux qui peuvent gagner leur vie en jouant aux échecs ou en produisant des tableaux; tout aussi rares sont les occupations qui sont si stériles qu'elles n'offrent aucune possibilité à l'individu créateur de plonger dans cette fluidité au travail, ne serait-ce qu'une partie du temps.

L'actualisation de soi

Un postulat de plusieurs théories psychologiques sur la personnalité veut que le besoin de s'actualiser et de s'épanouir soit une des motivations fondamentales de l'activité humaine[20]. Une de ces théories, énoncée par Abraham Maslow, est devenue fort populaire au cours de la dernière décennie[21]. Selon Maslow, une des tendances centrales de toute personnalité est la force qui oriente l'activité de l'homme vers la réalisation de ses potentiels. C'est toujours, selon Maslow, la "tendance à l'actualisation de soi", tendance qui nous encourage à exprimer nos caractéristiques uniques et qui enrichit et donne un sens à la vie.

Maslow place l'actualisation de soi au sommet de la pyramide des besoins; plus précisément, on ne peut s'actualiser que lorsqu'on a satisfait tous ses besoins primaires. Telle que conçue par Maslow, cette pyramide est composée de cinq niveaux de besoins fondamentaux. À la base, se trouvent les besoins physiologiques: manger, boire, respirer, dormir. Une fois que ces besoins sont satisfaits, l'individu tâchera de satisfaire ceux du niveau supérieur — les besoins de sécurité — en se créant un environnement sécurisant, libre de tout danger, de toute menace. Au troisième niveau, se trouvent les besoins affectifs — les dynamiques interpersonnelles comme le besoin d'être aimé et accepté. Viennent ensuite les besoins d'estime — être respecté et valorisé, et, enfin, au sommet, le besoin de s'actualiser.

L'actualisation de soi est également le thème central des écrits de Carl Rogers[22]. ''Il existe dans tout organisme, y compris l'humain, une tendance profonde vers la réalisation constructive de son potentiel, une tendance naturelle vers l'évolution. On peut la contrecarrer mais non la détruire sans détruire aussi tout l'organisme.'' Pour s'actualiser, l'individu doit agir conformément à sa propre nature afin de rehausser sa vie. C'est la réalisation des désirs qui procèdent de son caractère unique. L'actualisation de soi génère certaines pressions soutenues qui poussent l'individu à agir, à se développer et à s'éprouver conformément à l'image consciente qu'il se fait de lui-même. Donc actualisation de soi signifierait intégration des diverses facettes de sa personnalité, harmonie entre le moi et la société, expression de son potentiel, transformation et évolution, ouverture d'esprit face aux nouvelles expériences, façon de vivre active et créatrice.

Conséquemment, ceux qui, dans leur vie et leur travail, trouvent un défi et sentent qu'ils donnent toute leur mesure, doivent être moins vulnérables à l'épuisement. En effet, certaines recherches corroborent ce postulat. La majorité des professionnels qui ont participé à nos recherches donnaient beaucoup d'importance à l'actualisation de soi. Et, avons-nous constaté, il existe une corrélation significative entre l'absence de véritables possibilités de s'actualiser, autant dans la vie privée que professionnelle, et la lassitude et l'épuisement: moins on s'actualise, plus on souffre de lassitude[23]. En général, chaque professionnel qui a consacré plusieurs années aux études s'attend à trouver dans sa carrière un défi continu et des possibilités de s'actualiser. Si ces espérances sont frustrées, si le travail ne lui offre aucune occasion de mettre en valeur ses talents et ses capacités, il sera gravement atteint par la frustration, la lassitude et l'épuisement.

La meilleure façon de résumer ces quelques dernières pages serait peut-être de retourner un moment à nos deux jeunes libraires. Comme vous vous rappelez, même s'ils vaquaient aux mêmes fonctions, l'un considérait son travail comme une activité riche en possibilités de s'instruire, alors que l'autre le trouvait ennuyeux et stagnant. Il serait tentant d'attribuer cette divergence à leur personnalité: Sam, c'est un gars plus curieux, plus heureux; Harry, c'est le gars renfermé, morose.

207

Inutile de répéter que chaque personne est unique. Ce serait donc une grave erreur que d'attribuer leurs énormes divergences comportementales uniquement à des traits rigides et immuables de leur personnalité. Notre travail nous a tant et plus démontré que chacun peut modifier son comportement et son orientation sans pour cela recourir à la psychothérapie à long terme ou entreprendre de profondes modifications caractérielles. Ce dont on a plutôt besoin, c'est l'occasion de prendre conscience des sources de son stress, c'est la possibilité de développer une clarté cognitive face aux aspects environnementaux (y compris ceux de l'environnement intérieur) qui peuvent être modifiés, et développer certaines aptitudes essentielles. Ainsi, avec un peu d'effort, Harry saura voir, lui aussi, la librairie comme un endroit où il pourra s'enrichir intellectuellement et se valoriser par son travail. Par exemple, pourquoi ne pourrait-il pas considérer son travail comme un service public qui lui offre aussi l'occasion d'inculquer aux clients l'amour des livres dont certains pourraient même changer leur vie? En orientant ainsi leurs activités, Harry et Sam sauront profiter de chacune de leurs réussites. Comme nous l'avons déjà mentionné, la réussite peut conduire à l'épuisement si elle est perçue uniquement comme un des échelons d'une interminable ascension vers quelque objectif mythique ou comme un moyen de se comparer à d'autres personnes qui, de toute évidence, réussissent mieux. Il suffit d'un peu de discernement et d'attention, et Harry saura se donner du temps pour apprécier et savourer chacun de ses accomplissements avant de relever le prochain défi. Quant à la diversité, nous avons déjà mentionné que pour Sam, la librairie était un environnement immensément riche en diversité: livres, clients, etc. Il n'y a pas de raison pour qu'avec un peu d'effort Harry ne se rende pas à la même évidence, qu'il ne découvre pas ces mêmes aspects de son travail. Même si nous ne nous permettons pas de dire à Sam, à Harry ou à qui que ce soit lesquelles de ses activités lui offriront des expériences fluides, nous sommes convaincus qu'en examinant activement sa vie quotidienne et en recherchant à accroître ces expériences, on accomplit déjà les premiers pas logiques vers cette réalisation.

La façon de combattre l'épuisement et la lassitude

Nous avons présenté au premier chapitre les quatre stratégies principales de la lutte contre l'épuisement: prendre conscience du problème; se décider à agir; atteindre un certain niveau de clarté cognitive; et développer de nouveaux moyens de récupération, tout en améliorant la portée et l'efficacité des anciens. Nous avons ensuite recommandé à tous ceux qui travaillent dans les services sociaux et de santé de changer leur orientation, axée sur la clientèle, en une relation professionnel-client plus équilibrée, insistant particulièrement sur le développement et le maintien d'une "sollicitude détachée". À ceux qui travaillent dans les bureaucraties, nous avons recommandé d'apprendre à devenir de "bons bureaucrates", puis, nous avons mentionné aux femmes professionnelles que certains de leurs conflits pouvaient procéder d'un dilemme socio-psychologique et nous leur avons recommandé d'établir leurs projets d'avenir sans succomber aux pressions extérieures, sans culpabilité et sans remords. Enfin, dans le présent chapitre, nous avons suggéré, pour surmonter la lassitude et l'épuisement, que l'individu s'engage activement dans sa poursuite de l'instruction, de la diversité, de la valorisation et de la réussite, des expériences fluides et de l'actualisation de soi.

Nous pourrions certes présenter des recommandations générales au chapitre des stratégies thérapeutiques face à l'épuisement et la lassitude. Mais chaque individu récupère de façon différente, et ces façons ne sont pas toutes aussi efficaces les unes que les autres. Une stratégie thérapeutique implique certains *efforts* qui, à défaut d'une réaction automatique, visent à maîtriser les circonstances du mal, de la menace et du défi[24]. Par définition, une thérapie n'implique pas une *réussite* mais un *effort*; elle est plutôt le lien entre le stress et l'adaptation. C'est là une définition formelle de la stratégie thérapeutique que l'on retrouve dans nombre de recherches sur le stress et que nous avons utilisée dans nos propres études. Même s'il est très important, au point de vue clinique et théorique, de savoir surmonter les problèmes du quotidien, rares sont les recherches qui se sont penchées là-dessus. Les études sur le stress se sont concentrées primordialement sur les stratégies qui seraient les plus efficaces dans les cas de phase aiguë, comme le stress généré par un accident, le décès d'un enfant, une mort imminente, un désastre naturel ou une perte d'emploi. Voici pourquoi nous avons décidé de centrer notre intérêt sur les stratégies que l'on pourrait utiliser face au stress chronique du quotidien plutôt qu'à celui généré par les événements dramatiques[25]. À notre avis, c'est sa nature chronique et son caractère mondain, même insignifiant, qui rendent ce stress aussi intenable.

Quatre stratégies thérapeutiques

Selon Richard Lazarus, un des imminents chercheurs dans le domaine du stress, il y a deux catégories générales de stratégies: 1) l'action directe — l'individu cherche à maîtriser ses transactions avec l'environnement; et 2) l'atténuation — l'individu cherche à atténuer les divers désagréments lorsqu'il n'arrive pas à maîtriser l'environnement ou lorsque, dans son cas, l'action s'avérerait trop onéreuse[26]. La stratégie directe, ou action directe, s'applique extérieurement à la source environnementale du stress, alors que la stratégie indirecte, ou atténuation, s'applique intérieurement au comportement et aux émotions de l'individu. En plus de ces modalités directes/actives, nous avons découvert, de notre côté, certains schémas actifs/inactifs[27]. Le schéma actif ("aller vers") consiste à confronter ou à essayer de modifier la source du stress ou soi-même, et l'inactif ("éviter" ou "se retrancher") implique une évasion ou un déni du stress par des moyens cognitifs ou physiques. Ces deux modalités, directe/indirecte et active/inactive, génèrent quatre types de stratégies thérapeutiques, caractérisées chacune par trois actions. (Voir le tableau ci-contre.)

Lors d'une étude, nous avons demandé à 147 personnes de nous énumérer les stress majeurs de leur travail et de leur vie, puis de nous décrire la façon dont elles se prenaient pour les circonscrire. Réponses: 20 % recouraient à des techniques thérapeutiques qui consistaient à affronter la source du stress, l'évitaient (18 %) et ne faisaient rien (2 %). Un autre 49 % recourait à diverses techniques indirectes-actives: discuter du stress (20 %); y réfléchir (12 %); étudier (9 %); s'engager dans d'autres activités (7 %); activités sportives et spirituelles et détente (1 %). Enfin, 11 % recouraient à divers schémas indirects-inactifs: se faire du souci et pleurer (4 %); boire, manger et fumer (1 %); se résigner à la situation (4 %); ne rien faire (2 %).

Lors d'une deuxième étude, nous avons fourni à 84 sujets la liste des 4 catégories de stratégies thérapeutiques et nous leur avons demandé de nous indiquer la fréquence à laquelle ils recouraient à chacune d'elles et d'en évaluer l'efficacité. D'après les résultats de cette étude, pour combattre la lassitude, les sujets recouraient plus souvent aux stratégies actives qu'ils considéraient également les plus efficaces. Ils recouraient moins souvent aux stratégies inactives et les considéraient comme les moins efficaces. Autrement dit, plus souvent on a recours aux stratégies actives, moins on souffre de lassitude; plus souvent on a recours aux stratégies inactives, plus on souffre de lassitude.

1. Directive-active: modifier la source du stress, confronter la source du stress, rechercher les aspects positifs de la situation;
2. Directe-inactive: ignorer la source du stress, éviter la source du stress, se retrancher de la situation stressante;
3. Indirecte-active: discuter du stress, changer pour s'adapter à la source du stress, s'engager dans d'autres activités;
4. Indirecte-inactive: recourir à l'alcool ou aux drogues, tomber malade, s'effondrer.

Schéma des stratégies

	ACTIVÉS	INACTIVÉS
DIRECTES	— Modifier la source du stress	— Ignorer la source du stress
	— Confronter la source	— Éviter la source
	— Adopter une attitude positive	— Se retrancher
INDIRECTES	— Discuter de la source du stress	— Recourir à l'alcool ou aux drogues
	— Changer soi-même	— Tomber malade
	— S'engager dans d'autres activités	— S'effondrer

Il y a toutefois une exception à ce schéma: l'action directe-inactive qui consiste à ignorer la source, action qui semble plus proche des stratégies actives que des passives. Il est très important cependant de faire la distinction entre, d'une part, ignorer et éviter une source et, d'autre part, en nier l'existence. Lorsqu'il décide d'ignorer un stress, le sujet choisit consciemment de circonvenir le problème. Lorsqu'il décide de nier son existence, cela sous-entend que le problème existe toujours, et ce déni peut s'avérer très éreintant au niveau émotif. Les stratégies indirectes-inactives manifestent une phase aiguë de lassitude. Mais nous ignorons si c'est l'épuisement qui pousse l'individu à boire, à fumer ou à abuser de médicaments, ou si ce sont ces excès qui le conduisent à l'épuisement. Mais il y a sûrement un rapport entre les deux[28]. Les stratégies indirectes-inactives sont particulièrement inopérantes car non seulement elles ne réduisent pas le stress, mais elles finissent par démoraliser l'individu au point d'infirmer son fonctionnement. En fait, on peut dire que tout mécanisme thérapeutique qui implique un abus d'alcool, une dépendance aux somnifères, etc., n'est pas une stratégie thérapeutique mais tout simplement une façon d'atténuer temporairement l'angoisse.

Lorsqu'elles sont employées de façon convenable, les stratégies actives allègent la lassitude, car elles peuvent modifier la source du stress. Par exemple, le professionnel qui s'attaque directement à la source de son stress en confrontant son patron, ou qui évite le stress en ignorant les accès d'un client, ou qui l'affronte indirectement en en parlant à un ami souffrira moins de lassitude que celui qui, pour oublier son stress, recourt à la boisson.

Même si nous avons tous une préférence pour une stratégie ou l'autre, il est important de ne pas nous limiter à une stratégie particulière. Ne pas dire, par exemple: "Moi, je suis un inconditionnel de la directe-active." En fait, en comparant les hommes aux femmes, nous avons remarqué que ces dernières ont tendance à recourir plus souvent aux méthodes thérapeutiques indirectes: discuter du stress, tomber malade, s'effondrer, et que les hommes ont plus tendance à recourir aux stratégies directes: modifier ou ignorer la source du stress. En outre, plus de femmes que d'hommes considèrent que discuter de leur stress est une stratégie thérapeutique plus efficace que l'ignorer. Même si on recourt avec beaucoup de bonheur dans certaines situations à une stratégie particulière, cela ne veut pas dire qu'on devra toujours se servir de cette stratégie. Nous avons connu des hommes qui se considéraient comme des stratèges de la directe-active mais qui étaient tout confus lorsqu'ils se retrouvaient dans une situation où l'approche directe-active s'avérait inopérante. Supposons, par exemple, que la source majeure de stress chez un homme soit le comportement revêche et menaçant de son patron, et il sait que ce dernier réagira toujours de façon revêche et menaçante s'il le confronte directement pour discuter de cette situation. Si notre homme se considère déjà comme un adepte de la "directe-active" et s'il associe plus ou moins cette stratégie à l'image "virile" qu'il se fait de lui-même, tout ce qu'il réussit à faire, c'est s'infirmer; s'il considère la stratégie indirecte comme "indigne d'un homme", et s'il est convaincu que l'approche "virile" aboutira dans cette situation à un véritable fiasco, il se condamne à vivre avec son stress. Un bon stratège sait maîtriser de diverses façons les conditions du mal, de la menace ou du défi, et recourir dans chaque situation à la stratégie qui convient le mieux et qui sera la plus efficace.

Les situations stressantes et l'efficacité des stratégies

Quand est-ce que chaque stratégie (ou chaque ensemble de réactions) convient le mieux ou est le plus efficace? Dov Eden, professeur de gestion à l'université de Tel-Aviv, a essayé de répondre à cette question[29]. Selon lui, il est possible de classifier les situations stressantes en se basant sur deux critères distincts qui, ensemble, permettent d'évaluer la praticabilité et l'efficacité des diverses réactions au stress. Le premier critère est la mutabilité. Il existe des situations qui sont immuables, comme celles où le danger, qui met en péril la vie du sujet, fait partie de ses fonctions. Par exemple, il est impossible pour un pilote d'essai de supprimer les dangers potentiels inhérents à son travail, d'autant plus qu'une de ses fonctions consiste à découvrir, pour les déterminer, ces dangers en s'y exposant. Il y a également des situations qui sont mutables, comme celle d'un subordonné coincé entre les exigences conflictuelles de deux supérieurs. Il pourrait en informant ces derniers de son conflit, en les rencontrant ensemble ou en recourant aux bons services d'une tierce personne, réduire ou éliminer en principe, et souvent en pratique, le conflit stressant. Donc la première étape du diagnostic d'une situation stressante consiste à déterminer son degré de mutabilité.

Le second critère est la continuité ou l'intermittence. Certains stress sont continus — ils représentent pour l'individu une

213

menace continue. D'autres sont intermittents, et leur périodicité est différente. Par exemple, les conseillers fiscaux connaissent une période stressante de surcharge qui croît graduellement pendant plusieurs mois pour atteindre son paroxysme au mois d'avril. La périodicité du stress est prévisible dans beaucoup d'emplois: pour les chauffeurs de taxi d'un grand centre urbain, ce sont les heures de pointe; pour les enseignants, ce sont le début et la fin de l'année scolaire; pour les équipes d'entretien préventif, c'est durant les fermetures projetées d'avance. Chez d'autres, la périodicité est variable et imprévisible: le personnel d'urgence d'un hôpital, les équipes volantes dans les hôpitaux, les unités militaires durant une guerre, les négociateurs durant les grèves sauvages, les pompiers, etc. Cette combinaison de mutabilité et d'intermittence dichotomiques produit quatre types de situations stressantes.

Dans le cas d'un stress lié à une situation mutable et continue, la meilleure stratégie thérapeutique est la directe-active. Le stress mutable peut être modifié et, étant continu, il vaut probablement l'effort d'en altérer la source. Toutefois lorsque la source est mutable et que le stress est intermittent, on peut recourir à la stratégie directe-active, mais il serait peut-être préférable de la laisser ou de l'ignorer, dépendamment de sa périodicité, de la gravité du stress, ou de l'effort requis pour en modifier la source.

Lorsque la source est immuable et le stress intermittent, on ne peut pas recourir à la stratégie directe-active. On peut rechercher quelque soulagement temporaire (catharsis ou diversion) ou permanent (changer soi-même), et s'adapter ainsi à la situation immuable. Bref, nous avons tous besoin d'être soulagés momentanément d'un stress intermittent. Nul besoin de recourir aux réactions d'adaptation lorsque le stress est "débranché", mais plutôt lorsqu'il est "branché". Et cette adaptation nous aidera à surmonter les périodes de stress extrême.

Le stress immuable et continu est le plus pénible. Impossible d'en venir à bout puisqu'il est immuable, et impossible de s'en sauver puisqu'il est continu. La stratégie indirecte-active pourrait offrir un certain soulagement. Toutefois, s'il vous est impossible de changer suffisamment pour réduire l'écart qui existe entre les exigences environnementales et vos propres capacités, ou si le soulagement temporaire obtenu au moyen de la catharsis et de la diversion ne suffit pas pour vous permettre de continuer à fonctionner dans ces circonstances, il ne vous reste, pour combattre l'épuisement, qu'à échapper au stress en vous retranchant de la situation.

Quelques recommandations

Les stratégies thérapeutiques présentées au fil des chapitres et les diverses catégories de réactions au stress présentées ci-dessus sont d'efficaces approches générales dans la lutte contre l'épuisement. La deuxième partie de ce chapitre est consacrée à des recommandations plus spécifiques et concrètes au niveau de l'individu. Même si nous avons déjà parlé de certaines d'entre elles, nous tenons à y attirer une fois de plus votre attention aussi redondant que cela puisse être.

L'examen de ses stratégies personnelles

Pour prendre conscience de son épuisement et de sa lassitude et pouvoir les atténuer, il serait bon, dans un premier temps, de tenir un journal quotidien pour répertorier ses stress, ses stratégies thérapeutiques, et l'efficacité ou la déficience de celles-ci. Autrement dit, à la fin de chaque journée (et cela pour une période d'une semaine à un mois), on note et on décrit ses joies et ses stress quotidiens. De l'avis de ceux qui ont déjà tenu un tel journal, il est important de commencer par ses joies, autrement, si on commence par noter ses stress, on risque de se déprimer au point de ne plus se souvenir d'avoir ressenti la moindre joie durant la journée. Puis, on évalue chaque joie et chaque stress d'après l'échelle d'intensité suivante:

1	2	3	4	5	6	7
nullement intense		modérément intense			extrêmement intense	

Chaque stress doit être décrit en fonction de l'effort thérapeutique qu'il aura généré. Par exemple, si le stress était dû à un commentaire hargneux d'un supérieur, quelle a été votre réaction? Avez-vous affronté activement et directement le bonhomme pour lui dire l'effet que ses commentaires ont eu sur vous? L'avez-vous évité pour le reste de l'après-midi (directe-inactive)? Avez-vous appelé votre meilleur(e) ami(e) pour épancher vos peines (indirecte-active)? Ou bien avez-vous quitté furtivement le bureau pour aller prendre un verre dans un bar du coin (indirecte-inactive)? Vous devez évaluer également l'efficacité de chaque réaction d'après une échelle allant de 1 = nullement efficace à 7 = extrêmement efficace. À la fin de la semaine ou du mois, vous pourrez réviser votre journal et essayer d'identifier le schéma de vos stress et de vos tentatives pour les maîtriser. Certains découvriront que leur stress est généré primordialement au travail, d'autres, à la maison, et d'aucuns s'apercevront que leur stress est causé par certaines gens ou activités. De même, certains pourront identifier dans leur journal le schéma de comportement thérapeutique qui semble être le plus efficace. D'autres se rendront compte qu'ils sont embourbés dans des stratégies particulièrement inopérantes. Mais presque tous découvriront que leur vocabulaire de stratégies thérapeutiques est plutôt limité et qu'il leur faudra enrichir le répertoire de leurs réactions.

L'établissement des objectifs

C'est probablement le stress généré par les espérances frustrées qui est le plus difficile à circonscrire. Nous nous rappelons tous des raisons qui nous ont amené à choisir notre métier. Et, périodiquement, nous devons évaluer dans quelle mesure nos attentes et nos espérances originales se réalisent. On dit souvent que l'épuisement et la lassitude affligent surtout ceux qui perdent de vue leurs espoirs et leurs ambitions. Mais on ne sait pas avec certitude lequel des deux vient en premier: l'épuisement ou la perte de vue de ses objectifs? Toutefois, il y a un lien, et c'est pourquoi nous faisons cette recommandation: nous recommandons fortement à tous de réévaluer continuellement leurs objectifs à court et à long termes. Il est tout aussi important que ces objectifs et espoirs soient réalistes autant pour soi-même que pour ceux avec qui on fait affaire. Par exemple, le thérapeute gagnerait peut-être à développer ses aptitudes de diagnostic afin de savoir à quoi vraiment s'attendre autant de lui-même que de ses clients. Sinon il risque de se laisser entraîner dans un cycle autodestructeur comme il arrive souvent à ses semblables qui, au début de leur carrière, ne sachant pas que certaines choses sont irréalisables, les poursuivent incessamment. Certes, en se dévouant entièrement à un cas, il leur arrive parfois d'accomplir un "miracle". Mais par la suite, ils se sentiront toujours coupables de ne plus pouvoir égaler ou surpasser ce premier effort, d'autant plus qu'ils se rappellent qu'ils ont déjà été capables d'atteindre ce maximum. Ces objectifs sont irréalistes et autodestructeurs.

Avant d'établir ses objectifs, il est très important d'éclaircir ses priorités. Une façon d'y arriver, et qui a fait ses preuves dans nos ateliers, consiste à "se dépouiller de ses rôles". Plus précisément, lorsque nous réfléchissons aux divers rôles que nous assumons dans la vie, à leurs principales caractéristiques et à leur importance relative, nous devrions également nous imaginer ce que serait notre vie sans un rôle ou l'autre: comment serait-ce si nous n'étions pas "un père affectueux", "une épouse chérie", "une femme sexy", ou "un professionnel qui réussit bien". Pour en prendre vraiment conscience, imaginons-nous un moment en train de nous dépouiller de ces rôles tout comme nous nous dépouillerions de diverses couches de vêtements. Et ce n'est qu'alors, lorsque nous pourrons sentir ce que serait notre vie sans chacun de ces rôles, que nous saurons réévaluer et rétablir nos priorités d'une façon que la simple réflexion ne permet pas.

Bien plus, en nous concentrant sur la réévaluation de nos rôles, nous pourrons mieux déterminer les changements qu'il nous faudra entreprendre dans notre mode de vie quotidien et le pouvoir et les options dont nous disposons pour y arriver. Il y a des changements qui sont extrêmement difficiles à instituer et d'autres qui sont beaucoup plus faciles qu'on ne le pense.

Il est important, au moment d'établir et d'éclaircir nos objectifs, de distinguer entre les problèmes que nous pouvons changer et ceux qui sont immuables. Là-dessus, il faut éviter deux erreurs que les gens commettent trop fréquemment: ou bien ils renoncent trop vite ou bien ils s'obstinent trop longtemps. Nous sommes tous capables de trouver la solution d'un problème et de distinguer les problèmes qui peuvent être changés de ceux qui sont immuables. Certains ont une tendance dysfonctionnelle à se concentrer simultanément sur cinquante choses différentes qu'il est impossible de changer, et ils finissent frustrés ou déprimés. Pour être particulièrement efficace, on doit se concentrer sur quelques-unes des choses qui peuvent être changées.

L'importance du temps

Rien de plus simple que de toujours remettre à plus tard certains changements en se faisant croire que, pour une raison ou une autre, "ce n'est pas encore le moment". Cela se produit surtout parce que l'anticipation du changement inspire presque toujours une certaine angoisse. Pourtant, si le changement qu'on se propose d'entreprendre est important, il n'est pas de meilleur moment que le présent. Une amie, qui n'était jamais allée à l'université, s'imaginait un jour recevoir cinq ans plus tard un diplôme. "Mais voyons, s'est-elle exclamée aussitôt. J'ai quarante-huit ans. Donc, même si je commençais aujourd'hui mes études, je ne finirais pas avant l'âge de cinquante-deux ans!" Alors nous lui avons dit: "Et quel âge aurais-tu, dans quatre ans, si tu n'allais pas à l'université?"

Ça aide, lorsque nous faisons des projets d'avenir, d'imaginer notre vie cinq ans plus tard en fonction de certains facteurs communs: maison, voiture, ménage, travail, et ainsi de suite. Et plus la projection future diverge de la réalité présente, plus vite il faut entreprendre le changement. Il est très important de comprendre que le temps est une ressource précieuse et limitée.

La reconnaissance de sa vulnérabilité

Notre énergie est limitée. Nous devons tous être conscients des stress que nous nous imposons ainsi que des symptômes de l'épuisement et de la lassitude, et être toujours prêts à nous soigner. Nos ressources émotionnelles, mentales et physiques ne sont pas infinies. Vient un moment où plus fort et plus longtemps nous travaillons, moins nous nous accomplissons.

Il serait donc sage pour quiconque se sent fatigué, dépité, désenchanté, découragé, ou qui manifeste certains symptômes plus graves de l'épuisement et de la lassitude, de prendre un peu de repos: une longue fin de semaine, une semaine entière, deux semaines, un mois ou même plus, si c'est possible. Et durant cette période de repos, il pourra réfléchir à tout ce qui lui arrive et pourquoi. Une telle réflexion l'aidera sûrement à se trouver de meilleures stratégies thérapeutiques.

Nul besoin de s'effondrer pour se décider à prendre un peu de repos. Chacun doit limiter le nombre d'heures qu'il passe au travail et se reposer régulièrement, le soir, les fins de semaine ou durant les vacances. Ceci est capital pour ceux qui résident dans leur milieu de travail. Ils peuvent travailler trois semaines et se reposer la quatrième, ou travailler trois mois et se reposer le quatrième, et ainsi de suite. Nous avons tous besoin d'avoir une vie privée qui soit complètement séparée du travail, d'avoir un coin à soi tout seul même si on réside dans son milieu de travail. Cela s'applique autant à la femme au foyer qu'au professionnel. Il faut se méfier du travail compulsif, des fréquentes heures supplémentaires, des retentissements de ses activités professionnelles sur sa vie privée. Lorsque le travail devient trop envahissant, il faut arrêter un moment pour examiner ses priorités.

La compartimentation

Il importe de maintenir un équilibre entre l'énergie investie dans les activités professionnelles et l'énergie investie dans les autres domaines. Il importe également de séparer la vie professionnelle de la vie privée: donnez-vous entièrement à votre travail, soit, mais sachez aussi vous en distancier aussi entièrement lorsque vous le quittez. Cette compartimentation vous permet de vous engager dans chacun de vos rôles, mais aussi de circonscrire le stress inhérent à ces rôles dans le temps et l'espace. Il y a une forte corrélation entre le chevauchement du stress du travail avec celui de la vie et la lassitude. Il est donc important, par exemple, de ne pas amener vos problèmes professionnels à la maison. À force d'en discuter avec vos amis ou votre conjoint, vous en éprouverez constamment les effets traumatisants. Puis, présenter toujours votre version d'une situation ne vous aide guère à mieux la comprendre ni à trouver de nouvelles ressources thérapeutiques.

Il serait bon aussi de vous accorder une période de "décompression" après le travail, pour vous calmer, méditer, faire de l'exercice ou vous détendre. Une période de décompression vous permettra de vous distancier des problèmes de votre travail et rendra le retour à la maison moins stressant, surtout si vous êtes une femme à deux carrières. Les gens, avons-nous constaté au cours de nos recherches, ont diverses façons de se "décomprimer": certains écoutent de l'opéra en rentrant en voiture du travail; d'autres s'asseoient tout simplement à l'arrêt d'autobus et regardent les bus passer; quelques-uns s'asseoient dans un jacuzzi; et beaucoup font du jogging, de la natation, prennent un petit somme ou font du lèche-vitrines.

L'aptitude à se remonter

C'est le travailleur engagé qui risque le plus de s'épuiser car il entreprend trop, trop longtemps et trop assidûment. Il lui faut donc développer des sauvegardes qui l'aideront à mieux se protéger: reconnaître le stress de son travail, reconnaître les signaux d'alarme de l'épuisement et de la lassitude, reconnaître sa vulnérabilité, imposer des limites raisonnables à ses activités professionnelles et établir des objectifs réalistes. Il est particulièrement important pour ceux qui travaillent dans les services sociaux ou de santé d'apprendre à s'aider eux-mêmes autant qu'ils désirent aider leurs clients, et de modifier leur orientation axée sur la clientèle en une relation client-pourvoyeur plus équilibrée. Autrement dit, ils devraient apprendre à considérer leur propre personne comme un client. Ils doivent également se donner le temps de faire les choses qu'ils aiment mais qu'ils négligent, et reconnaître qu'ils ont eux aussi des besoins légitimes. Comment pouvons-nous aider les autres si notre propre vie est indigente? Il faut l'enrichir. Par ailleurs, lorsqu'un individu s'engage à outrance dans ses activités professionnelles, c'est souvent parce qu'il a renoncé à se chercher des activités et des relations qui pourraient donner un sens à sa vie personnelle. Parfois les gens se laissent tellement envahir par leur travail qu'il ne leur reste plus un seul moment pour s'occuper d'eux-mêmes et de leur vie privée.

Une façon d'éviter ce genre de surcharge: notez les trois choses que vous aimez faire mais que vous faites rarement, et les trois choses que vous détestez faire et que vous faites souvent. Sûrement, une telle liste vous aidera à déterminer si oui ou non il vous faut rétablir vos priorités. Par exemple, si votre travail consiste primordialement en activités intellectuelles ou verbales, s'il est axé sur le futur ou est exigeant sur le plan émotif, il vous faudra peut-être rechercher des activités plus physiques, non verbales et axées plutôt sur le présent. En fait, nous avons tant et plus constaté au cours de nos recherches qu'il existe une forte corrélation entre l'épuisement ou la lassitude et la mauvaise santé[30]. Autrement dit, mieux on se porte physiquement, mieux on résiste au stress.

220

Nous disposons tous de quelques ressources pour nous remonter: par exemple, rehausser l'estime de soi pour pouvoir, lorsque nos collègues négligent d'apprécier nos aptitudes, nous offrir cette appréciation et ce respect. Nous pouvons également, surtout à la fin de chaque journée ou de chaque semaine, voir quelles choses louables nous avons faites au cours de cette journée ou de cette semaine, et nous payer le luxe de vraiment apprécier les aptitudes et les efforts investis dans le quotidien. Y a-t-il de meilleur supporteur que soi-même? Et nous nous faciliterons davantage la tâche si nous établissons nous-mêmes nos propres objectifs à court terme et si nous sommes prêts à nous féliciter lorsque nous les atteignons.

D'autres causes que les attributions de disposition

L'épuisement procède de l'interaction socio-psychologique entre l'individu et son environnement. Il faut donc apprendre à se voir d'un point de vue des situations plutôt que des dispositions. Par exemple, ça n'aide personne de se dire qu'il est de nature "timide"[31]. Nous gagnerons davantage à dépasser tout étiquetage et à nous pencher plutôt sur les raisons qui nous empêchent d'avancer ou de nous affirmer et, par ce fait, d'obtenir ce que nous désirons. Nous comprendrons alors, comme il arrive souvent dans ce genre d'introspection, qu'il suffit d'un petit effort supplémentaire pour nous comporter de façon plus productive et gratifiante.

Une attitude positive

Souvent, des incidents qui, sur le fait, nous paraissent particulièrement graves nous semblent drôles une semaine ou un mois plus tard. Alors pourquoi ne pas alléger votre stress en apprenant à rire de vous-même trente minutes plutôt que trente jours plus tard? En fait, pourquoi ne pas évaluer chaque épreuve difficile selon une échelle de stress allant de 1 à 10, en réservant les niveaux extrêmement négatifs aux véritables tragédies et en essayant de dédramatiser le stress quotidien *au moment même* où vous le subissez. En d'autres mots, ne perdez jamais votre sens de l'humour. Même si beaucoup de professionnels doivent prendre leur travail au sérieux, nul besoin de toujours se prendre

221

eux-mêmes au sérieux. Ils devraient apprendre à rire de leurs dadas et de certains incidents éprouvants mais souvent drôles qui surviennent au travail et dans la vie.

Sûrement, il existe d'autres stratégies thérapeutiques inter-personnelles. La liste que nous avons présentée n'est que la somme de nos connaissances au chapitre des moyens de défense contre l'épuisement et la lassitude et des diverses démarches qui permettent à l'individu d'évoluer au delà de la simple préven-tion et de donner de l'ampleur à sa vie.

Souvent, lorsque nous luttons pour surmonter l'épuisement et la lassitude, la confiance que nous avons en nos capacités de récupération porte sa propre confirmation. De même, il y a des cir-constances où le simple fait de croire en l'existence d'une issue nous aide à l'atteindre. Et parfois, même si la tâche n'est pas complétée ou parfaitement réussie, la foi en nos capacités rend chacun de nos efforts plus intéressant, plus stimulant, plus amusant. Même si la réalité impose certains compromis, nul besoin de faire trop de concessions. Il est très important pour pouvoir tirer quelque sentiment de bonheur d'avoir foi en sa capa-cité de maîtriser sa destinée et de pouvoir fusionner la réalité et l'imaginaire. Nous devons croire en l'alliance entre nos gestes et nos besoins, entre notre mode de vie et nos intentions, entre nos rêves et notre vie quotidienne.

Cette alliance n'est pas toujours facile. Les avenues du passé offrent la sécurité du familier; les avenues nouvelles inspi-rent l'angoisse de l'inconnu et l'appréhension de l'échec et du remords. Il faut du courage et une conscience de ses capacités à maîtriser sa vie pour pouvoir choisir une avenue nouvelle. Tout aussi important est le sentiment qu'on aura le contrôle de ses gestes lorsqu'on sera appelé à choisir entre les alternatives actuelles ou en créer de nouvelles. Si l'on désire aller plus loin que la simple prévention de l'épuisement et de la lassitude, si l'on désire réussir une alliance entre ses rêves et la réalité, il faut conti-nuellement chercher des alternatives pour ses actions et créer de nouvelles options.

Même si l'épreuve de l'épuisement s'avère souvent trau-matisante et déprimante, elle peut servir également de ferment à une compréhension et à une conscience plus profondes de l'existence. On peut faire l'analogie entre ce genre d'épanouis-sement et les arts martiaux où on se sert de l'élan de son adversaire pour le vaincre. Il en va de même pour l'épuisement et la lassitude: si l'individu dispose de moyens adéquats pour combattre son stress, souvent il en émergera plus sagace, plus fort et plus perspicace que s'il n'avait jamais connu les affres de l'épuisement moral.

Notes

1. R.A. Butler, "Curiosity in Monkeys", *Scientific American*, 1954, vol. 190: 79-95.

2. V.E. Frankl, *The Doctor and the Soul*, Bantam Books, New York, 1967.

3. Lors d'une étude impliquant 205 professionnels, la corrélation entre la valorisation dans la vie et la lassitude était de $r = -0,22$ ($p<0,05$). Dans le cas d'un groupe de 84 étudiants, la corrélation était de $r = -0,33$ ($p<0,05$).

4. S.R. Maddi, "The Existential Neurosis", *Journal of Abnormal Psychology*, 1967, vol. 72: 311-325.

5. A. Antonovsky, *Health, Stress and Coping*, San Francisco: Jossey-Bass, 1979.

6. Dans son article "Alienation and Innovation in the Work Place", *Work and the Quality of Life*, éd. par J.O'Toole, MIT Press, Cambridge, Mass., 1974: 227-245, R. Walton parle de techniques innovatrices de gestion où l'on aurait offert à des équipes autonomes de travailleurs la responsabilité collective d'importantes parties de la production afin de rehausser la qualité de leur travail et d'accorder aux employés plus de diversité, d'autonomie et de sentiment de valorisation.

7. D.C. McClelland, *The Achieving Society*, Van Nostrand, New York, 1961.

8. Par exemple, dans un échantillon de 205 professionnels, la corrélation entre la réussite dans la vie et la lassitude était de $r = -0,48$ ($p<0,001$) et, dans un échantillon de 84 étudiants, de $r = -0,58$ ($p<0,001$).

9. Par exemple, lors d'une étude impliquant 205 professionnels, la corrélation entre la diversité dans la vie et la lassitude était de $r = -0,23$ ($p<0,01$); et, dans le cas de 84 étudiants, de $r = -0,44$ ($p<0,001$).

10. E. Duffy, *Activation and Behavior*, Wiley, New York, 1962.

11. J.P. Zubeck, *Sensory Deprivation: Fifteen Years of Research*, Appleton-Century-Crofts, New York, 1969.

12. Christopher Burney, *Solitary Confinement*, Coward-McCann, New York, 1952.

13. Duffy, *Activation and Behavior.*

14. Rapporté par Manson Syndicate dans le *San Francisco Chronicle,* le 9 mai 1979.

15. B. Russell, *The Conquest of Happiness,* Liveright, New York, 1930.

16. M. Csikszentmikalyi, *Beyond Boredom and Anxiety: The Experience of Play in Work and Games,* Jossey-Bass, San Francisco, 1975.

17. N. Krogius, *Psychology in Chess,* RHM Press, Alberston, New York, 1976.

18. V.E. Frankl, *The Doctor and the Soul,* Bantam Books, New York, 1967: 35.

19. Une étude pilote impliquant 20 professionnels indique que la fréquence rapportée par les sujets d'une concentration totale, du sentiment d'harmonie avec l'environnement, de la maîtrise de la volonté d'agir étaient corrélés négativement à la lassitude.

20. Pour une révision, voir S.R. Maddi, *Personality Theories: A Cognitive Analysis,* Dorsey Press, Honwood, Ill., 1976.

21. A. Maslow, *Towards a Psychology of Being,* Van Nostrand, New York, 1962.

22. C.R. Rogers, *On Becoming a Person,* Houghton Mifflin, Boston, 1961.

23. Par exemple, dans une étude impliquant 205 professionnels, la corrélation entre la lassitude et l'actualisation de soi était de $r = -0,27$ ($p<0,01$). Dans une autre, impliquant 84 étudiants, la corrélation était de $r = -0,26$ ($p<0,01$).

24. A. Monat et R.S. Lazarus, *Stress and Coping,* Columbia University Press, New York, 1977.

25. D. Kafry et A. Pines, "Coping Strategies and the Experience of Tedium", étude présentée au congrès de l'Association américaine de psychologie, à Toronto, en août 1978.

26. R.S. Lazarus, "Psychological Stress and Coping in Adaptation to Illness", *International Journal of Psychiatry in Medicine,* 1974, vol. 5: 321-332.

27. Kafry et Pines, "Coping Strategies".

28. *Ibid.*

29. Dov Eden, "Toward an Analysis of Stress Situation and Response Effectiveness", entretien privé à l'université de Tel-Aviv, en Israël.

30. Dans diverses études, la corrélation entre la lassitude et la santé physique s'échelonnait entre $-0,20$ et $-0,46$. Toutes les corrélations étaient statistiquement significatives.

31. P.G. Zimbardo, *Shyness: What It Is, What to Do about It,* Addison-Wesley, Reading, Mass., 1977.

L'épuisement
et la lassitude
hors du travail

Même si nous n'avons discuté jusqu'à présent que de l'épuisement et de la lassitude au travail, n'allez pas croire que ces afflictions sont uniquement des *risques professionnels*. Aucune sphère de la vie n'est à l'abri de l'épuisement — on peut s'épuiser aussi bien comme conjoint que comme parent. De même, la lassitude peut être déclenchée autant par les études que, tout simplement, par le processus de vieillissement. Aussi, l'épuisement peut être affecté par les moeurs culturelles et les attentes sociales. Voici donc pourquoi nous consacrons tout un chapitre à l'épuisement survenant dans trois sphères distinctes: l'épuisement dans le cycle de la vie, l'épuisement dans la vie familiale et l'épuisement vu dans une perspective interculturelle.

L'épuisement dans le cycle de la vie

La philosophie occidentale a toujours considéré la vie comme une ligne droite partant d'un point et s'arrêtant à un autre. Conséquemment, jusqu'à tout récemment, les psychologues considéraient le développement de l'individu comme une ligne de vie, accordant énormément d'importance à l'enfance et ignorant plus ou moins les stades ultérieurs.

Il y a cependant des civilisations où la vie est perçue de façon toute différente: on la compare aux phénomènes naturels dont l'évolution est cyclique plutôt que linéaire. Donc, la vie serait composée de saisons naturelles, aussi essentielles les unes que les autres au développement de la personnalité: enfance, adolescence, âge adulte, maturité et vieillesse. La socialisation est, elle aussi, un processus continu: l'humain se transforme, se développe et connaît les mêmes crises à tout âge.

De même, l'épuisement et la lassitude ne sont pas limités à un stade particulier du cycle de la vie. Cependant, ils ne reflètent ni une inadaptation ni une immaturité, mais plutôt une quête soutenue de l'épanouissement. Si, à certains stades, l'épuisement semble procéder des stress environnementaux externes, à d'autres, il est dû plutôt aux stress inhérents à ce stade particulier du développement.

Au cours du présent chapitre, nous discuterons de la lassitude qui afflige deux groupes d'âge: le jeune adulte aux études et le professionnel en pleine maturité. Tous deux doivent, en plus des stress environnementaux, résoudre des questions inhérentes à leur âge: pour l'étudiant, il s'agit du passage dans le monde adulte; pour le professionnel entre deux âges, du passage de la maturité à la vieillesse. Malgré ces analogies, chaque groupe représente une des extrêmes du continuum existant entre les stress spécifiques à chaque âge et les pressions environnementales: chez l'étudiant, l'environnement universitaire est à l'origine de ses stress majeurs; chez le professionnel entre deux âges, ses stress majeurs sont souvent déclenchés par les crises de maturation qu'il traverse.

Le jeune adulte: la lassitude de l'étudiant

De tous les stades du cycle de la vie, le début de l'âge adulte est probablement le plus glorifié à cause de tout ce qu'il implique en jeunesse, amour et liberté: l'individu vient de traverser la pénible phase de l'adolescence et n'est pas encore ancré par les responsabilités envers une famille et une carrière. C'est là également l'âge où chacun est particulièrement vulnérable aux émotions les plus profondes, l'âge où l'idéalisme, l'espoir et les rêves atteignent leur paroxysme. Et si cette image romantique s'applique à tous les jeunes adultes, elle colle encore plus aux étudiants d'université. Aux États-Unis, les dix millions de jeunes inscrits aux collèges et universités [1] sont considérés comme particulièrement privilégiés car ils peuvent se payer le luxe de se consacrer entièrement à leur instruction et à leur épanouissement. Cependant, si l'on se fie à certains indices, ces années consacrées aux études supérieures sont aussi une période particulièrement stressante pour le jeune adulte. L'indice le plus dramatique est certes le phénomène du suicide dans la population étudiante. Le suicide de toute jeune personne est un événement tragique et une source de profonde inquiétude. Et selon Richard Seiden, professeur à l'université de Californie, les risques de suicide sont plus élevés chez l'étudiant que chez les autres jeunes adultes. En fait, dans la population étudiante, on compte un nombre de suicides réussis beaucoup plus élevé qu'ailleurs alors que les tentatives de suicide y sont beaucoup plus nombreuses que les suicides réussis[2].

Un autre phénomène qui témoigne du stress subi par l'étudiant est le pourcentage de jeunes qui ne terminent pas leurs études. Une récente étude de la riche documentation compilée depuis 40 ans sur l'usure des étudiants de niveau universitaire démontre que seulement 55 à 80 % des étudiants qui s'inscrivent aux universités américaines obtiennent leur diplôme en deçà de 7 à 10 ans de leur inscription initiale[3].

Pour aider les étudiants à s'adapter à la vie universitaire, beaucoup d'universités offrent des services psychiatriques, et les jeunes qui y recourent représentent 2 à 24 % de la population étudiante, la moyenne générale s'échelonnant entre 5 et 10 %. Certes le nombre de ceux considérés comme ayant besoin d'aide dépend des critères en vigueur, toutefois on peut dire que ceux qui sollicitent une aide ne représentent que la moitié de tous ceux qui en ont besoin[4].

Il est facile pour la communauté scientifique de rejeter ces conclusions en arguant que les chercheurs, plutôt que de s'en tenir à l'étudiant typique, formulent des généralisations en se basant sur les cas d'étudiants qui se suicident, qui se retirent des études ou qui recourent aux services d'hygiène mentale. Donc, même si ces conclusions sont basées sur un échantillonnage sélectif, on peut toujours prétendre que la majorité des étudiants se plaisent bien à l'université. Lors de nos recherches, nous avons essayé de diversifier notre échantillonnage afin d'obtenir des renseignements plus précis sur l'étudiant typique, à savoir, entre autres, quel est chez les étudiants le niveau de lassitude et quelles sont leurs techniques thérapeutiques.

Au départ, nous nous attendions à constater un niveau de lassitude inférieur à celui des autres groupes professionnels. Nous croyions les jeunes adultes à l'abri des divers stress et pressions qui souvent accablent les adultes au travail, et que même s'ils subissaient certains stress, ces derniers seraient limités aux heures passées à l'université, donc impossible de les considérer comme chroniques. Ce que nous faisions, en fait, c'était souscrire comme tant d'autres à l'image romantique du jeune adulte, percevant la vie de l'étudiant comme une expérience unique puisque, nous disions-nous, celui-ci est libre d'apprendre, de lire et de s'épanouir, et cela dans un milieu intéressant et stimulant. Si l'image qu'on se fait généralement d'un campus est aussi positive, l'université de Berkeley en Californie devrait être un des milieux universitaires les plus agréables au monde. Non seulement cette université est une des meilleures au pays, mais elle est de plus située dans une des plus belles régions au monde, soit la baie de San Francisco, dont le climat est idéal douze mois par année et dont les habitants sont reconnus pour leur aménité. Or, si les étudiants forment le groupe le moins vulnérable à la lassitude, Berkeley devrait être le dernier endroit au monde où l'on voudrait mener une telle recherche. Et c'est précisément pourquoi nous avons décidé de la mener à cet endroit.

Quatre-vingt quatre étudiants d'une classe typique de Berkeley et 205 professionnels de la région de San Francisco ont participé à notre étude dont le but principal était de comparer les étudiants aux professionnels en fonction de leur niveau de lassitude et des diverses caractéristiques de leur environnement corrélatives à la lassitude. Nous étions étonnés de découvrir que le niveau de lassitude des étudiants était supérieur à celui de tout autre groupe de professionnels, qu'ils fussent dans les affaires, les sciences, les sciences humaines ou les arts[5]. Selon les étudiants, beaucoup de ces notions stéréotypées que l'on attribue à la vie étudiante sont fausses: ils considéraient que leur travail leur offrait moins de diversité et de liberté que les professionnels, qu'il était moins valorisant et innovateur, et qu'ils influaient beaucoup moins sur les décisions qui affectaient leur vie. Et quoiqu'on pense de la liberté d'expression des étudiants, ceux-ci sentaient qu'ils disposaient de moins d'occasions que la majorité des professionnels pour s'exprimer. Et, plus que ces derniers, ils se sentaient contraints à faire leurs preuves dans les situations compétitives. En fait, la compétition compte parmi les caractéristiques les plus stressantes de la vie étudiante et, souvent, elle est à l'origine de l'isolement de chacun d'eux, de sa solitude et de ses relations superficielles. Au cours de notre recherche, les étudiants ont dépeint leurs relations interpersonnelles de façon beaucoup plus négative que la majorité des professionnels. De plus, ils étaient particulièrement sensibles à la comparaison, à la compétition et au manque de partage, particulièrement au niveau de la performance académique[6].

Nous avons abouti aux mêmes conclusions lors d'une deuxième étude, menée auprès de 294 étudiants, qui visait à déterminer la façon dont ces derniers percevaient leur vie tant à l'intérieur qu'en dehors du milieu universitaire. D'après les étudiants, les caractéristiques négatives (ingérence bureaucratique, désagréments et conflits administratifs, etc.) l'emportaient de loin sur les aspects positifs de leur milieu universitaire. Aussi, ils considéraient leur vie à l'extérieur de l'université comme plus positive et plus riche au point de vue autonomie, valorisation, rétroaction, expression de soi, actualisation de soi, influence personnelle, récompenses, appréciation, entraide, partage, réciprocité émotionnelle et bonnes relations interpersonnelles[7].

Lors d'une troisième étude, nous avons demandé à 147 étudiants de nous faire la liste des principales pressions et joies qu'ils éprouvaient[8]. Nous avons pu classifier 61 % de ces pressions en deux catégories: d'une part, les pressions scolaires, y compris les notes, les tests, la compétition et la surcharge de travail; et, d'autre part, les relations interpersonnelles, y compris les liaisons sentimentales, les amis, la famille et les compagnons de chambre. Les autres problèmes mentionnés par les étudiants concernaient: finances, santé, travail, projets de carrière, sens de la vie, actualisation de soi, solitude, ennui. Quant aux joies: 40 % touchaient aux relations interpersonnelles et 13 % aux travaux scolaires. Les autres procédaient des loisirs, sports, nature, voyages, musique, détente, lecture, repas, sommeil et actualisation de soi.

Une première conclusion fort évidente: les activités relatives aux études sont davantage une source de pression que de joie. En analysant ces données, nous avons constaté un lien fort

229

intéressant entre les pressions, les joies et la lassitude: plus il y a de joies, moins il y a de lassitude. Mais quoique la lassitude soit fortement corrélée à l'intensité des pressions, la corrélation entre le niveau de lassitude et le nombre de pressions est négligeable. Nous avons donc conclu que ce n'est pas tant le nombre de pressions que leur intensité perçue qui influence le plus le niveau de lassitude.

À ces pressions environnementales viennent se greffer les efforts qu'exige le développement de la personnalité et que chacun doit maîtriser vers la fin de l'adolescence: entre autres, développer des rôles et des relations qui permettront à l'individu de réaliser et de renforcer son identité d'adulte[9]. Ce sont là des efforts qui amplifient les aspects compétitifs. Conséquemment, l'image de soi qu'on se fait à cet âge est étroitement liée à l'opinion qu'on se fait de sa compétence. En effet, nous avons constaté que, plus que les professionnels, les étudiants éprouvent le besoin de faire leurs preuves dans des situations compétitives. Ils subissent également plus de pressions au niveau décisionnel et plus de conflits entre leur travail et leur vie personnelle. Autant de stress additionnels qui contribuent aux niveaux particulièrement élevés de lassitude rapportés par les étudiants[10].

La maturité et la crise du professionnel en pleine carrière

Un des stades du développement adulte qui, depuis quelque temps, retient beaucoup d'attention est la crise de maturité et son corrélatif, la crise du professionnel en pleine carrière[11]. Souvent, entre l'âge de 40 et 50 ans, même ceux qui réussissent bien au niveau professionnel commencent à remettre en question la valeur de leur existence: l'individu réévalue autant lui-même que sa vie et sa carrière, et cette réévaluation se manifeste le plus souvent chez ceux qui se sont lancés dans leur carrière avec beaucoup d'enthousiasme et de conviction, certains qu'ils avaient beaucoup à offrir à la société. Plusieurs années plus tard, ils se rendent peu à peu à l'évidence que leurs contributions sont beaucoup moins significatives qu'ils ne l'avaient espéré.

Selon William Bridges, qui a mené des travaux approfondis sur la maturité, la crise en pleine carrière est souvent déclenchée par l'insuccès du programme établi par l'individu, par un événement critique où il aurait investi tous ses espoirs: par exemple, il s'aperçoit qu'il n'atteindra jamais le sommet de sa profession ou qu'il n'économisera jamais assez pour acheter la maison de ses rêves. La crise peut être déclenchée également par quelque complication de longue date (problèmes de santé, conflits avec le conjoint, avec un collègue ou patient, etc.) à laquelle on doit tôt ou tard faire face, ou bien par la mort d'un ami, ou bien lorsqu'on se découvre quelque maladie maligne. Mais peu importe la source, cet événement précipité transforme soudain le monde qui semblait si solide en un monde fragile, presque irréel. Lors d'une crise de maturité, l'écart existant entre la probabilité et l'impossibilité de réaliser son rêve semble être moins crucial que l'écart existant entre le rêve lui-même et la réalité. Selon Bridges:

> Une fois que le rêve est réalisé — on est promu à la vice-présidence, on a publié un livre, on a trois gosses et une belle maison — il y a un moment d'introspection: "Bon, je l'ai. Et maintenant?" Ou même: "C'est ça? C'est ça l'objectif pour lequel j'ai tout sacrifié?" C'est un moment où le décalage qui existe entre l'image publique et la conscience personnelle peut être atroce. Et que dire de ceux qui ne réussissent pas? Le rêve frustré présente l'autre entrée dans la réalité, une porte qui s'ouvre sur les "jamais". "Ma foi, aussi bien admettre que je ne deviendrai *jamais* p.d.g... *jamais* un écrivain célèbre... *jamais* le parent de quatre enfants heureux et bien adaptés." Et cette réalisation est accompagnée d'une étrange impression que pendant tout ce temps on courait après une carotte suspendue à un bâton, que le beau coucher de soleil vers lequel on galopait n'était qu'une image peinte à l'arrière d'un train[12].

Les crises de maturité et de pleine carrière sont accompagnées également de sentiments de vide, de désillusion, d'un profond désespoir. Bien plus, soudain on prend douloureusement conscience de sa mortalité, du passage du temps, autant du temps passé que du temps qui reste.

Lors de nos recherches, nous avons constaté que les symptômes manifestés par ceux qui traversent une crise de maturité ou de pleine carrière sont identiques aux symptômes de l'épuisement et de la lassitude. Mais l'épuisement est également une crise de pleine carrière qui peut survenir à n'importe quel âge: nous avons connu des directeurs et des présidents qui avaient été pendant des années des travailleurs invétérés, sacrifiant leur vie familiale et tout autre intérêt personnel pour poursuivre une ambition qui les consumait tout entiers. Puis, en plein milieu de leur carrière, nous les avons vu sombrer dans la lassitude et remettre en question la valeur de leur existence, se rendant enfin compte de la rançon qu'ils avaient dû verser pour réussir, si en fait on peut considérer cela comme une réussite. Chez certains, cette prise de conscience était si déchirante que, pour justifier leurs énormes sacrifices, ils essayaient de se convaincre que leur travail était extrêmement important. Et, pour étayer cette conviction, ils se donnaient davantage à leurs activités professionnelles, au plus grand détriment de leur vie familiale. Mais comme nous l'avons déjà dit, ce genre de comportement n'est pas exclusif aux individus en pleine maturité. Ce qu'il y a d'insidieux avec l'épuisement, c'est que ses symptômes présentent tous les traquenards de la crise de maturité, mais ils peuvent se manifester chez les jeunes aussi, au début de leur carrière.

Les étudiants et les professionnels en pleine carrière subissent des stress environnementaux qui, tant chez eux que chez n'importe qui d'autre, deviennent les antécédents de l'épuisement et de la lassitude. Mais en plus des antécédents de l'épuisement et de la lassitude qui sont inhérents à leur environnement, les étudiants et les professionnels en pleine carrière font face également à des problèmes qui sont particuliers au stade de leur cycle de vie: lors du passage à l'âge adulte, l'étudiant doit maîtriser un ensemble d'efforts de développement qui lui est unique; le professionnel en pleine carrière doit, lui, affronter les aspects physiques, émotionnels et intellectuels du processus de vieillissement. Mais comme nous venons de le dire ci-dessus, chez l'étudiant, les principaux stress et antécédents de la lassitude sont externes, procédant de l'environnement scolaire; pour beaucoup de professionnels en pleine carrière, les antécédents majeurs sont inhérents à leur âge. Ainsi donc, les deux groupes représentent, dans la lutte soutenue contre l'épuisement et la lassitude, les deux pôles d'un continuum qui existe entre les stress spécifiques à une phase de la vie et les pressions environnementales.

De nouvelles voies

Nous sommes d'avis — et cela transpire probablement à travers tout le présent ouvrage — qu'il est extrêmement important d'être ouvert aux changements. Un de nos amis intimes fut invité un jour à diriger un atelier pour des individus souffrant de cancer en phase terminale. Au début, il hésita croyant que l'expérience serait fort déprimante. Graduellement, il découvrit que ce groupe était un des plus stimulants qu'il avait eu à diriger, et ses participants les plus ouverts aux changements de tous ceux qu'il avait connus. Sachant qu'il ne leur restait plus que quelques mois à vivre, ces gens se demandaient surtout: "Quels aspects de ma vie sont gratifiants et lesquels ne sont ni essentiels ni gratifiants mais tout simplement automatiques?" Certes, beaucoup de gens tâchent sincèrement de réévaluer leurs priorités; cependant, ce sont ceux qui vivent "sous une telle épée de Damoclès" qui sont le plus enclins à relever cet extraordinaire défi.

En tant que chef de ce groupe, une des choses les plus importantes que j'ai apprises, c'est que nous sommes tous "en phase terminale". La majorité des gens vivront plus longtemps que n'importe lequel des membres de ce groupe, mais personne ne sait vraiment combien sa vie sera plus longue. Inspirée par cette idée, chaque personne peut et doit examiner et rétablir ses priorités: Qu'est-ce qui est efficace? Qu'est-ce qui est agréable? Qu'est-ce qui est gratifiant? Bref, quel est le but de votre vie? Répondez à ces questions et vous saurez quoi changer, comment fonctionner, comment organiser votre vie.

La vie et les activités hors du travail comme antécédents de l'épuisement et de la lassitude

"Qu'est-ce qui est plus important pour vous, le travail ou la vie hors du travail?" Que répondriez-vous à une telle question? Nous l'avons posée à des centaines de gens et presque tous ont répondu: "La vie hors du travail[13]." Une réponse plutôt étonnante, il faut l'admettre, si l'on considère l'importance qu'accordent au travail autant les sociologues que les profanes. Lorsque, au cours d'une autre étude, nous avons demandé à 384 sujets quelle journée de la semaine ils préféraient, 29 % ont répondu le samedi; 17 %, le dimanche (on est à la veille de la semaine de travail); et 26 %, le vendredi (on est à la veille du week-end). On peut aisément déduire alors que la majorité des répondants préféraient

233

les fins de semaine aux jours de travail. Nous avons également constaté dans divers échantillons que plus on est satisfait de sa vie, moins on souffre de lassitude[14]. Cela s'applique autant à la satisfaction tirée des activités professionnelles, quoique la corrélation avec la satisfaction de la vie est généralement plus forte. Diverses études nationales démontrent que le pourcentage de gens qui considèrent le travail comme élément central de leur vie est particulièrement faible[15], alors que pour la majorité, dans la liste des facteurs importants de la vie, la vie familiale a priorité sur le travail.

Une autre étude visant à comparer les caractéristiques du travail et de la vie en fonction de leur corrélation avec la lassitude a révélé plusieurs divergences[16]. La vie hors du travail était perçue comme plus importante, plus satisfaisante et moins stressante que le travail. Les répondants étaient d'avis que leur vie privée leur laissait plus d'autonomie et plus d'occasions de s'exprimer, de s'actualiser et de s'épanouir, qu'ils y avaient une plus grande influence sur la prise de décisions, qu'ils y recevaient plus de récompenses adéquates, plus de marques d'appréciation et de reconnaissance, et qu'il y avait plus d'entraide et de réciprocité émotionnelle.

Le stress au travail

De l'avis des répondants, la bureaucratie, l'administration et l'institution s'ingéraient dans la poursuite de leurs objectifs beaucoup plus dans le milieu de travail que dans leur vie privée: plus de problèmes administratifs (paperasse, fonctionnarisme, problèmes de communication) et plus de pressions environnementales. Au travail également, ils se sentaient davantage poussés à faire leurs preuves dans des situations compétitives; ils éprouvaient plus de difficulté à prendre des décisions à cause d'un manque d'information, de temps ou d'aptitudes; et les conséquences négatives de leurs erreurs s'avéraient plus stressantes à cause des effets qu'elles pouvaient avoir autant sur les gens que sur les biens.

Pourtant lorsqu'il y a pression au travail, c'est la vie au foyer et la famille qui en souffrent les premières. En fait, souvent les gens amènent leurs problèmes et pressions professionnels à la maison, mais rarement les joies et les récompenses qu'ils tirent de leur travail. Lors d'une étude impliquant 714 sujets, nous avons constaté que plus les stress du travail et de la vie se chevauchent hors du milieu de travail, plus on souffre de lassitude. Cela n'arrive cependant pas lorsque les plaisirs se chevauchent[17]. Néanmoins, tout comme le partage du stress et des frustrations, il y a aussi une limite au partage des joies, car celui-ci peut, à partir d'un certain point, amplifier les tensions familiales. Une famille exige de l'attention et non un engagement soutenu et intense dans les conflits ou réussites professionnelles d'un de ses membres. Il faut donc savoir démarquer le travail et la vie privée, particulièrement au niveau des problèmes. Il faut aussi que le temps consacré à la famille soit du temps "net", du temps de qualité, libre de toute perturbation, où chaque parent se consacre entièrement à ses enfants, où les activités et les conversations portent exclusivement et entièrement sur le divertissement et la satisfaction de tous les membres. Cela présente un vif contraste avec certaines situations où les parents tiennent absolument à partager leurs repas en famille, mais ces derniers sont fréquemment interrompus par les appels téléphoniques des amis ou des associés ou bien la conversation porte souvent sur des questions financières ou professionnelles qui n'intéressent nullement les enfants. Un exemple de ce temps "net": les "heures d'amour" que chaque après-midi les parents d'un kibboutz israélien consacrent entièrement à leurs enfants. En fin de compte, même si ces enfants vivent séparés de leurs pairs, ils passent plus de temps "net" avec leurs parents que les enfants de la majorité des professionnels américains qui ne réussissent jamais à se distancier complètement de leur travail.

Lorsqu'ils subissent des pressions au travail, certains s'attendent à recevoir de leur conjoint encouragement et compréhension, du moins plus que n'en font montre leur patron, leurs clients ou leurs collègues. Mais à mesure que le stress se fait plus accablant, cette attente de support moral devient souvent irréaliste, l'exigence se fait excessive, et les pressions, intenables. La famille n'est tout simplement pas équipée pour fournir le support que le travailleur exige souvent d'elle. L'épuisement au travail, de par ses effets préjudiciables sur les relations familiales, est à l'origine d'innombrables divorces, car ces relations n'arrivent plus à soutenir les exigences excessives et l'absence d'expériences positives.

Les stress au foyer

Quoique la vie familiale soit perçue comme plus riche en joies et moins propice au stress que le travail, elle génère, elle aussi, des stress qui lui sont particuliers: certains sont dus à une mauvaise santé physique, d'autres aux soucis financiers, mais la majorité procèdent des relations avec les autres membres de la famille. Dans la sphère familiale, l'épuisement accable le plus souvent deux rôles particuliers: celui du conjoint et celui du parent — ce qui confirme, une fois de plus, que certains stress émotifs sont inhérents à tout engagement à long terme avec autrui. L'épuisement au foyer peut être beaucoup plus éprouvant car il est plus difficile de se retirer du ''champ de bataille''.

L'épuisement du parent

Les joies parentales sont un des thèmes majeurs de la littérature et des media. Mais chaque parent sait que la paternité ou la maternité sont loin d'être des états de félicité éternelle. Certains des stress inhérents aux rôles parentaux procèdent des exigences physiques des enfants: il faut les nourrir, les habiller, passer du temps avec eux, les soigner lorsqu'ils sont malades, etc. D'autres stress procèdent de l'exigence que s'impose chaque parent qui tient à se donner entièrement sans s'attendre à aucune réciprocité. Un autre stress est dû à l'immutabilité de ce rôle: on ne peut pas cesser d'être parent ou demander à un enfant de changer.

Accablés par ces stress, certains parents finissent par s'épuiser, surtout ceux qui y avaient investi énormément d'espérances ou ceux qui sont isolés et dépourvus de toute entraide sociale. Le plus souvent, cela se manifeste durant les périodes difficiles de l'enfance. Une de nos participantes à un atelier, mère d'un enfant unique à l'âge adolescent, avait commencé à boire à outrance car son fils la harcelait continuellement. Si pour la majorité des parents, l'adolescence est, de tous les stades du développement de leurs enfants, le plus éprouvant, cette femme en souffrait doublement car elle attendait beaucoup trop d'elle-même.

Ma relation avec mon fils est pour moi la plus importante dans la vie, nous dit-elle. Mais je ne le comprends pas. Il n'arrête pas de me harceler, de me blâmer pour tous ses problèmes, et je ne sais plus comment l'éviter. Si j'ai commencé à aller au bar, c'est parce que c'est le seul endroit où j'arrive à me calmer les nerfs en buvant un coup et où je sais que je ne rencontrerai pas d'adolescents. Je remercie le ciel pour mon travail, car c'est la seule chose qui m'empêche de claquer. Je suis épuisée, au niveau émotif et physique. C'est la guerre entre mon fils et moi, et c'est moi qui perds la bataille.

Lors d'une enquête auprès de **73** mères, nous avons constaté une corrélation fort significative entre l'impulsivité de leurs enfants d'âge scolaire et l'épuisement[18]. Lors de la même étude, nous avons constaté également, autant chez les pères que chez les mères, une corrélation tout aussi significative entre l'épuisement du parent et la fatigue physique, émotionnelle et mentale de la lassitude[19].

L'épuisement et le mauvais traitement des enfants

Une des manifestations les plus tragiques de l'épuisement du parent est le mauvais traitement qu'il fait subir à son enfant[20]. Aux États-Unis, deux millions d'enfants sont victimes chaque année de mauvais traitements, et environ deux mille en meurent[21]. Selon certains professionnels travaillant pour des agences de "stress parental", l'épuisement constitue une des causes majeures du mauvais traitement des enfants. Souvent les parents qui recourent aux "lignes ouvertes" ou aux thérapies avouent qu'ils sont à bout: "Je n'en peux plus." "Mon enfant est en train de me rendre folle." "Je suis en train de m'effondrer." "Je ne sais plus quoi faire."

Les incidents qui déclenchent les mauvais traitements sont rarement dramatiques. Le plus souvent, il s'agit de problèmes insignifiants qui surviennent quotidiennement lorsqu'on élève des enfants, particulièrement des enfants âgés de moins de cinq ans. Le parent agressif a souvent une faible estime de lui-même et il considère qu'il a complètement manqué son coup comme parent. Il ne sait pas vraiment à quoi s'attendre de son enfant, peu importe l'âge de celui-ci, et souvent il est isolé socialement et accablé de culpabilité. Lorsque le parent agressif est exténué sur le plan physique, émotif et mental, il n'est plus capable de chercher de l'aide ni de recourir à une technique thérapeutique positive.

Les risques de mauvais traitement sont beaucoup plus élevés chez les enfants âgés de moins de cinq ans, car c'est là que le parent agressif est le plus enclin à se sentir piégé dans la maison et impuissant face aux exigences que son rôle lui impose. Mais il existe aussi certaines périodes où les mauvais traitements sont plus fréquents: c'est aux Fêtes, plus particulièrement à Noël, que les agences de stress parental reçoivent le plus d'appels de détresse. C'est aux fêtes familiales, il appert, que l'immense écart qui existe entre l'image de la ''famille heureuse'', telle que présentée par les media, et la cruelle réalité de sa propre vie familiale se fait le plus douloureux. Et ces appels de détresse surviennent le plus souvent vers la fin de la journée lorsque le parent est à bout de patience et d'énergie, qu'il perd son équilibre émotionnel et qu'il est prêt à exploser à la moindre provocation. Un des moyens les plus efficaces dont disposent ces agences pour calmer le parent agressif, c'est de lui permettre de prendre ''un peu de relâche'': ou bien elles offrent les services d'une gardienne, ou bien elles placent l'enfant dans un foyer nourricier pour permettre à la mère de prendre quelques heures ou quelques jours de repos. Un autre moyen consiste à la familiariser avec les diverses techniques thérapeutiques et à la mettre en contact avec des réseaux communautaires qui réduiront son isolement social[22].

Lors d'une étude pilote, nous avons interviewé 12 parents agressifs[23]. Leur niveau d'épuisement était extrêmement élevé, plus élevé en fait que celui de tout autre groupe que nous avions connu. La majorité de ces parents avaient des problèmes financiers, de mauvaises relations familiales et ne recevaient aucun support de leur conjoint ou de leurs amis. De plus, ils étaient manifestement incapables de faire face à leurs problèmes émotifs et financiers, ne possédaient quasiment aucune aptitude qui leur aurait permis d'assumer les responsabilités de leur rôle parental et recouraient à la violence pour circonscrire ce qui était un comportement tout à fait normal chez un enfant.

En général, les parents, même les professionnels les plus instruits, ne sont pas préparés adéquatement pour traiter avec les enfants ni pour faire face aux stress inhérents à leur rôle. Les espérances irréalistes qu'ils s'imposent et qu'ils imposent à leurs enfants, les pressions et les stress quotidiens qui ne leur laissent pas un seul moment de répit, une orientation axée autour des enfant sont autant de facteurs qui conduisent inexorablement à l'épuisement et, dans les cas les plus extrêmes, aux mauvais traitements.

Pour éviter l'épuisement du parent et particulièrement le mauvais traitement des tout-petits, il faut, en grande partie, recourir à une "formation anticipative": par exemple, on explique à chaque femme qui vient d'accoucher, et avant même qu'elle ne quitte l'hôpital, qu'il arrive parfois à un bébé de pleurer incessamment même si la mère a tout fait pour le réconforter. De dire, en fait, à cette mère que si elle a nourri, bercé et changé les couches de son petit et que celui-ci continue quand même de pleurer, de se mettre des écouteurs aux oreilles et d'écouter un peu de musique pendant 15 ou 20 minutes. On devrait enseigner également aux mères de jeunes enfants à reconnaître leurs propres limites et à s'abstenir de travailler dans la maison jusqu'à l'effondrement physique car, de là, il n'y a qu'un pas à l'épuisement émotionnel et moral.

L'épuisement chez le couple

L'épuisement chez le couple et dans la sphère familiale est aussi fréquent que la lassitude au travail, et il survient d'habitude lorsque le sujet se rend peu à peu à l'évidence que les choses ne vont plus aussi bien que dans le passé, ou que le conjoint n'est plus aussi stimulant qu'il l'était autrefois. Cela conduit au divorce, aux liaisons adultères ou aux ménages tristes et apathiques. Au cours des chapitres précédents, nous avons fait quelques fois allusion au fait que l'épuisement du conjoint procède souvent d'un épuisement au travail qui finit par retentir sur la sphère familiale. Nous aimerions discuter maintenant de l'épuisement qui est inhérent aux relations permanentes impliquant deux personnes ou plus.

Les psychologues sociaux ont étudié l'attirance que nous exerçons sur les autres et théorisé sur les raisons qui nous poussent à aimer certaines personnes. Une de ces théories souligne l'impact qu'a la perte ou le gain d'estime sur l'attraction. Cette théorie de gain et de perte suggère que:

239

''un comportement de plus en plus positif et appréciateur a plus d'impact sur nous qu'une attitude appréciatrice invariante et constante. Donc, si nous considérons l'affection qu'on manifeste à notre égard comme une marque d'appréciation, nous aimerons davantage une personne dont l'affection croît avec le temps qu'une autre dont l'affection est toujours constante, même si le *nombre* de marques d'appréciation de cette dernière est supérieur à celui de l'autre. De même, une diminution dans les marques d'appréciation a plus d'impact sur nous qu'un comportement constamment punitif. Ainsi, une personne dont l'estime qu'elle a pour nous fléchit avec le temps nous déplaira bien plus qu'une autre qui ne nous a jamais aimés, même si le nombre de châtiments qu'elle nous inflige est supérieur à celui de l'autre. Une fois que nous sommes assurés du comportement appréciateur d'une personne, elle devient, comme source d'appréciation, beaucoup moins influente qu'un étranger. Prenons donc, pour éclaircir ce point, un exemple précis: un couple marié depuis quinze ans. L'homme est gentil et la femme se prépare aujourd'hui pour se rendre à une réception. Son mari la complimente: ''Chérie, tu es ravissante.'' Elle entend ces mots, mais ils ne lui font aucun effet. Elle sait déjà que son mari la considère ravissante; elle ne tombera donc pas dans les pommes en l'entendant le répéter pour la énième fois. Mais supposons que ce mari, qui a toujours été plein de tendresse et de mots doux, lui dise, qu'il croit que son charme se fane, qu'il pense en fait qu'elle n'est plus attrayante. Cela lui infligerait sûrement une douleur profonde car cela représenterait une nette perte d'estime[24].

En général, les gens ont tendance à tenir pour acquis les marques d'affection, les faveurs et les éloges du conjoint, et par ce fait même, ils ne les interprètent plus comme un ''gain'' dans l'estime qu'il a à leur égard. Inversement, chaque conjoint a tout le potentiel pour devenir un ''punisseur'': en fait, plus les rapports entre les époux sont intimes, plus le conjoint aura invariablement manifesté dans le passé estime et appréciation, et plus la cessation de cette estime sera dévastatrice. C'est en effet au bout d'une longue liaison qu'on est le plus capable de blesser ceux qu'on aime et le moins capable de les récompenser. Ce processus a été décrit de manière vivante dans le roman *Toilettes pour femmes* de Marilyn French: "Le mariage habituait les gens aux bonnes choses, si bien qu'on les considérait comme un dû, mais grossissait les mauvaises, si bien qu'elles pouvaient devenir aussi douloureuses qu'une poutre dans l'oeil d'un être aimé. Une fenêtre ouverte, un demi-litre de lait oublié, une télévision non éteinte, des bas sur le carrelage d'une salle de bains pouvaient donner lieu à d'incroyables colères[25]."

L'épuisement d'un couple peut devenir une épreuve particulièrement douloureuse. Dina, qui s'épuisa au bout de quatorze années de mariage, décrivit ses sentiments en ces mots:

> Je me sens vidée comme épouse. Il n'y a plus rien entre nous: ni lien, ni communication, ni partage, ni contact, ni sentiments — rien. Nous ne partageons plus le moindre projet, le moindre intérêt. Les tensions me fatiguent, m'attristent. Nous n'avons plus le moindre espoir. Mon mari ne fait rien qui puisse enrichir ma vie de quelque façon que ce soit — ni sur le plan émotif, ou intellectuel, ou physique. Ce n'est plus un couple, ça. Je me sens démunie au niveau émotif. Je suis dépitée, irritée. Et pour étouffer ces sentiments, je dois débrancher mon émotivité. Je n'arrive plus à me donner à lui, que ce soit sur le plan sexuel ou émotif. Je ne crois plus que la vie ait quoi que ce soit à m'offrir. Je ferais n'importe quoi pour me libérer de lui. Il ne m'inspire plus aucun sentiment, sauf l'irritation et la pitié. Lorsque je rentre à la maison et qu'il est là, je me sens toute tendue. Plus rien ne pourra me retenir auprès de lui.

Les pressions et le stress inhérents à la vie commune — qu'il s'agisse de deux personnes ou plus — sont énormes, et presque toujours, ils deviennent si intenses et parfois même si intenables qu'ils conduisent souvent au divorce ou à un plateau morne et croupissant d'épuisement, ponctué de traumatismes émotifs. C'est tout à l'opposé de l'image romantique traditionnelle du jeune couple amoureux: s'ils veulent vivre "heureux jusqu'à la fin de leurs jours", il leur faudra entreprendre, consciemment ou inconsciemment, certaines démarches spécifiques pour éviter ou du moins réduire le processus d'érosion affective. Nul besoin d'être expert en épuisement pour mener une vie conjugale heureuse; un ménage réussi exige plutôt certains efforts, dans le genre de ceux déployés dans les stratégies thérapeutiques contre l'épuisement.

On est souvent tenté, lorsqu'on entend parler de la désintégration d'un ménage, de rechercher les événements traumatisants et dramatiques qui seraient à son origine: le mari trompait sa femme; le mari était alcoolique, battait sa femme et rageait contre ses enfants; la femme humiliait son mari en se moquant devant ses amis et collègues de son intégrité ou de sa virilité, et ainsi de suite. Certes, ce sont là des incidents réels qui arrivent parfois et qui démolissent occasionnellement un ménage. Mais ils ne constituent pas les causes les plus fréquentes de l'épuisement d'un couple. Tout comme dans le cas du professionnel, l'épuisement d'un conjoint est dû le plus souvent à une érosion graduelle, à une intensification graduelle de l'ennui, à une accumulation graduelle de désagréments banals et d'insatisfactions mineures dont aucun en particulier n'est vraiment la cause déterminante du stress. Et c'est pourquoi le pouvoir législatif a créé le concept de l'incompatibilité, applicable aux conjoints qui découvrent soudainement qu'ils ne sont pas faits l'un pour l'autre. Tout cela pour dire qu'il faut énormément d'efforts pour qu'un couple vive longtemps ensemble, de façon harmonieuse, stimulante, mutuellement encourageante et productive. Car généralement l'érosion graduelle de la sollicitude réciproque est due aux incidents les plus insignifiants: ''Il claquait la porte bruyamment'' ou: ''Elle rangeait toujours mes affaires.''

On se plaint souvent du grand nombre de divorces. À notre avis, ce n'est pas le grand nombre de divorces qui est étonnant, ni même le nombre plus grand encore de ménages qui tiennent le coup même en l'absence de bonnes stratégies productives. Tout au contraire. Lorsque nous voyons toutes ces tendances érosives, nous sommes plutôt émerveillés par le nombre de ménages qui sont stimulants et mutuellement encourageants. Il ne suffit pas d'amour et d'une volonté de s'accommoder réciproquement pour former un couple productif et mutuellement encourageant, mais d'énormément d'efforts et d'aptitudes, de sagesse et de capacité à communiquer ouvertement et à faire face aux désagréments autant mineurs que majeurs à mesure qu'ils surviennent. Bref, tout comme il est nécessaire de développer certaines aptitudes pour arriver à surmonter efficacement l'épuisement virtuel de tout milieu de travail, il faut également acquérir certaines aptitudes pour contrer efficacement l'épuisement potentiel de chaque ménage — les mêmes aptitudes en fait qui sont mentionnées au cours des trois chapitres précédents, et que chaque conjoint pourra adapter aux circonstances particulières de son ménage.

Les événements majeurs de la vie et la lassitude

Le travail de Hans Selye a énormément influencé les recherches sur les événements majeurs de la vie en particulier et sur le stress en général[26]. Selye a défini le stress comme la fréquence à laquelle la vie use le corps. Il a aussi constaté que chaque corps réagit au stress par un ensemble d'altérations physiologiques qu'il a appelé "le syndrome d'adaptation générale", et dont l'évolution comporte trois stades: 1) la réaction d'alarme; 2) le stade de résistance et 3) le stade dépuisement, qui survient lorsque l'individu subit un stress continu. C'est à ce moment-là aussi que surviennent l'épuisement moral et la lassitude.

Les psychologues ont toujours considéré la majorité des événements de la vie (maladie, mort d'un membre proche de la famille, changement de métier, mariage ou divorce) comme des sources de stress qui affectent les processus émotionnel et physique. À la faculté de médecine de l'université de Washington, une équipe dirigée par Thomas H. Holmes a établi une liste de 43 événements autant souhaitables (mariage, réalisations remarquables, etc.) qu'indésirables (accident, maladie, etc.)[27] et selon eux, les deux catégories d'événements exigent certains comportements d'adaptation ou de récupération afin que l'individu puisse se réadapter à l'événement. Qu'on le considère "bon" ou "mauvais", chaque changement est stressant pour l'organisme et rend celui-ci plus vulnérable aux dysfonctionnements. L'intensité et la durée de chaque réadaptation varient selon le type d'événement. Holmes et son équipe ont comparé de façon arbitraire tous les événements au mariage, auquel ils ont attribué 50 points. En examinant leur liste d'événements, on constate que le plus grand effort de réadaptation est exigé par la mort du conjoint (100 points) et par le divorce (73 points). L'effort de réadaptation le plus faible est accordé aux délits mineurs (12 points) et aux fêtes de Noël (11 points). Lorsqu'une personne accumule plus de 150 points au cours d'une année, elle traverse une crise[28], et souvent ces crises précèdent quelque dysfonctionnement, des crises cardiaques aux troubles émotifs et comportementaux.

Au cours de nos recherches, nous avons nous aussi établi une liste d'événements positifs et négatifs touchant à plusieurs sphères de la vie: santé physique, santé mentale, finances, relations familiales, travail, loisirs et "expériences suprêmes"[29]. Nous avons présenté cette liste à 322 professionnels et nous leur avons demandé d'indiquer les événements survenus dans leur vie au cours des derniers 6 mois. Tous devaient répondre également au questionnaire sur la lassitude[30]. Et nous avons constaté d'après les résultats que ceux qui avaient eu des problèmes de santé, émotifs, familiaux ou professionnels, souffraient d'un niveau plus élevé de lassitude que ceux qui n'avaient pas traversé de telles crises. De plus, ceux qui avaient connu des moments positifs au travail ou dans leurs activités récréatives manifestaient un niveau de lassitude plus faible que ceux qui n'avaient pas rapporté de tels événements[31].

Ces résultats indiquent que, même si plusieurs types d'événements exigent une certaine réadaptation, chacun d'eux, qu'il soit négatif ou positif, affecte le niveau de lassitude de façon différente. Pour vérifier cette hypothèse, nous avons répertorié le nombre d'événements positifs et le nombre d'événements négatifs dans la vie de chaque individu, pour les corréler ensuite à son niveau de lassitude. Nous avons alors constaté que le nombre d'événements indésirables était directement proportionnel au niveau de lassitude. Il y avait aussi une corrélation significative entre le nombre d'événements souhaitables et le niveau de lassitude, mais ici le rapport était inverse: plus il y avait d'événements positifs, moins le sujet souffrait de lassitude. Ces constatations démontrent qu'il est important de séparer les événements négatifs des événements positifs, vu qu'ils n'ont pas les mêmes effets.

Même si tous les événements exigent une certaine réadaptation, leur corrélation avec la lassitude est relative à la nature de l'événement.

Une perspective culturelle:
la lassitude chez les Américains et chez les Israéliens

Une perspective socio-psychologique accorde beaucoup d'importance aux influences environnementales sur le comportement. Les comparaisons interculturelles représentent une des façons dont on dispose pour étudier les diverses influences qui créent, intensifient et maintiennent les crises d'épuisement et de lassitude. Nous avons parlé de l'épuisement dû au contact avec les gens autant au travail qu'au foyer; nous avons parlé également de la lassitude qui gagne ceux qui travaillent dans une vaste bureaucratie. Ce sont là des influences stressantes qui procèdent de l'environnement. Mais les influences environnementales ne se limitent pas aux milieux de travail et familial; on les retrouve dans les environnements sociaux et culturels. Pour étudier la dynamique sociale et culturelle de la lassitude, nous avons comparé, lors d'une recherche, 66 directeurs israéliens à 66 directeurs américains[32], qui devaient tous répondre à un questionnaire portant sur leur vie, leur travail, leur lassitude et leurs stratégies thérapeutiques.

La vie en Israël est plus stressante. Certains stress physiques sont dus au climat politique et au service militaire; d'autres, de nature économique, sont dus à l'inflation qui atteignait tout récemment un taux annuel de 120 %. Mais en dépit de tous ces stress, les Israéliens manifestèrent un niveau de lassitude sensiblement inférieur à celui des Américains. Les divergences entre Israéliens et Américains étaient beaucoup plus significatives sur le plan personnel que professionnel. Certes, un poste de directeur comporte certaines récompenses et certains stress qui lui sont inhérents et qui éclipsent les divergences culturelles, lesquelles sont beaucoup plus manifestes dans la vie hors du travail. Et c'était dans leur vie privée que les Israéliens rapportèrent un nombre sensiblement supérieur de caractéristiques positives (valorisation, réussite, appréciation) que leurs collègues américains. Ils décrivirent leurs relations sociales en termes plus positifs, rapportèrent plus de réciprocité émotionnelle, plus de partage, plus de rétroaction, plus d'influence. Par contre, les Américains rapportèrent plus de caractéristiques négatives:

culpabilité, anxiété, surcharge, exigences conflictuelles et difficulté dans la prise de décisions.

Nous avons fait les mêmes constatations lorsque nous
avons comparé les caractéristiques professionnelles. Les Américains rapportèrent un nombre sensiblement supérieur de caractéristiques négatives: surcharge, culpabilité, surcharge émotionnelle, exigences conflictuelles et responsabilités. Les Israéliens
rapportèrent plus d'ingérences bureaucratiques, mais ils se considéraient plus libres et sentaient qu'ils réussissaient mieux. Ils
rapportèrent également moins de conflits entre leur travail et leur
vie, et plus de caractéristiques professionnelles et personnelles
corrélées de façon significative à la lassitude. On pourrait attribuer cela au fait que les Israéliens sont plus conscients du lien qui
existe entre la lassitude et les caractéristiques environnementales
ou bien encore, si l'on veut, à leur tendance à chercher des
raisons externes pour expliquer leur lassitude. Par contre, les
Américains ont tendance à chercher la racine de leur lassitude
en eux-mêmes ou dans leur institution, ce qui entraîne plus de culpabilité, d'angoisse, de dépit et de surcharge. Nous avons
constaté ces mêmes divergences dans la lassitude rapportée par
les Israéliens et les Américains lors de recherches ultérieures
menées auprès de cadres, de travailleurs sociaux et de personnel
infirmier[33].

Les dangers qui menacent constamment l'existence de l'État
d'Israël ont créé un climat social volatile. De plus, c'est là un
petit pays où les gens se connaissent beaucoup mieux que la
majorité des Américains habitant les grands centres urbains.
Conséquemment, il y a en Israël un sentiment plus profond
d'unité sociale, de destin commun, de l'importance de chaque
citoyen. Certains psychologues israéliens affirment que la stabi-
lité émotionnelle et le bon moral de leurs compatriotes sont dus
au mécanisme d'adaptation qui s'est développé par nécessité et
qui leur permet de fonctionner normalement en dépit des dangers
et des stress continus[34]. Aussi, bien plus que la majorité des
Américains, les Israéliens appartiennent à des réseaux sociaux
intimes et stables, composés d'amis, de membres de la famille et
de voisins, des réseaux qui les protègent contre les pressions et
qui leur offrent le support dont ils ont besoin en temps de stress et
d'échec. Il se peut également que la cohésion qui caractérise la
société israélienne soit une des sources des bons rapports

sociaux, des niveaux assez élevés de réciprocité émotionnelle et de partage des stress, tels qu'ils furent rapportés par les directeurs israéliens. La société américaine accorde beaucoup plus d'importance à la compétition, aux réalisations individuelles, à l'excellence personnelle. Selon Malcolm Arth, qui a étudié le phénomène de l'amitié dans la société américaine, il se peut que celle-ci, avec ses institutions compétitives et l'importance qu'elle accorde aux réalisations et au statut individuels, ne soit pas très propice au développement d'un esprit d'amitié[35]. En fait, culturellement, la société américaine valorise l'individualisme et encourage l'introspection et la conscience de soi. Un système aussi compétitif transforme chaque échec en opprobre personnel, générant culpabilité et angoisse, et peut-être même infirmant indirectement la capacité de prendre des décisions. Les psychologues experts en développement ont démontré que les enfants américains maintiennent une stratégie compétitive même dans des circonstances où la coopération s'avère plus profitable[36]. Par contre, la société israélienne accorde encore beaucoup d'importance aux idéaux socialistes de l'égalité et du partage des accomplissements nationaux. En Israël, enfants et adultes ont rarement l'occasion de se confronter dans des situations compétitives où ils doivent mesurer leurs aptitudes et leur habileté. Conséquemment, ils ont moins d'occasions de subir des échecs. Il y a plus: pour l'Israélien, les objectifs sont moins individualisés, mieux définis, plus réalistes et plus accessibles. Donc, il a plus de chance d'accomplir ce qu'il désire réaliser et d'en tirer un sentiment de réussite[37].

Il existe une autre hypothèse: la société américaine, avec toute l'importance qu'elle accorde à la jeunesse, impose un fardeau de plus au professionnel qui traverse une crise de maturité. Et les directeurs qui participèrent à notre étude avaient plus ou moins atteint ce stade de leur vie: l'âge moyen des Américains était de 38 ans, celui des Israéliens de 39. Donc, on pourrait attribuer en partie à ce fait les divergences dans les niveaux de lassitude.

On pourrait également attribuer les niveaux supérieurs de lassitude des Américains à la prédominance de facteurs négatifs et à l'absence de facteurs positifs dans leur vie et leur travail. Il y aurait aussi une autre explication aux divergences culturelles au niveau des stratégies thérapeutiques[38]. Les Israéliens rappor-

247

tèrent des stratégies thérapeutiques plus actives et extroverties, dirigées vers la source de leur stress: modifier la source du stress, faire face à la source du stress, essayer de trouver les aspects positifs de la situation. Aussi, bien plus que les Américains, les Israéliens percevaient ces stratégies thérapeutiques comme plus efficaces contre la lassitude. Les Américains rapportèrent des stratégies thérapeutiques plus passives: ignorer la source du stress, l'éviter, ou se retrancher de la situation. Et, bien plus que les Israéliens, ils recouraient aux stratégies thérapeutiques intro- verties: discuter du stress, s'engager dans d'autres situations, etc. — des stratégies qui, en fait, visent à changer soi-même plutôt que la source du stress.

Ce ne sont pas là les seules réactions négatives au stress; il y en a qui ne modifient ni la source du stress ni le sujet; elles ne font que différer et anesthésier le déplaisir associé au stress. Les directeurs américains recouraient plus fréquemment que leurs col- lègues israéliens à ces réactions négatives: boire, tomber malade, s'effondrer sur le plan physique ou émotif. On pourrait donc conclure que le faible niveau de lassitude rapporté par les Israéliens était dû à la plus grande efficacité de leurs techniques thérapeutiques à modifier les circonstances stressantes.

Nous tenons à souligner toutefois que cette étude inter- culturelle ne fait état que des niveaux inférieurs de lassitude *rap- portés* par les Israéliens, et que ces rapports ne reflètent pas nécessairement le véritable niveau actuel de lassitude du répon- dant. Par exemple, on pourrait arguer que les Israéliens sont moins portés à admettre leur lassitude — et, conséquemment, ils la rapportent moins souvent — car ils la considèrent comme une marque de faiblesse et d'incompétence. De fait, le niveau de lassitude rapporté par les directeurs israéliens augmenta au point d'égaler celui de leurs collègues américains [39] lorsque nous leur avons fait comprendre que ce sont les individus idéalistes qui s'épuisent le plus. Pour ne pas considérer, à cause de cette par- tialité culturelle, ces résultats comme nuls, nous avons conclu que le niveau rapporté de lassitude est relatif à certains facteurs cul- turels, et comme tel, il peut être influencé par des forces sociales externes.

Une telle orientation interculturelle démontre à quel point il importe de rechercher les forces liées à la situation et les con- ditions sociales qui amplifient le stress, car si on les trouve, on saura aussi bien prévenir ces stress avant qu'ils ne se déclenchent qu'en expliquer les effets préjudiciables. Une perspective interculturelle nous permet également de nous concentrer sur le contexte social plutôt que sur le travailleur ou l'institution individuels, ce qui a pour effet d'atténuer la culpabilité, l'angoisse et la surcharge, libérant du même coup l'énergie émotionnelle nécessaire à la bonne récupération.

Résumé

Dans les deux premiers chapitres du présent ouvrage, nous avons défini la lassitude et l'épuisement, décrit leur phénoménologie et suggéré certaines solutions typiques. Aux chapitres 3, 4 et 5, nous avons décrit certains des antécédents et corrélatifs de l'épuisement et de la lassitude dans les services sociaux et de santé, les bureaucraties et chez les femmes professionnelles. Les chapitres 6, 7 et 8 étaient consacrés aux diverses façons de combattre l'épuisement et la lassitude, et les stratégies et techniques thérapeutiques que nous y avons présentées portaient sur trois niveaux: institutionnel, social et individuel.

Au cours du présent chapitre, nous avons discuté des antécédents de l'épuisement et de la lassitude dans la sphère familiale et dans la vie hors du travail, en axant notre discussion autour de trois thèmes: le cycle de vie, le stress au foyer et la perspective interculturelle. La discussion sur le cycle de vie portait sur les stress inhérents à certains stades du développement de l'adulte et leur relation avec la lassitude. Si nous avons parlé en détail des étudiants postadolescents de niveau universitaire et des professionnels entre deux âges, c'est parce qu'ils représentent deux extrêmes dans le même continuum entre les pressions environnementales et les pressions des stades de la vie. La discussion sur le stress au foyer était centrée sur deux rôles — le conjoint et le parent — considérés comme les plus vulnérables à l'épuisement dû à tout engagement intime et soutenu envers autrui. La perspective culturelle était axée sur les valeurs culturelles des Israéliens et des Américains dans la mesure où elles amplifient la lassitude.

Dans les Appendices I et II, nous décrirons en détail les deux principales étapes de notre travail et du présent ouvrage: les ateliers d'épuisement et nos recherches.

Notes

1. L. Bloom, éd., *Psychological Stress in the Campus Community*, Behaviorial Publications, New York, 1975.

2. R.H. Seiden, "The Problem of Suicide on College Campuses", *Journal of School Health*, 1971, vol 5: 243-248.

3. F.R. Timmons, "Research on College Dropouts", *Psychological Stress in* the Campus Community, éd. par L. Bloom, Behaviorial Publications, New York, 1975.

4. T.G. Caraskadon, "Help Seeking in the College Student: Strength and Weakness', *Psychological Strain in the Campus Community*, éd. par L. Bloom, Behaviorial Publications, New York, 1975.

5. Le niveau moyen de lassitude était de $\bar{x} = 3,9$ pour les étudiants, de 3,1 pour les professionnels des services humains, de 3,2 pour les hommes d'affaires, de 3,3 chez les scientifiques, de 3,2 dans les arts. De plus, seuls 8 % des étudiants et 25 % des professionnels avaient atteint les niveaux maximaux de lassitude.

6. Les niveaux moyens de la diversité étaient: étudiants, $\bar{x} = 4,2$; professionnels, $\bar{x} = 5,0$. De l'autonomie: étudiants, $\bar{x} = 4,1$; professionnels, $\bar{x} = 5,0$. De la valorisation: étudiants, $\bar{x} = 3,8$; professionnels, $\bar{x} = 5,3$. De l'innovation: étudiants, $\bar{x} = 3,8$; professionnels, $\bar{x} = 4,7$. De l'expression de soi: étudiants, $\bar{x} = 4,1$; professionnels, $\bar{x} = 4,9$. Des exigences à faire ses preuves dans des situations de compétition: étudiants, $\bar{x} = 5,0$; professionnels, $\bar{x} = 4,7$. Influence sur les prises de décisions qui affectent leur vie: étudiants, $\bar{x} = 3,3$; professionnels, $\bar{x} = 4,0$. Relations personnelles: étudiants, $\bar{x} = 4,9$; professionnels, $\bar{x} = 5,5$. Partage: étudiants, $\bar{x} = 3,5$; professionnels, $\bar{x} = 4,4$. Il se peut, soulignons-le, que, pour une raison ou l'autre, les étudiants aient répondu plus honnêtement que les professionnels à notre questionnaire, et qu'ils aient été plus enclins à admettre des niveaux plus élevés de lassitude et plus de caractéristiques environnementales négatives. (Voir la note 2 à la fin du Chapitre 2.)

7. Lorsque les étudiants comparèrent leur vie hors du milieu universitaire à leurs activités au campus, nous avons obtenu les moyennes suivantes: Diversité: dans la vie, $\bar{x} = 5,3$; aux études, $\bar{x} = 4,2$. Autonomie: dans la vie, $\bar{x} = 5,4$; aux études, $\bar{x} = 4,1$. Valorisation: dans la vie, $\bar{x} = 5,3$; aux études, $\bar{x} = 4,1$. Innovation: dans la vie, $\bar{x} = 4,9$; aux études, $\bar{x} = 3,8$. Expression de soi: dans la vie, $\bar{x} = 5,8$; aux études, $\bar{x} = 4,1$. Actualisation de soi: dans la vie, $\bar{x} = 5,8$; aux études, $\bar{x} = 4,5$. Ingérence bureaucratique: dans la vie, $\bar{x} = 3,4$; aux études, $\bar{x} = 4,4$. Désagréments administratifs: dans la vie, $\bar{x} = 3,0$; aux

études, $\bar{x} = 4,2$. Influence sur les décisions qui pourraient affecter leur vie: dans la vie, $\bar{x} = 5,0$; aux études, $\bar{x} = 3,3$. Appréciation: dans la vie, $\bar{x} = 5,0$; aux études, $\bar{x} = 4,3$. Relations interpersonnelles: dans la vie, $\bar{x} = 5,7$; aux études, $\bar{x} = 4,3$. Relations interpersonnelles: dans la vie, $\bar{x} = 5,7$; aux études, $\bar{x} = 4,9$. Entraide: dans la vie, $\bar{x} = 5,3$; aux études, $\bar{x} = 4,2$. Partage: dans la vie, $\bar{x} = 4,6$; aux études, $\bar{x} = 3,5$.

8. Cette étude fut menée avec la collaboration de Liz Lopez, une étudiante de l'université de Californie à Berkeley.

9. W. Bridges, *The Seasons of Our Lives*, The Wayfarer Press, San Francisco, 1977.

10. Le niveau moyen du conflit entre les études et la vie était, chez les étudiants, de $\bar{x} = 4,6$. Alors que chez les professionnels, le niveau moyen du conflit entre le travail et la vie était de $\bar{x} = 4,2$.

11. D. Levinson *et al.*, *The Seasons of a Man's Life*, Knopf, New York, 1979.

12. Bridges, *Season of Our Lives*.

13. Par exemple, lors d'une étude, nous avons demandé aux répondants d'évaluer l'importance relative qu'avaient pour eux la vie et le travail, en se basant sur une échelle de 1 à 7: 1 = seulement le travail, et 7 = seulement la vie. Chez 84 étudiants, la moyenne était de 5,6; chez 205 professionnels, la moyenne était de 5,3.

14. Par exemple, dans un échantillon de 205 professionnels, la corrélation entre la satisfaction face à la vie et la lassitude était de $r = -0,56$, et la corrélation entre la satisfaction face au travail et la lassitude était de $r = -0,39$. Dans un échantillon de 84 étudiants, la corrélation entre la satisfaction face à la vie et la lassitude était de $r = -0,69$, et la corrélation entre la satisfaction face au travail et la lassitude était de $r = -0,50$. Toutes les corrélations sont statistiquement significatives au niveau $p < 0,001$.

15. Par exemple, A.H. Cantril et C.W. Roll Jr, *Hopes and Fears of the American People*, Universe Books, New York, 1971.

16. Pour un compte rendu détaillé de cette étude, voir D. Kafry et A. Pines, "Life and Work Tedium", *Human Relations*, 1980, sous presse.

17. Dans cette étude, entreprise avec la collaboration de Steven Weinberg et de l'équipe du Programme de formation administrative de l'université de l'Alabama, la corrélation entre le chevauchement des stress de la vie et du travail et la lassitude était de $r = 0,42$ ($p < 0,01$); alors que la corrélation avec le chevauchement des joies de la vie et du travail était de $r = 0,08$.

18. B. Sutton-Smith et B.G. Rosenberg, "A Scale to Identify Impulse Behavior in Children", *Journal of Generic Psychology*, 1959, vol. 94. La corrélation entre l'impulsivité des enfants et l'épuisement de la mère était de $r = 0,49$ ($p<0,001$).

19. La corrélation entre la lassitude et l'épuisement du parent était de $r = 0,70$ ($p<0,001$) chez 33 pères, et de $r = 0,31$ ($p<0,01$) chez 73 mères.

20. R.E. Helfe et E.H. Kempe, *The Battered Child*, University of Chicago Press, Chicago, 1978.

21. L. Morrow, "Wondering if Children Are Necessary", *Time* du 5 mars 1979: 42.

22. Nous avons interviewé plusieurs éducateurs de "stress parental" au sujet de la relation qui existe entre l'épuisement et le mauvais traitement des enfants, et nous avons eu un long entretien avec Irene Melnick.

23. Cette étude fut menée en collaboration avec Teresa Ramirez, une étudiante de l'université de Californie à Berkeley. Le niveau moyen de lassitude des parents agressifs était de 4,4, alors que le niveau moyen de lassitude de tous les répondants ($N=3650$) était de 3,3.

24. "Attraction: Why Do People Like Each Other?", in E. Aronson, *The Social Animal*, Freeman, San Francisco, 1973: chap. 7.

25. M. French, *Toilettes pour femmes*, Livre de Poche, Paris.

26. H. Selye, *The Stress of Life*, McGraw-Hill, New York, 1956.

27. T.H. Holmes et R.H. Rahe, "The Social Readjustment Rating Scale", *Journal of Psychosomatic Research*, 1967: 213-218.

28. T.H. Holmes et M. Masuda, "Life Change and Illness Susceptibility", *Stressful Life Events*, éd. par B.S. Dohrenwend et B.P. Dohrenwend, Wiley, New York, 1974.

29. A. Kanner, D. Kafry et A. Pines, "Stress Results from the Absence of Positive Experiences As Well", étude présentée à l'assemblée annuelle de l'Association de psychologie de l'ouest, à Honolulu, en mai 1980.

30. Voir l'Appendice II pour une description du questionnaire ainsi que pour sa validité et sa fiabilité.

31. Le niveau moyen de lassitude de ceux qui avaient subi l'expérience négative d'une intervention chirurgicale, d'une maladie ou d'un accident était de $\bar{x} = 3,9$. Le niveau moyen de lassitude pour ceux qui avaient traversé l'expérience positive d'un changement positif de métier était de $\bar{x} = 3,5$. La corrélation entre le nombre d'événements positifs et la lassitude était de $r = -0,22$ ($p<0,001$). La

corrélation entre le nombre d'événements négatifs et la lassitude était de $r = 0,30$ ($p<0,001$).

32. A. Pines, D. Kafry et D. Etzion, "A Cross Cultural Comparison Between Israelis and Americans in the Experience of Tedium and Ways of Coping with It", étude présentée au congrès de l'Association de psychologie de l'ouest, à San Diego, en Californie, en avril 1979.

33. Toutes ces études interculturelles furent menées avec la collaboration de Dalia Etzion de l'université de Tel-Aviv.

34. Par exemple, E.L. Gutman, "The Israeli's Mood Is Stable — with No Unrealistic Expectations and No Disappointments", (Y. Shavit), *Yediot Achronot*, 1977, vol. 3.11: 11, 20.

35. M. Arth Jr, "American Culture and the Phenomenon of Friendship in the Aged", *Social and Psychological Aspects of Aging*, éd. par C. Tibbitts et W. Donohue, Columbia University Press, New York, 1962.

36. M.C. Madsch et A. Shapiro, "Cooperative and Competitive Balance of Urban Afro Americans, Anglo Americans, Mexican Americans and Mexican Village Children", *Developmental Psychology*, 1970, vol. 3: 16-20.

37. A. Pines et P.G. Zimbardo, "The Personal and Cultural Dynamics of Shyness: A Comparison between Israelis, American Jews, and Americans", *Journal of Psychology and Judaism*, hiver 1978, vol. 3, no 2: 81-101.

38. Pines, Kafry et Etzion, "Cross-Cultural Comparison".

39. Voir la note 30 à la fin du Chapitre 2.

Appendice I

Les ateliers
sur l'épuisement

Qu'est-ce qu'un atelier d'épuisement? C'est une situation où nous présentons tout ce que nous savons en matière d'épuisement, y compris une grande partie des connaissances contenues dans ce livre, à des groupes de participants, et cela dans une perspective d'instruction empirique: non seulement nous leur expliquons ce qu'est l'épuisement, mais nous leur offrons aussi l'occasion de prendre conscience des stress particuliers à leurs diverses activités, de discuter de ces stress avec d'autres personnes se trouvant dans des situations analogues, et d'appliquer, de façon personnelle et individualisée, certaines de nos conclusions à diverses stratégies thérapeutiques. Un des grands bienfaits d'un atelier, c'est qu'il permet aux participants de se distancier de leurs activités habituelles, de se concentrer sur les problèmes graves qui les affligent et d'arriver à des solutions expérimentales conjointement avec d'autres individus se trouvant dans des circonstances analogues. Voilà pourquoi nous sommes d'avis que même si la lecture du présent ouvrage est d'une grande aide au lecteur, la concentration, l'orientation individualisée et l'entraide sociale — en fait les trois charnières de nos ateliers — l'aideront à en tirer un plus grand avantage.

Dans ce premier appendice, nous vous décrirons en détail les divers effets d'un atelier particulier que nous avons analysé de façon systématique. Pour ce qui est de l'efficacité de nos ateliers en général, nous nous sommes fiés, entre autres, à l'évaluation qu'en faisaient nos participants à la fin de chaque atelier et surtout à leurs observations lorsque, quelque temps plus tard, ils nous rencontraient pour discuter des changements qu'ils avaient entrepris dans leur vie, à la suite d'un atelier. C'était là une rétroaction fort gratifiante, surtout lorsqu'ils nous faisaient part une ou deux années plus tard des changements inspirés par nos ateliers et de leur impact à long terme. Une autre forme de rétro-action: les lettres d'appréciation dont les auteurs nous remerciaient pour le courage et l'énergie que nos ateliers leur avaient insufflés.

Les activités d'un atelier d'épuisement n'ont rien de magique. Elles sont efficaces dans la mesure où le sujet désireux de combattre son épuisement est prêt à faire un certain effort tangible de concentration non seulement pour récupérer, mais aussi pour se remettre de façon à l'aider à s'épanouir. Et nous avons espoir que cet appendice, autant que les chapitres précédents, encourageront nos lecteurs à expérimenter avec des idées concrètes en organisant dans leur milieu des activités analogues à celles d'un atelier d'épuisement. Les principales variables de ces activités: les entreprendre durant les périodes "de relâche" du travail, conjointement avec d'autres personnes connaissant les mêmes stress et qui pourraient éventuellement former un groupe d'entraide sociale, et en se concentrant sur des techniques tangibles et positives pour combattre l'épuisement.

Entre 1976 et 1980, nous avons mené plus d'une centaine d'ateliers d'épuisement en Israël et à travers les États-Unis (Alabama, Californie, Colorado, Floride, Georgie, Illinois, Caroline du Nord, Dakota, Michigan, Missouri et Texas). Les ateliers comptaient chacun entre 12 et 500 participants, la participation moyenne étant généralement de 50 à 100 personnes. Certains ateliers étaient ouverts à tous, d'autres étaient organisés spécialement pour des congrès de professionnels, et beaucoup faisaient partie des programmes de formation au travail mis sur pied par diverses institutions.

Nous avons tenu des ateliers dans diverses *institutions:* garderies, écoles primaires, écoles secondaires, collèges, collèges communautaires, universités, cours publics sous l'auspice d'une université, écoles de formation spéciale, école pour aveugles, école de langues, ministère de la Santé et du Bien-Être, services d'hygiène, agences d'assistance publique, agences de services d'orientation professionnelle, centres communautaires d'hygiène mentale, centres résidentiels d'hygiène et d'orientation, services de réhabilitation, services de ressources humaines, départements de services sociaux, bureaux de sécurité sociale, cliniques psychiatriques autant à l'intérieur qu'en dehors des centres hospitaliers, hôpital régional, hôpitaux pour anciens combattants, hôpitaux communautaires, centres médicaux, services d'urgence, services d'hémodialyse, faculté de nursing, faculté de psychiatrie, pénitencier, services de liberté conditionnelle, programmes de formation administrative, centre d'orientation et de placement professionnels, l'armée.

Les *professions* de nos participants étaient tout aussi diverses: psychiatres, psychologues, conseillers, médecins, personnel infirmier, dentistes, hygiénistes dentaires, assistants dentaires, spécialistes en hémodialyse, travailleuses sociales en périnatalité, thérapeutes occupationnels, thérapeutes physiques, travailleurs sociaux, assistants sociaux, travailleurs pour le bien-être de l'enfance, éducateurs de retardés mentaux, personnel des services communautaires d'hygiène mentale, éducateurs d'alcooliques, travailleurs dans la protection de l'enfance, personnel de pénitencier, délégués à la liberté conditionnelle, moniteurs de garderie, enseignants, professeurs d'université, conseillers en orientation et placement professionnels, directeurs de personnel étudiant, directeurs de syndicat, directeurs et employés des services de sécurité sociale, personnel des services d'orientation professionnelle, éducateurs et conseillers de programmes de formation spéciale, directeurs d'agences pour retardés mentaux, directeurs d'entreprise, avocats, policiers, experts en développement institutionnel, prêtres, religieuses, psychologues militaires.

La rétroaction, autant écrite que verbale, apportée volontairement par les participants à la fin des ateliers fut toujours très positive. Par exemple, dans le cas d'un atelier tenu dans un département du ministère de la Santé et du Bien-Être, les 132 participants durent répondre à un questionnaire établi par le département lui-même afin d'évaluer cette activité formative. Résultats: 80 participants jugèrent l'atelier "excellent"; 41 le jugèrent "très bon"; 11 le jugèrent "bon"; et personne ne le jugea "mauvais" ou "très mauvais".

Dans un autre cas, six mois après un atelier mené dans un département des services sociaux du Midwest, nous demandâmes aux participants d'évaluer l'efficacité de l'atelier à définir les problèmes de l'épuisement et ses stratégies thérapeutiques. Trente participants répondirent à ce questionnaire de suivi et tous évaluèrent comme excellentes autant l'une que l'autre, l'évaluation moyenne étant dans les deux cas "très bonne". Deux ans plus tard, nous invitâmes les mêmes participants à un deuxième atelier sur l'épuisement. Si l'on se fie à leur rétroaction officieuse, les systèmes d'entraide institués à la suite du premier atelier tenaient toujours et les aidaient, deux ans plus tard, à combattre efficacement l'épuisement.

Les activités de chaque atelier variaient selon la composition et les besoins de ses participants. Dans cet appendice, nous avons choisi de vous faire le compte rendu détaillé d'un atelier où nous avons essayé d'évaluer l'impact à court et à long termes d'un atelier d'un jour sur l'épuisement.

Pour évaluer cet atelier, nous avons établi un modèle de "groupe témoin non équivalent"[1]: soit un groupe expérimental et un groupe témoin, qui devaient tous deux se soumettre au test avant et après l'atelier. Plutôt que d'établir une équivalence d'échantillonnage préexpérimentale, nous avons choisi deux groupes constitués naturellement, aussi identiques que le permettait le bassin de participants, mais pas trop identiques pour que nous puissions entreprendre des tests préliminaires. L'assignation de manipulations expérimentales et l'atelier sur l'épuisement, dans un groupe ou l'autre, était faite au hasard et sous la surveillance de l'expérimentateur.

Les participants étaient 53 travailleurs sociaux provenant de deux agences différentes. Nous avons choisi ces deux agences en particulier parce qu'elles étaient analogues à bien des points de vue: localité, taille, clientèle et performance. Vingt-trois participants (3 hommes et 20 femmes) provenaient de l'agence "expérimentale", et trente (10 hommes et 20 femmes) de l'agence "témoin".

Tous les employés du groupe expérimental participèrent à un atelier d'un jour, et devaient répondre à un questionnaire composé de 21 critères visant à évaluer leur niveau de lassitude (voir l'autodiagnostic du chapitre 2). Ils devaient également décrire les caractéristiques de leur travail, leurs variables comportementales, la satisfaction et le stress de leurs activités professionnelles. Tous les employés, ceux du groupe expérimental comme les témoins, durent répondre trois fois au même questionnaire: 1) test préliminaire: une semaine avant l'atelier, pour établir un point de départ; 2) test de suivi à court terme: une semaine après l'atelier; et 3) test de suivi à long terme: six mois après l'atelier. De plus, tout de suite après la fin de l'atelier, le groupe expérimental devait répondre à un bref questionnaire de rétro-action.

Quant à l'atelier, il visait quatre buts précis:

1. Présenter les concepts de l'épuisement et de la lassitude, classifier leurs symptômes et discuter des diverses façons dont ils affectent les gens et dont ces derniers les expriment. Cela a pour but de sensibiliser les participants au problème — cette prise de conscience étant la première étape de toute stratégie thérapeutique adéquate.

2. Identifier les stress qui, au travail, conduisent les travailleurs sociaux à la lassitude et à l'épuisement, afin de les aider à se décider à agir et à entreprendre des changements positifs.

3. Développer une clarté cognitive afin de pouvoir séparer en deux catégories les diverses caractéristiques stressantes du travail: celles dont l'individu a le contrôle et qui peuvent être modifiées, et celles qui sont inhérentes à ses fonctions et qu'il doit accepter comme telles.

4. Développer divers moyens de récupération: par exemple, renforcer l'aptitude d'adaptation de l'individu en lui montrant comment faire montre de flexibilité dans l'application des diverses stratégies thérapeutiques et comment modifier les caractéristiques de son travail dont il a le contrôle. Tout aussi important: développer et utiliser des réseaux d'entraide, se concentrer sur les aspects positifs du travail, développer des attitudes positives pour faire échec à la lassitude.

Pour permettre aux participants de parler ouvertement des stress créés par leurs activités professionnelles, nous avions décidé de ne pas inviter de membres de la direction à participer à notre atelier d'un jour. Et nous avons commencé la journée par une présentation des concepts de l'épuisement et de la lassitude et de leurs symptômes. Les participants purent identifier leur niveau d'épuisement. Nous avons discuté des antécédents et des

corrélatifs de l'épuisement dans le milieu de travail et dans certaines activités professionnelles. Nous avons encouragé les participants à discuter de leurs objectifs et espérances professionnels
et de leurs stress, particulièrement de ceux générés par les
espoirs déçus, afin de faire ressortir leurs sentiments de désespoir
et d'impuissance, les poussant ainsi à prendre conscience du
problème. Puis, à l'aide de conférences et de discussions en
petits groupes, les employés purent se familiariser davantage avec
les divers aspects communs de leur travail qui pouvaient conduire
à l'épuisement et à la lassitude, et se décider à en faire quelque chose.

Nous avons attiré leur attention sur l'importance d'atteindre
un certain niveau de clarté cognitive afin de distinguer entre les
stress dont ils avaient le contrôle et ceux qui étaient immuables.
Pour les aider à développer de nouveaux moyens de récupération et à améliorer la portée et la qualité des anciens, nous leur
avons présenté diverses ressources et aptitudes thérapeutiques
capables de modifier ces caractéristiques du travail dont ils
avaient le contrôle. Lorsqu'ils identifièrent les causes majeures
de leurs stress, nous leur recommandâmes fortement de planifier
de façon concrète les changements qu'ils désiraient entreprendre. En général, nous les avons encouragés à faire montre de
flexibilité contre les stress, soit de ne recourir qu'à la stratégie
thérapeutique qui *convenait* aux circonstances: la stratégie
active-directe (modifier la source du stress), la stratégie active-
indirecte (discuter avec des amis) et la stratégie inactive-directe
(ignorer ou éviter la source du stress). Bien sûr, nous ne leur avons
pas recommandé la stratégie inactive-indirecte (drogues, alcool).
Nous avons également souligné l'importance des diverses techniques qui permettent de reconnaître, d'établir et d'utiliser les
réseaux d'entraide entre collègues. Parmi nos recommandations:
faire des réunions de personnel axées sur l'employé, communiquer librement, écouter activement, fournir une aide et un défi
techniques, discuter ouvertement des expériences émotionnelles
disruptives, rechercher les aspects positifs des rapports avec la
clientèle, partager les tâches. Nous avons aussi discuté du
pouvoir qu'ont au niveau individuel, et comme tampons contre la
lassitude et l'épuisement, les attitudes positives et le sens de
l'humour. Quelques recommandations spécifiques: reconnaître
que le temps est une ressource précieuse, séparer le travail de la

sphère familiale, se donner une période de "décompression" à la fin de chaque journée stressante, reconnaître les signaux d'alarme, reconnaître sa propre vulnérabilité, établir des objectifs réalistes et accessibles. La journée se termina par une brève récapitulation où nous discutâmes de l'ampleur de l'épuisement et de la lassitude dans la vie et au travail.

Pour nous permettre d'évaluer les effets de cet atelier sur l'épuisement, les participants répondirent à un questionnaire de rétroaction à la fin de la journée, puis à deux autres tests de suivi présentés, le premier une semaine plus tard, et le deuxième six mois plus tard. Les réponses au questionnaire de rétroaction présenté à la fin de l'atelier indiquent, d'une part, une réaction très favorable à l'atelier et, d'autre part, une évaluation positive de la présentation des concepts, des diverses suggestions pour résoudre les problèmes et de l'espoir qu'avaient maintenant les participants de trouver d'autres solutions futures.

Ce premier questionnaire de rétroaction comprenait également quelques questions générales. Par exemple, dans leur réponse à la question "Quel était le plus important aspect informatif de l'atelier?", les participants soulignèrent l'importance de savoir que leurs stress liés à l'occupation ne leur étaient pas uniques et qu'ils pouvaient recourir à des réseaux d'entraide dans leur milieu de travail. Notons parmi les réactions: "découvrir qu'au fond nous avons tous les même problèmes", "rechercher des façons de nous entraider et de mieux connaître les autres", "le stress subi par les camarades de travail comme moyen d'entraide", "il ne faut pas toujours compter sur l'administration pour recevoir des encouragements: il faut plutôt s'encourager les uns les autres". Certains commentaires portaient sur des suggestions spécifiques présentées durant l'atelier: "contrôler la surcharge de travail", "avoir acquis des techniques positives pour surmonter les problèmes et des façons positives de les percevoir", "dire qu'on a un problème et une solution". Les participants étaient aussi très heureux d'avoir eu une occasion de parler ouvertement et, surtout, sans la présence de leurs supérieurs.

La dernière partie du questionnaire était réservée aux commentaires généraux. Il y eut deux sortes de réactions: d'une part, l'évaluation de l'atelier; d'autre part, des suggestions quant aux diverses façons dont l'administration pouvait améliorer leurs conditions de travail. Pour ce qui est des évaluations: l'atelier était généralement fort apprécié; grand besoin d'un atelier de deux jours; des suggestions portant sur certains sujets particuliers que nous devrions inclure au programme; organiser le même genre d'atelier pour les membres de l'administration.

Les suggestions faites à l'administration portaient surtout sur les diverses façons qu'elle avait d'améliorer les relations de travail: "Les employés devraient pouvoir exprimer leurs griefs sans craindre la direction", "l'administration devrait communiquer avec tous les employés", "les employés se résigneraient à bien des aspects négatifs dans leur milieu de travail si leurs supérieurs reconnaissaient et appréciaient leurs efforts", "encourager davantage les employés, et non seulement lors des conférences et des évaluations trimestrielles", "que l'administration travaille plus souvent "en équipe" avec les employés", "organiser plus souvent des réunions analogues à celle d'aujourd'hui, peut-être une par mois".

Le test de suivi à court terme

Pour établir un point de départ, une semaine avant l'atelier, nous avons soumis tous les employés à un test préliminaire. Une semaine après l'atelier, tous les membres des deux groupes (expérimental et témoin) subirent un premier test de suivi afin de nous permettre d'évaluer l'impact à court terme de notre atelier d'épuisement. Bien sûr, lorsque nous avons comparé les réponses du test préliminaire à celles du premier test de suivi, nous savions que seuls les changements survenus chez les membres du groupe expérimental pouvaient être imputés à notre atelier d'épuisement.

Des 23 participants à l'atelier, seulement 15 répondirent aux deux questionnaires, une perte assez considérable pour un aussi petit groupe et qui met en cause la validité et la possibilité de généraliser nos données. Bref, les réponses des employés qui complétèrent les deux questionnaires indiquent que dans le groupe expérimental le niveau de lassitude baissa légèrement ($p < 0,1$) alors que celui de la satisfaction tirée du contact avec les camarades de travail augmenta sensiblement ($p < 0,01$). À la suite de l'atelier, les membres du groupe expérimental se dirent plus satisfaits de leurs supérieurs, de leurs contacts avec le public et de leurs clients. Nous ne décelâmes aucun changement aussi constant et positif chez les employés du groupe témoin qui n'avaient pas participé à l'atelier. L'atelier eut un impact négligeable sur les caractéristiques internes du travail, telles la diversité, l'autonomie, la valorisation, la réussite, la surcharge et la sous-charge. Ces caractéristiques étant inhérentes à la réalité de ses activités professionnelles, le travailleur individuel n'en a pas le moindre contrôle. L'atelier eut toutefois plus d'impact sur les aspects personnels externes du travail: relations interpersonnelles, relations avec les supérieurs, rétroaction avec les camarades de travail, autant d'aspects évalués plus positivement par le groupe expérimental que par le groupe témoin.

De plus, les employés du groupe expérimental se sentaient récompensés plus adéquatement après l'atelier. Mais aussi, il y eut, après l'atelier, une intensification de deux caractéristiques personnelles externes du travail, soit l'ingérence bureaucratique et les conflits administratifs, mais la différence n'était pas statistiquement significative. Par ailleurs, ces caractéristiques avaient été déjà identifiées au cours de nombreuses discussions durant l'atelier comme étant inhérentes aux activités professionnelles et immuables. Il se peut alors que les participants à l'atelier les aient considérées par la suite comme plus stressantes. En résumé, la comparaison du test préliminaire au test de suivi indique que l'atelier eut surtout pour effet de rehausser la satisfaction. Par contre, il n'eut aucun effet sur les caractéristiques internes et externes du travail sur lesquelles l'individu n'a aucun contrôle.

En comparant les deux tests, nous avons examiné également la corrélation entre les caractéristiques du travail et la satisfaction, et le niveau de lassitude. Dans le groupe expérimental, plusieurs variables furent associées davantage avec la lassitude à la suite de l'atelier. Et comme il n'y eut pas de tel changement chez le groupe témoin, nous pouvons conclure que l'atelier permit au groupe expérimental de mieux reconnaître le rapport qui existe entre certaines caractéristiques, comme la surcharge, la rétroaction et surtout les relations personnelles avec les camarades de travail, et l'expérience subjective de la lassitude.

Cette sensibilisation au problème, qui était d'ailleurs le premier objectif de notre atelier, est tout aussi manifeste lorsqu'on examine, dans les tests préliminaires et les tests de suivi, la corrélation entre les critères de satisfaction et la lassitude. Même si la corrélation négative entre la lassitude et la satisfaction générale du travail accusa une hausse dans le groupe expérimental, elle changea beaucoup moins, et en sens inverse, dans le groupe témoin. La corrélation entre la lassitude et la satisfaction des clients et du département augmenta de façon dramatique dans le groupe expérimental et baissa dans le groupe témoin. La corrélation entre la satisfaction des supérieurs et la lassitude augmenta de façon particulièrement dramatique dans le groupe expérimental mais demeura stable dans le groupe témoin. À notre avis, ces changements dans la corrélation entre la satisfaction et la lassitude reflètent une plus grande sensibilisation au concept de la lassitude. Mais nous le répétons une fois de plus, nous devons interpréter prudemment ces corrélations à cause de l'échantillon limité sur lequel elles sont basées.

En résumé, la comparaison du test préliminaire au premier test de suivi suggère que l'impact de l'atelier sur l'épuisement fut ressenti à deux niveaux: 1) une meilleure connaissance du rapport existant entre les diverses caractéristiques du travail et la lassitude; 2) une faible baisse du niveau de lassitude et une plus grande satisfaction des supérieurs, du département, du public, des clients et des camarades de travail. De toutes ces relations, seule l'amélioration des rapports avec les camarades de travail était statistiquement significative. Quoique l'atelier eut un impact sur la prise de conscience et la satisfaction, ses effets sur les caractéristiques internes et stressantes, comme l'absence d'autonomie et le sentiment de surcharge, étaient négligeables. L'atelier n'eut pas non plus d'impact sur les caractéristiques impersonnelles telles les conflits administratifs, l'ingérence bureaucratique et l'absence de période de ''relâche''.

Le test de suivi à long terme

Six mois après l'atelier d'épuisement, nous avons soumis les groupes expérimental et témoin au second test de suivi, un troisième questionnaire, en fait, qui devait nous permettre d'évaluer l'impact à long terme de l'atelier. De nouveau, lorsque nous avons comparé les réponses du test de suivi à long terme à celles du test préliminaire et du test de suivi à court terme, nous avons supposé que seuls les changements survenus dans le groupe expérimental pouvaient être imputés à notre atelier d'épuisement. Aussi, les changements qui se manifesteraient dans le second test de suivi devaient supposément nous indiquer les effets à long terme de cet atelier.

Mais il y eut une telle diminution dans la participation à cette étude qu'une comparaison entre le test préliminaire et les deux tests de suivi s'avérerait scientifiquement invalide. Plus précisément, des 23 participants du groupe expérimental et des 30 membres du groupe témoin, seulement 8 et 14, respectivement, complétèrent les trois questionnaires. Un échantillon aussi limité déprécie toute analyse statistique et met en cause autant la validité que la capacité de généralisation de ses données.

Donc, vu que l'atelier eut très peu d'effet sur les caractéristiques de travail inhérentes aux bureaucraties (diversité, autonomie, valorisation, réussite, surcharge, sous-charge), nous n'en discuterons pas. L'atelier influa surtout sur les aspects sociaux du travail et, quoiqu'elle diminuât avec le temps, cette influence persista quand même en partie pendant six mois. Dans le groupe expérimental, la satisfaction des collègues, des clients et du public persista six mois après l'atelier et cela à des niveaux supérieurs à ceux constatés avant l'atelier. La seule satisfaction qui six mois plus tard ne semblait aucunement influencée par l'atelier était celle des supérieurs. Quant à la satisfaction des relations personnelles, elle subit une hausse dans le groupe expérimental, mais resta la même dans le groupe témoin.

Malgré les limitations d'un aussi petit échantillonnage, six mois plus tard, la corrélation entre la lassitude et les diverses variables fut toujours plus élevée dans le groupe expérimental, ce qui indique que l'atelier sensibilisa pour de bon les participants au rapport qui existe entre ces variables et la lassitude.

En résumé, lorsqu'on compare prudemment, autant dans le groupe expérimental que dans le groupe témoin, les résultats du test préliminaire à ceux des deux tests de suivi, on s'aperçoit que six mois plus tard l'impact de l'atelier persista à deux niveaux: 1) une faible augmentation du niveau de satisfaction tirée du public, des clients et particulièrement des camarades de travail; et 2) une plus grande conscience des rapports entre les diverses caractéristiques du travail et la lassitude.

L'atelier d'épuisement eut un impact à certains niveaux mais non à d'autres. Il n'influa aucunement sur les caractéristiques du travail inhérentes aux grandes institutions complexes —

surcharge, absence d'autonomie, de récompenses et de sentiment de valorisation. Mais il influa sur les relations de travail et sur la satisfaction tirée des camarades de travail, des clients et du public, une influence qui continua à se manifester six mois plus tard.

De l'avis de beaucoup de participants, l'atelier était trop bref pour qu'il puisse vraiment les aider. Il n'est pas étonnant donc que ses effets se soient atténués six mois plus tard. On pourrait considérer ce genre d'atelier sur l'épuisement comme l'amorce d'un processus qui évoluerait en réunions d'une ou deux heures, tenues une ou deux fois par mois au travail. Et ce premier atelier aiderait également les employés à acquérir certaines aptitudes de communication qu'ils pourraient par la suite utiliser lors de ces réunions.

Dans le cas de cet atelier, nous avions décidé de ne pas y inviter des membres de la direction afin que les participants puissent s'exprimer plus librement. Cependant, certains d'entre eux nous dirent qu'ils en auraient bénéficié beaucoup plus si des membres de l'administration avaient été présents, même si cela leur aurait causé quelque malaise. De fait, voici un incident survenu durant l'atelier qui démontre l'importance de la participation des membres de l'administration: les employés se plaignaient qu'ils avaient beau travailler et produire, la rétroaction de leurs supérieurs véhiculait toujours quelque critique. Et une surveillante, qui participait à l'atelier, de répliquer que la direction lui avait recommandé d'engager une rétroaction positive lorsque celle-ci est méritée mais de toujours y inclure une critique négative qui suggérerait au travailleur qu'il peut toujours faire mieux. Les employés comprirent alors le dilemme de la surveillante et sympathisèrent avec elle, alors que celle-ci se rendait compte de l'impact de sa rétroaction. Et tout le monde sentit qu'il pouvait maintenant mieux communiquer.

Il existe deux types d'ateliers d'épuisement. Le premier réunit des employés ayant les mêmes fonctions et subissant les mêmes stress liés à l'occupation mais dans des milieux différents. Les participants de ces groupes peuvent discuter des stress et des récompenses qui sont particuliers à leur situation et établir des réseaux d'entraide avec des collègues oeuvrant dans d'autres institutions. Ces ateliers sont particulièrement utiles aux directeurs qui, vu leur position, sentent qu'ils ne peuvent pas conférer avec d'autres ou recourir à un réseau d'entraide. Ces ateliers centrés sur l'activité professionnelle aident également le participant à briser l'asymétrie de la rétroaction et du système de récompense qui existe dans les institutions: beaucoup de travailleurs sociaux ne s'attendent à recevoir des marques d'appréciation que de la direction et se tournent rarement vers leurs collègues pour susciter une rétroaction. Conséquemment, ils se sentent démoralisés. Mais aussi, ce genre d'attente exerce une forte pression sur les membres de la direction. L'atelier permet, lui, de modifier cet état de choses en enseignant aux employés à devenir eux-mêmes un réseau d'entraide et à s'encourager mutuellement.

Le deuxième type d'atelier réunit des employés travaillant pour la même institution, et les aide à surmonter l'hostilité et les problèmes de communication et de coopération adéquate qui affectent le bon fonctionnement d'un bureau. Ce genre d'atelier est identique à celui dont nous venons de faire le compte rendu et ses effets sont probablement les mêmes.

Note

1. D.T. Campbell, et J.C. Stanley, *Experimental and Quasi Experimental Designs for Research*, Rand-McNally, Chicago, 1973: 47-50.

Appendice II

La recherche

par Ditsa Kafry

Notre recherche sur la lassitude avait pour centre l'université Berkeley en Californie et fit appel à 3916 participants, dont la majorité était des étudiants et des professionnels américains, canadiens, japonais et israéliens, que nous avons suivis entre 1976 et 1980. Ce deuxième appendice décrit l'évaluation de la lassitude et les échantillons étudiés. Nous y présenterons également certaines de nos conclusions. Toutefois, nous tenons à souligner que les problèmes habituels associés à toute corrélation de données établies d'après les réponses des sujets s'appliquent à une bonne partie des recherches présentées ci-dessous. (Voir note 2, chapitre 2.)

L'évaluation du niveau de lassitude

Une définition

La lassitude morale est la manifestation de la fatigue physique, émotionnelle et mentale. Elle est caractérisée par l'épuisement émotionnel et physique, ainsi que par un déni de soi-même, de son environnement, de son travail et de sa vie. (L'épuisement moral est identique à la lassitude morale au point de vue définition et symptomatologie, mais il n'afflige que ceux qui travaillent avec des gens dans des situations émotionnellement exigeantes sur le plan émotif.)

269

La description

Le niveau de lassitude est évalué à l'aide d'un questionnaire composé de 21 critères qui touchent 3 types de fatigues:

1. La fatigue physique: se sentir fatigué, exténué physiquement, à plat, abattu, ennuyé, faible, énergique.

2. La fatigue émotionnelle: se sentir déprimé, fatigué au plan émotif, épuisé moralement, pris au piège, troublé, désespéré, anxieux.

3. La fatigue mentale (le déni de soi-même, de sa vie et des autres): se sentir heureux, malheureux, satisfait de sa journée, inutile, optimiste, déçu et dépité par les autres, rejeté.

Ces critères sont inscrits au hasard et évalués selon une échelle de fréquence divisée en sept niveaux: 1 = jamais, 2 = une fois, 3 = rarement, 4 = parfois, 5 = souvent, 6 = d'habitude, 7 = toujours. Le niveau général de lassitude est calculé d'après le niveau accordé à chaque critère, dont quatre sont inversés (énergique, heureux, satisfait de sa journée, optimiste).

La fiabilité

La fiabilité de cette évaluation s'est établie, lorsque nous avons comparé les tests et les suivis, à 0,89 dans le cas des tests donnés à 1 mois d'intervalle, à 0,76 pour 2 mois d'intervalle, à 0,66 pour 4 mois d'intervalle. Dans la majorité des échantillons étudiés, la constance interne a été évaluée par le coefficient "α" dont les valeurs s'échelonnaient entre 0,91 et 0,93.

Le niveau de lassitude

En vous servant de l'échelle d'évaluation ci-dessous indiquez la fréquence à laquelle vous vous sentez:

1	3	5	7
jamais	rarement	souvent	toujours
2	4	6	
une fois	parfois	généra-lement	

_____ 1. Fatigué

_____ 2. Déprimé

_____ 3. Satisfait de votre journée

_____ 4. Exténué physiquement

_____ 5. Exténué au niveau émotif

_____ 6. Heureux

_____ 7. À plat

_____ 8. Épuisé moralement

_____ 9. Malheureux

_____ 10. Abattu

_____ 11. Pris au piège

_____ 12. Inutile

_____ 13. Ennuyé

_____ 14. Troublé

_____ 15. Déçu ou dépité par les autres

_____ 16. Faible et impuissant

_____ 17. Désespéré

_____ 18. Rejeté

_____ 19. Optimiste

_____ 20. Énergique

_____ 21. Anxieux

Les échantillons

Notre étude sur la lassitude est basée sur 30 échantillons différents de participants. Les groupes comptaient chacun entre 9 et 724 personnes recrutées dans diverses professions et à divers endroits. En voici la description:

271

1. 205 (96 hommes et 109 femmes) professionnels recrutés dans la région de San Francisco par des étudiants qui participaient à un cours de recherche de groupe. Les professionnels représentaient divers domaines: services sociaux et de santé, sciences, affaires, arts, femmes au foyer.

2. 220 (47 hommes et 173 femmes) professionnels, qui participèrent à un atelier sur l'épuisement tenu dans la région de San Francisco, et qui représentaient divers domaines des services humains et administratifs.

3. 322 (56 hommes et 266 femmes) professionnels, qui participèrent également à un atelier sur l'épuisement dans la région de San Francisco et qui représentaient divers domaines des services humains et administratifs.

4. 277 femmes professionnelles de la région de San Francisco, recrutées par des étudiants qui participaient à un cours de recherche de groupe. Elles représentaient divers domaines: services humains, sciences, affaires, arts, femmes au foyer.

5. 129 (19 hommes et 110 femmes) travailleurs sociaux qui participèrent à un atelier sur l'épuisement au Colorado.

6. 198 (166 hommes et 32 femmes) éducateurs de retardés mentaux qui participèrent à un atelier sur l'épuisement dans l'État de Georgie.

7. 66 (17 hommes et 49 femmes) travailleurs sociaux qui participèrent à un atelier sur l'épuisement au Colorado.

8. 89 (11 hommes et 78 femmes) enseignants qui participèrent à deux ateliers sur l'épuisement dans le nord de la Californie.

9. 53 (13 hommes et 40 femmes) employés de deux bureaux différents des services d'assistance publique dans le nord de la Californie.

10. 724 (275 hommes et 449 femmes) professionnels des services humains, échantillonnés au hasard dans 14 centres résidentiels gouvernementaux pour troubles caractériels situés dans les États suivants: Caroline du Nord, Caroline du Sud, Indiana, New Jersey, Colorado, Montana, Virginie de l'Ouest, Texas, Virginie, Louisiane, New York.

11. 29 (1 homme et 28 femmes) infirmières qui participèrent à un atelier sur l'épuisement dans la région de San Francisco.

12. 45 (23 hommes et 22 femmes) délégués à la liberté conditionnelle qui participèrent à un atelier sur l'épuisement dans la région de San Francisco.

13. 12 (1 homme et 11 femmes) parents soupçonnés de mauvais traitements ou de négligence envers leurs enfants.

14. 73 mères d'enfants d'âge scolaire qui participèrent à un projet de recherche dans la région de San Francisco.

15. 33 pères d'enfants d'âge scolaire qui participèrent à un projet de recherche dans la région de San Francisco.

16. 72 mères d'enfants d'âge scolaire qui participèrent à un projet de recherche dans la région de San Francisco.

17. 50 pères d'enfants d'âge scolaire qui participèrent à un projet de recherche dans la région de San Francisco.

18. 39 infirmières qui participèrent à un projet de recherche dans le sud de la Californie.

19. 25 (9 hommes et 16 femmes) personnes qui participèrent à un cours d'un mois sur l'épuisement dans la région de San Francisco.

20. 9 (2 hommes et 7 femmes) surveillants et administrateurs d'une agence de services d'hygiène dans la région de San Francisco.

21. 84 (35 hommes et 49 femmes) étudiants de premier cycle de l'université Berkeley en Californie.

22. 147 (49 hommes et 98 femmes) étudiants de premier cycle de l'université Berkeley en Californie.

23. 294 (106 hommes et 188 femmes) étudiants de premier cycle de l'université Berkeley en Californie.

24. 118 (12 hommes et 106 femmes) professionnels des services sociaux et de santé travaillant dans trois hôpitaux et un centre communautaire canadiens. L'échantillonnage se fit au hasard dans le bassin d'employés des soins intensifs, urgence et cliniques pour maladies chroniques.

25. 81 (10 hommes et 71 femmes) travailleurs sociaux en Israël.

26. 181 (26 hommes et 155 femmes) téléphonistes en Israël.

27. 66 (59 hommes et 7 femmes) directeurs qui participèrent à un séminaire de gestion en Israël.

28. 55 (hommes) directeurs qui participèrent à un programme de développement administratif en Israël.

29. 21 (17 hommes et 4 femmes) directeurs qui participèrent à un atelier sur l'épuisement en Israël.

30. 199 étudiants japonais de l'université Rissho à Tokyo.

Le niveau de lassitude des divers échantillons

Le tableau A.1 indique les niveaux moyens et les déviations courantes de tous les échantillons étudiés. Les niveaux moyens s'échelonnaient entre 2,8 et 4,2 et les déviations courantes entre 0,4 et 1,0. Le niveau général moyen de lassitude était de 3,3.

TABLEAU A.1

Nombre des participants, niveaux moyens et déviations courantes de lassitude

ÉCHANTILLON	NOMBRE	MOYENNE	DÉVIATION COURANTE
1	205	3,2	0,6
2	220	3,7	0,6
3	322	3,6	0,7
4	277	3,1	0,6
5	129	3,3	1,0
6	198	3,1	0,6
7	66	3,7	0,7
8	89	3,2	0,9
9	53	3,6	0,7
10	724	3,1	0,9
11	29	3,6	0,6
12	45	3,5	0,5
13	12	4,2	0,6
14	73	3,1	0,8
15	33	2,9	0,9
16	72	3,1	0,5
17	50	2,9	0,5
18	39	3,0	0,6
19	25	3,1	0,9
20	9	3,0	0,4
21	84	3,4	0,7
22	147	3,4	0,7
23	294	3,3	0,8
24	118	3,3	0,6
25	81	3,1	0,6
26	181	3,1	0,7
27	66	2,8	0,5
28	65	2,8	0,6
29	21	3,5	0,4
30	199	3,5	0,9

La lassitude selon le sexe

Le tableau A.2 représente les niveaux moyens de lassitude chez les hommes et les femmes dans presque tous les échantillons étudiés. Le niveau général moyen de lassitude est de 3,2 pour les hommes (N = 1188) et de 3,3 pour les femmes (N = 2529).

TABLEAU A.2

Les niveaux moyens de lassitude chez les hommes et les femmes

ÉCHANTILLON	HOMMES		FEMMES	
	N	*Moyenne*	*N*	*Moyenne*
1	96	3,1	109	3,3
2	47	3,5	173	3,8
3	56	3,6	266	3,6
4	0	-	277	3,1
5	19	3,3	110	3,3
6	166	3,1	32	3,2
7	17	3,8	49	3,7
8	11	2,7	78	3,2
9	13	3,7	40	3,5
10	275	3,1	449	3,2
11	1	3,2	28	3,6
12	23	3,6	22	3,5
13	1	3,5	11	4,3
14	0	-	73	3,1
15	33	2,9	0	—
16	0	-	72	3,1
17	50	2,9	0	—
18	0	-	39	3,0
19	9	2,9	16	3,2
20	2	2,9	7	3,0
21	35	3,6	49	3,3
22	49	3,3	98	3,5
23	106	3,2	188	3,3
24	12	3,0	106	3,3
25	10	2,8	71	3,2
26	26	2,9	155	3,1
27	59	2,8	7	3,0
28	55	2,8	0	—
29	17	3,5	4	3,5

La lassitude selon la profession

Le tableau A.3 représente les niveaux moyens de lassitude selon la profession. Vu l'immense diversité des professions des participants, nous n'avons pas pu les répertorier toutes.

275

TABLEAU A.3

Les niveaux moyens de lassitude selon la profession

ÉCHANTILLON	PROFESSION	N	MOYENNE
1	Services humains (sociaux et de santé)	63	3,1
	Commerce et gestion	36	3,2
	Sciences	39	3,3
	Arts	13	3,2
	Ménagères	14	3,2
	Travaux techniques et de bureau	40	3,4
2	Travail social	48	3,8
	Conseillers	38	3,7
	Thérapie	26	3,6
	Nursing	35	3,8
	Enseignement	27	3,8
	Administration et gestion	28	3,4
3	Services humains	260	3,7
	Travaux techniques, de bureau et administratifs	46	3,4
4	Commerce et gestion	56	3,1
	Enseignement	21	3,1
	Travail social et nursing	36	3,3
	Sciences	46	3,0
	Travaux techniques et de bureau	45	3,0
	Ménagères	18	3,5
5	Ménagères professionnelles	17	3,0
	Travail social	94	3,4
	Travail de surveillance	16	3,2
7	Ménagères professionnelles	18	3,6
	Travail social	44	3,8
8	Enseignement	89	3,2
9	Services sociaux	53	3,6
10	Administration et gestion	256	3,1
	Soins directs professionnels	244	3,1
	Soins directs non professionnels	224	3,1
11	Nursing	29	3,6

12	Liberté conditionnelle	45	3,6
20	Étudiants	84	3,4
21	Étudiants	147	3,4
22	Étudiants	294	3,3
24	Nursing — Canada	55	3,4
	Aide-infirmière — Canada	27	3,0
	Travail social — Canada	23	3,3
25	Travail social — Israël	81	3,1
26	Téléphonistes — Israël	133	3,2
	Surveillance dans les centres téléphoniques — Israël	33	2,9
27	Directeurs — Israël	66	2,8
28	Directeurs — Israël	55	2,8
29	Directeurs — Israël	21	3,5
30	Étudiants — Japon	199	3,5

La lassitude et autres variables

LES CRITÈRES DE SATISFACTION

Le tableau A.4 représente les niveaux moyens de trois critères de satisfaction et leur corrélation avec la lassitude: satisfaction face au travail, à la vie et à soi-même. Le niveau de satisfaction fut évalué selon l'Échelle Kunin's Faces.[1] La majorité des corrélations étaient négatives et significativement différentes de zéro ($p < 0,05$).

TABLEAU A.4

Les niveaux moyens des critères de satisfaction et leur corrélation avec la lassitude

	TRAVAIL		VIE		SOI-MÊME	
ÉCHAN-TILLON	Moyenne	Corré-lation	Moyenne	Corré-lation	Moyenne	Corré-lation
1	5,1	—0,39	5,7	—0,56		
2	4,7	—0,53	5,3	—0,58	5,4	—0,54
3	4,7	—0,63	5,5	—0,62	5,5	—0,62
4	5,3	—0,38	5,7	—0,38		
5	5,0	—0,58				
6	5,5	—0,52				
9	4,8	—0,58	5,5	—0,44	5,6	—0,45
10	5,4	—0,45	5,9	—0,43	5,1	—0,43
11	5,3	—0,37 (NS)	5,4	—0,53	5,3	—0,34 (NS)
12	4,5	—0,45	5,5	—0,55	5,3	—0,59
14	5,4	—0,41	5,8	—0,61		
15	5,5	—0,43	5,7	—0,56		
16	5,6	—0,63	5,8	—0,51	5,9	—0,54
17	5,6	—0,31 (NS)	5,9	—0,37 (NS)	5,9	—0,60
18	4,8	—0,53	5,9	—0,70	6,1	—0,68
21	4,7	—0,50	5,6	—0,69		
22	4,8	—0,52	5,6	—0,56	5,6	—0,73
23	4,9	—0,38	5,7	—0,46		
24	5,4	—0,24	5,9	—0,34	5,7	—0,40
25	5,6	—0,30	5,6	—0,46	5,6	—0,41
26	4,7	—0,53	5,7	—0,47		
27	5,4	—0,26	5,7	—0,32		
28	5,1	—0,39	5,5	—0,54	5,1	—0,32
30	3,7	—0,35	4,8	—0,61	4,3	—0,35

(NS) — non significatif

L'ÉTAT DE SANTÉ ET LES TROUBLES DE SOMMEIL

Le tableau A.5 représente la moyenne de l'état de santé physique tel qu'il était perçu par les sujets de certains échantillons et les troubles de sommeil qu'ils rapportèrent, ainsi que leur corrélation avec la lassitude. Toutes les corrélations sont significativement différentes de zéro ($p < 0,05$) et dans le sens prévu: positif pour les troubles de sommeil et négatif pour la santé telle que perçue par le sujet.

TABLEAU A.5

Les niveaux moyens de la santé physique telle que perçue par les sujets et des troubles de sommeil rapportés et leur corrélation avec la lassitude

ÉCHAN-TILLON	SANTÉ PHYSIQUE		TROUBLES DE SOMMEIL	
	Moyenne	*Corrélation*	*Moyenne*	*Corrélation*
1	5,6	—0,39		
4	5,4	—0,33	2,7	0,30
5			3,0	0,33
6			2,8	0,32
10	5,5	—0,26		
14			2,8	0,33
15			2,4	0,47
23	5,4	—0,40	2,9	0,30
24	5,4	—0,20		
25	5,4	—0,38		
26	4,0	—0,46		
28	5,5	—0,28		
29	5,4	—0,25		

CONFLIT ENTRE LA VIE ET LE TRAVAIL

Le tableau A.6 représente le niveau moyen du conflit entre la vie et le travail de certains échantillons et la corrélation avec la lassitude. Toutes les corrélations sont positives et significativement différentes de zéro ($p < 0,05$).

279

TABLEAU A.6

Le niveau moyen du conflit vie-travail et la corrélation avec la lassitude

ÉCHANTILLON	MOYENNE	CORRÉLATION
1	4,2	0,36
4	3,6	0,22
10	3,6	0,33
21	4,6	0,32
23	4,1	0,26
24	4,1	0,38
28	3,7	0,28
29	4,0	0,24

LE DÉSESPOIR

Un sous-groupe de l'échantillon 3 (N = 130) fut soumis à un test sur le désespoir composé de 20 questions et conçu par Beck, Weissman, Lester et Trexler.[2] La corrélation entre la lassitude et le désespoir était de 0,59 ($p < 0,001$).

LA PROPENSION AU RETARD

Nous disposions des renseignements sur la propension au retard (nombre de jours par année où les employés arrivent en retard au travail) pour l'échantillon 26. La corrélation entre la lassitude et la propension au retard était de 0,30 ($p < 0,001$).

LES ÉVÉNEMENTS MAJEURS DE LA VIE

Les participants de l'échantillon 3 firent une liste des événements survenus dans leur vie au cours des 6 mois qui précédèrent le questionnaire. Celui-ci était composé de 22 événements majeurs touchant les domaines suivants: santé physique, santé mentale, situation financière, conditions familiales, travail et certaines autres expériences. Nous avons évalué les événements positifs et négatifs de chaque répondant. Le nombre d'événements positifs était significativement et négativement corrélé à la lassitude (−0,22) et le nombre d'événements négatifs était significativement et positivement corrélé à la lassitude (0,30; $p < 0,001$, dans les deux cas).

280

LA TENDANCE À DÉMISSIONNER

Le tableau A.7 représente le niveau moyen de la tendance à démissionner de quatre échantillons et la corrélation avec la lassitude. Toutes les corrélations sont positives et significativement différentes de zéro ($p < 0,05$).

TABLEAU A.7

**Le niveau moyen de la tendance à démissionner
et la corrélation avec la lassitude**

ÉCHANTILLON	MOYENNE	CORRÉLATION
5	3,6	0,58
6	2,6	0,40
10	3,0	0,33
24	3,2	0,27

L'ÉPUISEMENT AU TRAVAIL

Les participants de l'échantillon 7 durent répondre à plusieurs questions concernant leur épuisement au travail. 48 % des répondants souffraient d'épuisement au moment de l'étude; 29% avaient déjà souffert d'épuisement mais non au moment de l'étude; 23% n'avaient jamais souffert d'épuisement au travail. Ces derniers manifestèrent un niveau moyen de lassitude sensiblement inférieur à celui des répondants qui avaient déclaré qu'ils souffraient d'épuisement ($p < 0,05$).

LA PERCEPTION DE NOTRE LASSITUDE
PAR LES AUTRES

Les participants des échantillons 8 et 11 répondirent aux questions du test de lassitude, puis leur niveau de lassitude fut évalué par les autres membres de leur groupe. La corrélation entre l'auto-évaluation et l'évaluation de la lassitude par autrui était dans les deux échantillons combinés de 0,37 ($p < 0,001$).

281

LES PRESSIONS DANS LA VIE ET AU TRAVAIL

Nous avons demandé aux participants de l'échantillon 1 de faire la liste des pressions majeures qu'ils subissaient dans la vie et au travail. Ces pressions furent répertoriées selon leur nature en 8 catégories. L'analyse des résultats présentés au tableau A. 8 indique que le niveau moyen de lassitude avait un effet global significatif ($p < 0,05$) dans le cas des pressions de la vie mais non dans celui des pressions au travail rapportées par les participants.

TABLEAU A.8

Le pourcentage de participants qui rapportèrent des pressions majeures dans leur vie et au travail et le niveau moyen de leur lassitude — échantillon 1

	VIE		TRAVAIL	
PRESSION	*Pourcentage*	*Moyenne*	*Pourcentage*	Moyenne
Difficultés financières	14	3,1	3	2,8
Problèmes interpersonnels	39	3,2	18	3,3
Manque de temps	13	3,3	17	3,3
Difficultés de décision et de planification	2	3,3	17	3,1
Désagréments	4	3,2	15	3,2
Problèmes dans l'actualisation de soi	12	3,6	13	3,3
Sentiments négatifs	9	3,4	13	3,4
Aucun problème	7	2,8	4	2,9

LES PRESSIONS ET LES JOIES

Au tableau A.9, nous avons répertorié les 564 pressions et 527 joies mentionnées par les participants de l'échantillon 22. L'analyse des corrélations indique que le nombre de pressions mentionnées n'était pas significativement corrélé à la lassitude (*r*

= −0,08) alors que l'intensité moyenne de ces pressions l'était (0,42; $p<0,05$). Le nombre de joies aussi bien que leur intensité moyenne sont négativement et significativement corrélés à la lassitude: respectivement, $r = -0,21$ et $r = -0,23$ ($p<0,05$).

TABLEAU A.9

Pourcentage des pressions et des joies par catégorie — échantillon 22

CATÉGORIE	POURCENTAGE DES PRESSIONS	POURCENTAGE DES JOIES
Finances	10	0
Relations interper-sonnelles	33	40
Études	28	13
Actualisation de soi	10	5
Avenir	8	2
Travail	6	3
Santé	5	1
Passe-temps et loisirs	0	34
Détente	0	2

LES CARACTÉRISTIQUES DU TRAVAIL ET DE LA VIE

Le tableau A.10 représente le niveau moyen de 12 caractéristiques du travail des échantillons 5 et 6 et la corrélation avec la lassitude. Le tableau A.11 représente le niveau moyen et la corrélation avec la lassitude de 12 caractéristiques de la vie des échantillons 4 et 23. Le tableau A.12 représente le niveau moyen des caractéristiques du travail et de la vie des échantillons 1 et 10 et la corrélation avec la lassitude.

TABLEAU A.10

Le niveau moyen des caractéristiques du travail et la corrélation avec la lassitude

	ÉCHANTILLON 5		ÉCHANTILLON 6	
CARACTÉRISTIQUES DU TRAVAIL	Moyenne	Corré-lation	Moyenne	Corré-lation
Diversité	5,4	—0,14	6,2	—0,23*
Complexité	5,1	—0,03	5,8	—0,16*
Autonomie	5,0	—0,15	5,4	—0,32*
Valorisation	5,5	—0,13	6,3	—0,18*
Rétroaction	4,8	—0,31*	5,0	—0,15*
Réussite	5,2	—0,16	5,9	—0,15*
Disponibilité de périodes de relâche	4,2	—0,27*	4,4	—0,15*
Efficacité des installations	4,4	—0,30*	5,4	—0,18*
Partage des tâches	4,2	—0,28*	5,1	—0,22*
Relations de travail	5,2	—0,32*	5,2	—0,28*
Entraide sociale	5,9	—0,29*	5,4	—0,26*
Rétroaction sociale	4,1	—0,36*	4,2	—0,32*

* $p < 0,05$

TABLEAU A.11

Le niveau moyen des caractéristiques de la vie et la corrélation avec la lassitude

	ÉCHANTILLON 4		ÉCHANTILLON 23	
CARACTÉRISTIQUES DE LA VIE	Moyenne	Corré- lation	Moyenne	Corré- lation
Diversité	5,5	—0,32*	5,1	—0,35*
Complexité	5,5	—0,05	5,6	0,01
Autonomie	5,6	—0,29*	5,4	—0,24*
Valorisation	5,4	—0,13*	5,2	—0,23*
Réussite	5,1	—0,47*	5,1	—0,47*
Surengagement	4,1	0,21*	4,4	0,20*
Disponibilité de périodes de relâche	4,4	—0,27*	4,4	—0,15*
Relations familiales	5,7	—0,30*	5,6	—0,17*
Relations avec les amis	6,0	—0,30*	5,8	—0,32*
Entraide	5,4	—0,25*	5,5	—0,27*
Surengagement social	3,8	0,35*	4,0	0,24*
Distractions dues au travail	3,6	0,33*	4,3	0,28*

* $p < 0,05$

TABLEAU A.12

Le niveau moyen des caractéristiques du travail et de la vie et la corrélation avec la lassitude

	ÉCHANTILLON 1				ÉCHANTILLON 10			
	Vie		Travail		Vie		Travail	
	Moyenne	r	Moyenne	r	Moyenne	r	Moyenne	r
Diversité	5,2	—0,23*	5,0	—0,21*	5,2	—0,22*	4,8	—0,20*
Complexité	4,9	—0,11	5,1	—0,20*	4,9	—0,09*	5,2	—0,03
Autonomie	5,7	—0,15*	5,0	—0,28*	5,8	—0,19*	4,7	—0,19*
Surengagement	4,1	0,22*	4,2	0,23*	3,8	0,23*	4,4	0,31*
Surcharge	3,8	0,13	4,0	0,13	3,9	0,27*	4,5	0,35*
Sous-charge	3,2	0,29*	3,3	0,15*	3,3	0,22*	3,5	0,20*
Charges décisionnelles	3,4	0,21*	3,9	0,19*	3,2	0,18*	4,1	0,30*
Charges d'innovation	4,7	—0,15*	4,7	—0,17*	4,9	—0,12*	5,0	—0,08*
Valorisation	5,2	—0,22*	5,3	—0,21*	5,7	—0,18*	5,9	—0,15*
Rétroaction	4,9	—0,23*	4,7	—0,15*	5,0	—0,21*	4,4	—0,15*
Réussite	5,2	—0,48*	5,2	—0,24*	5,4	—0,28*	5,2	—0,17*
Conséquences négatives	4,3	—0,07	5,0	—0,19*	4,6	,00	5,3	0,04
Expression de soi	5,6	—0,31*	4,9	—0,22*	5,7	—0,15*	4,9	—0,20*

	Moy.	r	Moy.	r	Moy.	r	Moy.	r
Actualisation de soi	5,5	—0,28*	4,7	—0,22*	5,4	—0,24*	4,7	—0,20*
Exigences d'autovalorisation	3,6	0,11	4,2	,00	3,8	0,08*	4,6	0,17*
Culpabilité	3,2	0,51*	3,1	0,29*	3,3	0,41*	3,6	0,42*
Dangers physiques	2,0	—0,03	1,9	—0,06	2,2	0,10*	2,9	0,12*
Pressions environnementales	2,5	0,26*	2,8	0,27*	2,4	0,19*	3,3	0,21*
Environnement confortable	5,6	—0,35*	4,6	—0,29*	5,5	—0,20*	4,4	—0,24*
Pressions bureaucratiques	3,0	0,20*	4,2	0,11	2,7	0,10*	4,6	0,24*
Désagréments administratifs	2,8	0,20*	4,5	0,06	2,5	0,10*	5,1	0,26*
Influence sur les politiques	5,2	—0,24*	4,0	—0,15*	5,5	—0,16*	4,1	—0,18*
Récompenses	5,0	—0,41*	4,4	—0,33*	4,9	—0,17*	4,0	—0,17*
Disponibilité de périodes de relâche	4,4	—0,18*	4,2	—0,11	4,5	—0,16*	4,3	—0,09*
Surengagement social	4,4	0,28*	4,2	0,16*	3,7	—0,33*	3,9	0,38*
Entraide	5,0	—0,29*	4,5	—0,27*	5,1	—0,12*	4,6	—0,17*
Relations personnelles	5,7	—0,32*	5,5	—0,27*	5,9	—0,26*	5,6	—0,25*
Partage	4,7	0,28*	4,4	0,13	5,1	—0,20*	4,9	0,23*
Exigences conflictuelles	3,8	0,38*	3,9	0,27*	3,5	—0,30*	4,0	0,31*
Appréciation	5,0	—0,31*	4,6	—0,32*	5,1	—0,13*	4,3	—0,16*
Responsabilité	4,4	0,12	4,1	0,06	4,3	0,01	4,3	—0,07*
Réciprocité émotionnelle	5,2	—0,29*	4,5	—0,18*	5,2	—0,22*	4,2	—0,18*

* $p < 0.05$

287

Divergences sexuelles: Le tableau A.13 indique le niveau moyen des caractéristiques du travail et de la vie chez les hommes et les femmes de l'échantillon 1 et la corrélation avec la lassitude.

TABLEAU A.13

Le niveau moyen des caractéristiques de la vie et du travail ches les hommes et les femmes et la corrélation avec la lassitude — échantillon 1

		HOMMES		FEMMES			H/F COMPARAISON
		MOYENNE	r	MOYENNE	r	MOYENNE	t
Diversité	Vie	5,4	—0,17	5,0	—0,22*		1,98*
	Travail	5,3	—0,19	4,8	—0,20*		2,10*
Complexité	Vie	5,1	—0,04	4,9	—0,11		0,35
	Travail	5,4	—0,02	4,9	—0,30*		2,52*
Autonomie	Vie	5,8	—0,02	5,7	—0,18		0,40
	Travail	5,4	—0,20*	4,7	—0,30*		2,99*
Sous-charge	Vie	3,1	0,19	3,2	0,32*		—0,63
	Travail	3,1	0,03	3,5	0,21*		—1,75

Surcharge	Vie	3,9	0,17	3,9	0,12	0,25
	Travail	4,3	0,21*	3,9	0,10	1,57
Charges décisionnelles	Vie	3,5	0,14	3,3	0,30*	1,44
	Travail	4,1	0,22*	3,8	0,17	1,20
Surengagement	Vie	4,1	0,20*	4,2	0,27*	—0,41
	Travail	4,4	0,20*	4,1	0,25*	1,56
Exigence d'autovalorisation	Vie	3,7	—0,05	3,7	0,19	0,06
	Travail	4,5	—0,07	3,9	—0,03	2,44*
Charges d'innovation	Vie	4,7	—0,14	4,7	—0,12	0,04
	Travail	5,2	—0,02	4,4	—0,25*	2,97*
Valorisation	Vie	5,1	—0,22*	5,3	—0,21*	—1,20
	Travail	5,3	—0,24*	5,3	—0,22*	0,15
Réussite	Vie	5,3	—0,41*	5,2	—0,48*	0,48
	Travail	5,3	—0,22*	5,1	—0,23*	0,76
Rétroaction	Vie	4,7	—0,29*	5,0	—0,17	—1,34
	Travail	4,8	—0,17	4,6	—0,11	0,75
Expression de soi	Vie	5,5	—0,09	5,6	—0,42*	—0,51
	Travail	5,2	—0,0	4,6	—0,28*	2,62*
Actualisation de soi	Vie	5,5	—0,18	5,5	—0,29*	0,27
	Travail	5,1	—0,15	4,5	—0,24*	2,49*
Culpabilité	Vie	3,0	0,43*	3,5	0,57*	—2,28*
	Travail	3,0	0,30*	3,2	0,25*	—0,64
Pressions environne-mentales	Vie	2,3	0,15	2,6	0,33*	—1,60
	Travail	2,6	0,11	3,0	0,37*	—2,04*

		HOMMES		FEMMES		H/F COMPARAISON
		MOYENNE	r	MOYENNE	r	MOYENNE t
Pressions bureaucratiques	Vie	3,0	0,22*	3,1	0,18	—0,27
	Travail	4,2	0,08	4,3	0,13	—0,23
Désagréments administratifs	Vie	2,9	0,20*	2,8	0,18	0,44
	Travail	4,7	0,06	4,5	0,03	0,50
Environnement confortable	Vie	5,7	—0,42*	5,5	—0,30*	—1,28
	Travail	4,9	—0,25*	4,2	—0,31*	2,97*
Responsabilité	Vie	4,3	0,05	4,3	0,16	—0,34
	Travail	4,1	—0,19	4,2	,00	—0,44
Influence sur les politiques	Vie	5,2	—0,22*	5,3	—0,28*	—0,61
	Travail	4,5	—0,13	3,7	—0,12	3,16*
Récompenses	Vie	5,1	—0,34*	5,0	—0,44*	0,18
	Travail	4,7	—0,24*	4,2	—0,36*	1,96*
Occasions de prendre un congé	Vie	4,5	—0,14	4,3	—0,21*	0,78
	Travail	4,5	—0,09	3,8	—0,05	3,08*
Entraide	Vie	4,8	—0,31*	5,2	—0,31*	—2,13*
	Travail	4,4	—0,28*	4,6	—0,27*	—0,93
Appréciation	Vie	5,0	—0,34*	5,1	—0,27*	—0,47
	Travail	4,8	—0,25*	4,4	—0,33*	1,56
Réciprocité émotionnelle	Vie	5,1	—0,31*	5,4	—0,30*	—1,74
	Travail	4,4	—0,20*	4,5	—0,13	—0,43

Partage	Vie	4,6	—0,27*	4,9	—0,30*	—1,05
	Travail	4,1	—0,20*	4,6	—0,11	—2,19*
Relations inter-personnelles	Vie	5,6	—0,21*	5,9	—0,42*	—1,96*
	Travail	5,4	—0,24*	5,6	—0,30*	—1,10
Surengagement social	Vie	4,0	0,16	4,7	0,34*	—2,76*
	Travail	3,9	0,04	4,6	0,21*	—2,16*
Exigences conflictuelles	Vie	3,7	0,30*	3,9	0,44*	—1,38
	Travail	4,0	0,29*	3,8	0,25*	1,05

* $p < 0.05$

Divergences culturelles: Le tableau A.14 indique le niveau moyen des caractéristiques de la vie et du travail chez les directeurs américains et israéliens et la corrélation avec la lassitude.

TABLEAU A.14

Le niveau moyen des caractéristiques de la vie et du travail chez les directeurs américains et israéliens et la corrélation avec la lassitude

| | ÉTATS-UNIS | | | | ISRAËL | | | |
| | VIE | | TRAVAIL | | VIE | | TRAVAIL | |
	Moyenne	r	Moyenne	r	Moyenne	r	Moyenne	r
Diversité	5,5	−0,08	5,7	−0,12	5,0	−0,12	6,0	−0,14
Complexité	5,1	0,01	5,5	0,03	4,6	0,12	5,9	−0,12
Autonomie	5,9	0,04	5,6	−0,04	5,7	−0,31*	5,8	−0,21*
Surengagement	3,9	0,16	4,8	0,33*	4,2	−0,07	5,3	−0,08
Surcharge	4,0	0,30*	4,4	0,29*	3,2	0,26*	3,8	0,16
Sous-charge	2,9	0,16	2,7	−0,06	2,8	0,20	2,6	0,15
Charges décisionnelles	3,5	0,18	4,2	0,37*	2,9	0,33*	3,8	0,20
Charges d'innovation	4,8	−0,18	5,5	−0,01	4,6	−0,17	5,7	−0,37*
Valorisation	5,1	−0,05	5,8	−0,07	6,0	0,01	6,0	−0,27*
Rétroaction	4,8	0,17	5,2	−0,06	5,5	−0,17	5,8	−0,16
Réussite	5,3	−0,30*	5,5	−0,21*	5,6	−0,43*	6,0	−0,26*

Conséquences négatives	4,3	0,03	5,4	—0,05	4,9	—,00	5,6	—0,27*
Expression de soi	5,6	—0,25*	5,6	—0,10	5,5	—0,27*	5,7	—0,34*
Actualisation de soi	5,5	—0,15	5,4	—0,17	5,1	—0,19	5,2	—0,16
Exigence d'autovalorisation	3,8	0,09	4,9	0,09	3,2	0,15	5,1	—0,06
Culpabilité	3,1	0,53*	3,3	0,48*	2,4	0,38*	2,3	0,36*
Dangers physiques	2,0	—0,08	1,8	—0,05	1,7	—0,11	2,2	0,05
Pressions environnementales	2,2	0,12	2,6	0,17	2,2	0,13	3,2	0,16
Environnement confortable	6,1	—0,14	5,2	—0,14	5,7	—0,17	4,8	—0,22*
Pressions bureaucratiques	2,7	0,13	3,9	0,05	2,6	0,31*	4,5	0,31
Désagréments administratifs	2,7	0,16	4,6	0,15	2,4	0,37*	4,5	0,40*
Influence sur les politiques	5,3	—0,17	4,9	—0,15	5,8	0,04	5,4	—0,40*
Récompenses	5,2	—0,28*	5,1	—0,29*	5,5	—0,14	4,7	—0,35*
Disponibilité de périodes de relâche	4,7	—0,06	4,7	0,11	4,1	—0,06	4,3	—0,07
Surengagement social	4,3	0,13	4,5	0,31*	4,4	0,15	3,7	—0,12
Entraide	5,1	0,24*	4,7	—0,16	5,3	—0,09	4,9	—0,15
Relations interpersonnelles	5,8	—0,25*	5,6	—0,28*	6,1	—0,25*	5,5	—0,34*
Partage	4,5	—0,37*	4,3	—0,01	5,2	—0,16	4,1	0,07
Exigences conflictuelles	3,7	0,32*	4,4	0,31*	3,2	0,26*	3,7	0,26*
Appréciation	5,1	—0,30*	5,2	—0,22*	5,6	—0,21*	5,3	—0,16
Responsabilité	4,4	0,13	4,6	0,06	4,2	—0,02	3,8	0,06
Réciprocité émotionnelle	5,3	—0,24*	4,7	—0,16	5,8	0,19	4,6	—0,36*

* $p < 0.05$

LES STRATÉGIES THÉRAPEUTIQUES

Nous avons examiné une taxonomie bidimensionnelle de stratégies thérapeutiques: directe/indirecte et active/inactive. Ces 2 schémas agissent l'un sur l'autre et génèrent 4 types de stratégies thérapeutiques, dont chacune est représentée par 3 actions. Nous avons étudié la fréquence à laquelle les participants de l'échantillon 2 recouraient à ces stratégies thérapeutiques, leur degré d'efficacité et leur relation avec la lassitude. D'après les résultats, présentés au tableau A.15, les stratégies actives étaient les plus fréquemment utilisées et les plus efficaces. Les stratégies inactives étaient les moins fréquemment utilisées et les moins efficaces. L'analyse corrélative indique que la fréquence d'utilisation des stratégies actives est corrélée négativement à la lassitude et que la fréquence d'utilisation des stratégies inactives est corrélée positivement à la lassitude. Les corrélations entre la lassitude et l'efficacité des stratégies sont en grande partie négatives, et la moitié d'entre elles sont statistiquement significatives au niveau 0,05.

TABLEAU A.15

Le niveau de la fréquence d'utilisation et de l'efficacité des stratégies thérapeutiques et la corrélation avec la lassitude — échantillon 2

	FRÉQUENCE		EFFICACITÉ	
	Moyenne	*Corrélation*	*Moyenne*	*Corrélation*
Directe-active				
Modifier la source	3,4	—0,09	3,4	—0,26*
Confronter la source	4,1	—0,32*	4,4	—0,40*
Chercher les aspects positifs de la situation	4,5	—0,19*	4,2	—0,33*
Directe-inactive				
Ignorer la source	3,3	0,05	2,7	—0,26*
Éviter la source	3,6	0,21*	3,1	—0,03
Se retrancher de la source	3,4	0,15*	3,8	—0,08
Indirecte-active				
Discuter de la source	5,2	—0,09	5,2	—0,25*
Changer soi-même	3,6	—0,03	3,6	—0,17*
S'engager dans d'autres activités	4,5	—0,09	4,9	—0,13
Indirecte-inactive				
Recourir à l'alcool ou aux drogues	2,6	0,21*	3,0	—0,09
Tomber malade	2,6	0,35*	2,4	0,19*
S'effondrer	2,1	0,33*	2,4	0,13

* $p < 0,05$

Divergences sexuelles: Le tableau A.16 compare les hommes et les femmes de l'échantillon 2 au point de vue techniques thérapeutiques. Cette comparaison révèle d'importantes divergences ($p<0,05$) dans la fréquence d'utilisation des 4 techniques thérapeutiques suivantes: ignorer la source, discuter de la source, tomber malade, s'effondrer. Le niveau moyen pour les femmes se révèle plus faible dans la première technique, et plus élevé dans les 3 autres. L'évaluation de l'efficacité indique, elle, 2 niveaux moyens significativement divergents ($p<0,05$): ignorer la source et discuter de la source, où, de nouveau chez les femmes, le niveau moyen de la première technique était plus faible et celui de la seconde plus élevé.

TABLEAU A.16

Le niveau moyen de la fréquence et de l'efficacité des techniques thérapeutiques chez les hommes et les femmes échantillon 2

	FRÉQUENCE		EFFICACITÉ	
	Hommes	*Femmes*	*Hommes*	*Femmes*
Directe-active				
Modifier la source	3,5	3,4	3,5	3,3
Confronter la source	4,3	4,1	4,5	4,4
Chercher les aspects positifs de la situation	4,5	4,5	4,4	4,1
Directe-inactive				
Ignorer la source	3,7	3,1	3,2	2,6
Éviter la source	3,4	3,6	3,2	3,1
Se retrancher de la source	3,5	3,3	4,2	3,7
Indirecte-active				
Discuter de la source	4,7	5,3	4,8	5,3
Changer soi-même	3,8	3,6	3,9	3,5
S'engager dans d'autres activités	4,4	4,6	4,6	4,9
Indirecte-inactive				
Recourir à l'alcool ou aux drogues	2,5	2,6	3,0	3,0
Tomber malade	1,8	2,8	2,5	2,4
S'effondrer	1,5	2,3	2,3	2,5

Divergences culturelles: Nous avons comparé la fréquence et l'utilisation des techniques thérapeutiques des Américains de l'échantillon 2 à celles des Israéliens de l'échantillon 27. Les résultats, présentés au tableau A.17, indiquent que les Israéliens utilisent davantage de techniques thérapeutiques directes-actives — modifier la source du stress, la confronter, chercher les aspects positifs de la situation. Les Américains utilisent davantage de techniques directes-inactives — ignorer la source du stress, l'éviter, se retrancher de la situation. Ils utilisent également plus de techniques indirectes-actives (discuter de la source, changer soi-même, s'engager dans d'autres situations) et plus de techniques indirectes-inactives (boire, tomber malade, s'effondrer).

TABLEAU A.17

Le niveau moyen de la fréquence et de l'efficacité des techniques thérapeutiques des Israéliens et des Américains

	FRÉQUENCE		EFFICACITÉ	
	Israël	*États-Unis*	*Israël*	*États-Unis*
Directes-actives				
Modifier la source	3,7	3,4	4,2	3,4
Confronter la source	4,8	4,1	4,7	4,4
Chercher les aspects positifs de la situation	4,7	4,5	4,9	4,2
Directes-inactives				
Ignorer la source	2,6	3,3	3,7	2,7
Éviter la source	2,8	3,6	3,5	3,1
Se retrancher de la source	2,5	3,4	3,3	3,8
Indirectes-actives				
Discuter de la source	3,9	5,2	4,2	5,2
Changer soi-même	2,9	3,6	3,5	3,6
S'engager dans d'autres activités	4,0	4,5	4,7	4,9
Indirectes-inactives				
Recourir à l'alcool ou aux drogues	1,1	2,6	2,6	3,0
Tomber malade	1,5	2,6	2,0	2,4
S'effondrer	1,3	2,1	2,4	2,4

Résumé

Nous avons présenté dans cet appendice nos recherches sur la lassitude et les principales déductions que nous en avons tirées. Nous avons présenté également le niveau moyen de lassitude constaté dans divers échantillons et professions, chez les femmes et chez les hommes, ainsi que leur relation avec les autres variables. Si vous désirez en savoir davantage, nous avons inclus à la fin du livre une liste d'orientation bibliographique.

Notes

1. T. Kunin, "The Construction of a New Type of Attitude Measure", *Personnel Psychology*, 1955, vol. 8: 65-77.
2. A.T. Beck, A. Weissman, D. Lester et L. Trexler, "The Measurement of Pessimism: The Hopelessness Scale", *Journal of Consulting and Clinical Psychology*, 1974, vol. 42: 861-865.

Orientation bibliographique

Etzion, D., D. Kafry et A. Pines "Tedium among Managers: A Cross-Cultural American-Israeli Comparison", *Journal of Psychology and Judaism*, sous presse.

Etzion, D., A. Pines et D. Kafry, "Coping Strategies and the Experience of Tedium: A Cross-Cultural Comparison Between Israelis and Americans", *Journal of Psychology and Judaism*, sous presse.

Kafry, D. et A. Pines "Coping Strategies and the Experience of Tedium", une étude présentée au congrès de l'Association américaine de psychologie tenue à Toronto, Canada, en août 1978.

Kafry, D. et A. Pines, "Tedium in Life and Work", *Human Relations*, sous presse.

Kanner, A.D., D. Kafry et A. Pines, "Conspicuous in its Absence: The Lack of Positive Conditions as a Source of Stress", *Journal of Human Stress*, 1978, vol. 4(4): 33-39.

Kanner, A.D., D. Kafry et A. Pines, "Stress Results from the Absence of Positive Experiences As Well", étude présentée au congrès de l'Association de psychologie de l'ouest, Honolulu, Hawaï, mai 1980.

Maslach, C. et A. Pines, "The "Burnout" Syndrome in Day Care Settings", *Child Care Quarterly*, 1977, vol. 6, no 2: 100-113.

Maslach, C. et A. Pines, "Burnout, the Loss of Human Caring", *Experiencing Social Psychology*, New York, Random House, 1979: 245-252.

Pines, A., "Burnout and Life Tedium in Three Generations of Professional Women", étude présentée au congrès de l'Association américaine de psychologie, San Francisco, Californie, août 1977.

Pines, A., "Characteristics of Burnout in Human Service Workers", étude présentée au 21e Congrès clinique annuel, Asilomar, Californie, juin 1978.

Pines, A., "Emotional Involvement of Helping Persons — Where Do We Draw the Line?", étude présentée au congrès annuel de la protection de l'enfance, Houston, Texas, avril 1977.

Pines, A., "How to Develop Detached Concern and Prevent Burnout", étude présentée au 2e congrès annuel de la Conférence nationale de la protection de l'enfance, San Antonio, Texas, octobre 1977.

Pines, A. et E. Aronson: *Burnout*, Schiller Park, Ill.; M.T.I. Teleprograms Inc., 1980.

Pines, A. et E. Aronson: "From Burnout to Personal Growth", étude présentée au congrès de l'Association américaine de psychologie, Montréal, septembre 1980.

Pines, A. et D. Kafry: "Tedium in the Life of Three Generations of Professional Women", *Sex Roles*, sous presse.

Pines, A. et D. Kafry: "Occupational Tedium in the Social Services", *Social Work*, vol. 23, no 6, 1978, pages 499-507; aussi dans *On Becoming a Social Worker: Issues in Career Development*, édité par J. Herrick et D. Bargal, Columbus: Collegiate Publishing, sous presse.

Pines, A. et D. Kafry: "Tedium in College", étude présentée au congrès de l'Association de psychologie de l'ouest, Honolulu, Hawaï, mai 1980.

Pines, A. et D. Kafry: "Tedium in the Life and Work of professional Women as Compared to Men", *Sex Roles*, sous presse.

Pines, A., D. Kafry et D. Etzion: "A Cross-Cultural Comparison between Israelis and Americans in the Experience of Tedium and Coping with It", étude présentée au congrès de l'Association de psychologie de l'ouest, San Diego, Californie, avril 1979.

Pines, A., D. Kafry et D. Etzion, "Job Stress from a Cross-cultural Perspective", *Burnout in the Helping Professions*, éd. par K. Reid, Western Michigan University Press, Kalamazoo, 1980.

Pines, A., D. Kafry et D. Etzion, "Tedium: The Dangers Facing People at Work", étude menée à l'université de Tel-Aviv, faculté de sciences administratives, novembre 1978; aussi dans *Shurot* (en hébreu), avril 1979: 12-16.

Pines, A. et C. Maslach "Characteristics of Staff Burnout in Mental Health Settings", *Hospital and Community Psychiatry*, 1978, vol. 29: 233-237, et dans *Innovations*, été 1979, vol. 6, no 2: 40.

Pines, A. et C. Maslach, "Combating Staff Burnout in a Child Care Center", *Child Care Quarterly*, 1979, vol. 9, no 1: 5-16.

Pines, A. et T. Solomon, "Perception of Self as a Mediator in the Dehumanization Process", *Personality and Social Psychology Bulletin*, 1977, vol. 3, no 2: 219-223.

Table des matières

Ce livre est imprimé sur
du papier contenant plus
de 50% de papier recyclé
dont 5% de fibres recyclées.

Achevé   Imprimerie
d'imprimer Gagné Ltée
au Canada Louiseville